Le bourreau intérieur

Comment ne plus se dévaloriser

Groupe Eyrolles
61, bd Saint-Germain
75240 Paris Cedex 05

www.editions-eyrolles.com

Titre original : *The Undervalued Self*
Copyright © 2010 by Elaine N. Aron PhD.

Avec la collaboration de Pascaline Giboz

© Groupe Eyrolles, 2012
ISBN : 978-2-212-55216-4

Elaine N. Aron

Le bourreau intérieur

Comment ne plus se dévaloriser

Traduit de l'anglais par Emmanuel Plisson

EYROLLES

Remerciements

Je veux d'abord remercier mon époux, Art, qui me soutient inlassablement. Je n'ai pas eu à chercher pour savoir à qui je voulais dédier ce livre.

Je remercie aussi mon agent, Betsy Amster, qui m'a fait confiance alors qu'elle n'en avait aucune raison, quand je lui ai annoncé que le seul livre que j'avais envie d'écrire était un ouvrage « décalé ».

Ma gratitude va également à mon éditrice, Tracy Behar, qui m'a fait confiance quand la mienne me faisait défaut devant les innombrables remaniements de mes premiers jets. À un moment crucial, Angela Casey, une éditrice indépendante, m'a également offert son soutien indéfectible. Je voulais absolument tout dire, elle s'est débrouillée pour que vous puissiez plutôt tout comprendre.

Pour terminer, au moment où je projetais d'écrire un livre sur le pouvoir, une personne, qui préfère rester anonyme, m'a suggéré que je devrais plutôt parler de pouvoir et d'amour... et c'est ce qui a fait toute la différence.

Table des matières

TABLE DES MATIÈRES

Introduction

En chaque être humain existe un « bourreau intérieur », un moi mal-aimé qui nous pousse à nous dévaloriser. Enfoui au plus profond de nos personnalités, il remonte parfois à la surface ; pour certains, il peut devenir un compagnon omniprésent. Sa présence nous fait douter de nous-mêmes, nous rend timides, anxieux, parfois déprimés. Ce bourreau intérieur apparaît en particulier dans les moments où nous voudrions évaluer avec justesse notre valeur ; il s'en prend alors à notre estime de soi. Or, le manque d'estime de soi est l'une des premières causes évoquées par les personnes qui s'adressent aux psychothérapeutes et spécialistes du développement personnel, et il se situe bien souvent à l'origine de troubles plus graves. Malgré tous les travaux consacrés ces dernières années à ce thème, l'estime de soi demeure aussi difficile à conquérir qu'à conserver ; le bourreau intérieur reste tapi en nous, œuvrant dans l'ombre. La raison en est simple : comme le montrent les recherches les plus récentes, la « pensée positive » et les méthodes d'auto-suggestion ont souvent pour résultat, chez les patients qui souffrent d'une faible estime de soi, d'accroître le problème qu'elles sont censées traiter. En constatant que l'affirmation positive ne fonc-

1

tionne pas, ou pas autant qu'ils l'espéraient, ces patients ont tendance à s'imputer la responsabilité de l'échec… et à s'enfoncer davantage[1] dans leurs difficultés.

J'ai décidé d'étudier ce bourreau intérieur à force de le voir à l'œuvre chez mes patients. Je me suis rendu compte qu'ils se comparaient tous aux autres, même dans des situations où cela n'avait aucune utilité. Cette comparaison tournait inévitablement à leur désavantage : ils s'attribuaient une position, un rang bien inférieur à ce qu'ils valaient en réalité.

Je suis psychothérapeute et également spécialiste en psychologie sociale. J'étudie en particulier le besoin inné chez les humains de créer entre eux des liens de soutien et d'affection. Mes patients cherchaient à vivre pleinement ces liens : ils voulaient davantage de partage et de compassion, moins de comparaison, de compétition et de hiérarchisation, en un mot, moins de rang. Toutefois, la tendance à la comparaison est tout aussi naturelle chez l'homme, elle constitue un comportement inné aux résultats diamétralement inverses : elle fait naître le sentiment du défi et de la compétition, l'impression d'être « seul contre tous ». Ainsi, je me suis mise à aborder le problème de l'estime de soi sous un angle nouveau. Je venais de comprendre que le manque d'estime était lié au rang, à l'évaluation de soi par rapport une échelle de valeur. Le vrai pro-

---

1. J. V. Wood, W. Q. E. Perunovic et J. W. Lee, « Positive Self-Statements : Power for Some, Peril for Others », *Psychological Science* 20, 7, 2009. (« Affirmations positives : pouvoirs et risques », article non traduit, on peut consulter sur le sujet http://www.passeportsante.net/fr/Actualites/Nouvelles/Fiche.aspx?doc=2009070777_la-pensee-positive-peut-aussi-avoir-des-effets-negatifs.)

blème était donc moins un manque constitutif d'amour-propre qu'une estimation de soi faussée, une sous-évaluation de sa propre valeur. Corollaire de ce constat : il y avait peut-être des raisons naturelles, biologiques, pour qu'un aussi grand nombre d'entre nous en revienne toujours aux mêmes conclusions erronées et se jugent, par rapport aux autres, en dessous de leur rang véritable. En étudiant cette raison, il devenait possible de s'attaquer réellement au bourreau intérieur et aux dégâts qu'il cause.

À l'origine de mes recherches

Considérer la notion de rang comme une composante essentielle de notre psychisme permettrait-il de résoudre les problèmes de manque d'estime de soi ? Dans mes recherches sur les personnes hypersensibles[1], j'ai appris qu'il est bien souvent plus facile de s'adapter aux situations quand on a pleinement conscience de son bagage personnel. Pour moi, le bourreau intérieur était en relation avec des réflexes acquis dans le domaine du rang, c'est-à-dire de la compétition, des échecs et des conflits.

Or, il n'est pas impossible, au contraire, de prendre le contrôle de réflexes et de comportements inconscients. Certains éprouvent de façon innée la phobie de l'altitude, des araignées ou des serpents – autant de peurs qui ont leur raison d'être, car elles ont permis la survie et le développement de l'espèce. Pourtant, dans les situations qui le nécessitent, nous sommes pratiquement tous capables

---

1. E.N. Aron, *Ces gens qui ont peur d'avoir peur : mieux comprendre l'hypersensibilité,* Les éditions de l'Homme, 2005.

de contrôler ces réactions. De la même façon, nous éprouvons tous de puissantes pulsions sexuelles, nécessaires du point de vue de l'évolution du genre humain, mais nous savons les maîtriser et en faire bon usage. Il devait donc être possible de contrôler nos tendances à l'autodépréciation.

Toutefois, le champ d'étude était vaste. En tentant d'expliquer les ressorts du bourreau intérieur, je me suis retrouvée à devoir expliquer une grande partie de nos comportements quotidiens en relation avec l'amour et le pouvoir. Pour corser le tout, je voulais exprimer le résultat de mes recherches sous une forme suffisamment claire pour que ce livre soit, non pas une étude complexe et plus ou moins inutile, mais un véritable outil de travail, une arme efficace contre le bourreau intérieur pour aider mes patients et mes lecteurs à l'affronter. Pour cela, des théories et autres affirmations superficielles ne suffisaient pas : il me fallait proposer une façon concrète d'identifier ces comportements automatiques et inconscients et, bien entendu, de les gérer différemment.

Dans certains cas, prendre conscience de ce qui se joue dans l'inconscient peut suffire à modifier nos réponses innées. Chez d'autres patients, un lourd passé de traumatismes et d'échecs a donné au bourreau intérieur une force hors du commun. Pour eux, un travail de fond, souvent synonyme de psychothérapie longue et onéreuse, pouvait se révéler nécessaire. Un simple livre parviendrait-il à exposer tout cela, voire à le remplacer en partie ? Je le croyais et, plus encore, j'estimais être à la hauteur de la tâche.

J'ai commencé ce travail il y a dix ans. Dans les pages qui suivent, mon but est de proposer une démarche aussi scientifique et rigoureuse que possible sans pour autant me perdre dans des explications techniques inutiles. Je mets en évidence des moyens d'explorer sa propre histoire afin de mieux en prendre conscience, je propose une approche multiple, celle qu'utilisent les meilleurs psychothérapeutes. Je crois sincèrement qu'on peut se l'approprier individuellement et l'utiliser avec profit. Certains d'entre vous, lectrices et lecteurs, suivent déjà une thérapie, ou bien choisiront d'en entreprendre une à l'issue de ce livre, mais la plupart ne le souhaitent (ou ne le peuvent) tout bonnement pas. Pour moi, chacun a la possibilité d'améliorer son propre bien-être et de guérir ses blessures intimes lorsque les conditions sont optimales : ce livre se propose de vous aider à réunir ces conditions.

En toute honnêteté, je possède moi-même un bourreau intérieur plutôt envahissant. Il m'a causé bien des problèmes tout au long de ma vie. J'ai un souvenir très vif d'une conférence donnée il y a quelques années dans une université, et à l'issue de laquelle une étudiante était venue me trouver. Selon elle, mon propos était passionnant, mais gravement desservi par ma façon de le présenter, car je donnais en permanence l'impression de dénigrer mes propres paroles, sinon ma personne. J'ai donc dû m'attaquer à mon bourreau intérieur. Par bonheur, j'ai trouvé quelqu'un qui m'a aidée avec rigueur et intelligence. Ce que j'ai appris au cours de ce travail, je le mets aussi à votre disposition dans les chapitres qui suivent.

En vous aidant à prendre conscience de vos propres fonctionnements, la simple lecture de ce livre aura des effets immédiats. Mais certains lecteurs auront peut-être besoin, comme cela a été mon cas, d'un travail plus long pour affronter leur bourreau intérieur, ou plus précisément pour le guérir. Je ne suis pas une magicienne, et ce livre ne propose pas de solution miracle. Les problèmes qui ont des racines profondes et complexes réclament un travail long et approfondi. L'approche proposée ici, toutefois, reste à ce jour la plus complète et construite pour vous faciliter cette tâche.

Le bourreau intérieur, mode d'emploi

Les pages qui suivent peuvent vous en apprendre beaucoup, et se révéleront d'autant plus efficaces si vous suivez les suggestions et les propositions pratiques de chaque chapitre. Beaucoup d'entre elles sont basées sur de courts exercices d'écriture journaliers : pourquoi ne pas acheter un nouveau carnet ou créer un document sur votre ordinateur pour vous y exercer ?

Il vous faudra aussi de la patience. Ce livre est comme un mille-feuille, riche et savoureux, et composé d'ingrédients distincts, qu'on ne peut simplement jeter dans un grand bol pour les mélanger. Chaque chapitre constitue une couche à « préparer » à part avant de l'assembler aux autres avec délicatesse. Cela nécessite quelques efforts, mais ce millefeuille, après tout, c'est à vous-même que vous allez l'offrir… Et vous le valez bien.

Continuons sur la métaphore pâtissière. Voici ma recette : les chapitres 1 et 2 sont comme les œufs et le beurre que l'on mélange en début de préparation. Le premier décrit nos tendances innées à la comparaison et à la compassion, à créer du lien comme du rang. Le deuxième détaille toutes les stratégies d'autodéfense que nous mettons en œuvre, afin d'éviter les sentiments douloureux, suite à des comparaisons qui ont tourné à notre désavantage. Ces mécanismes de protection nous masquent en partie le « bourreau intérieur ».

À ces ingrédients de base, on ajoute ensuite le chapitre 3, qui leur donne leur arôme : vos propres raisons de vous sous-estimer, constituées parfois par un traumatisme puissant qui peut être resté inconscient jusqu'à ce jour.

Les chapitres 4 et 7 sont à incorporer progressivement, comme l'on incorpore le lait – ici, celui de la tendresse humaine : le lien, cette tendance que nous avons tous à créer des relations de partage et d'affection capables de contrebalancer le rang, ce besoin de s'évaluer et de se classer par rapport aux autres. Dès lors, les chapitres 5 et 6 pourraient être comparés à la farine que l'on mélange alternativement : ils proposent un travail approfondi sur le bourreau intérieur, l'estime de soi déficiente. Leur but est de nous aider à modifier nos défenses naturelles contre l'échec et les traumatismes qui, certes, nous protègent de nouvelles blessures, mais bien souvent nous enferment aussi.

Cette préparation complexe doit à présent reposer avant de passer au four : à vous de méditer et de revenir au besoin sur chacun de ces chapitres, en vous inspirant des exercices qu'il propose. Le chapitre 8, où vous apprendrez comment appliquer dans vos relations ce que vous avez appris, peut enfin être comparé au glaçage, qui non seulement donne à l'ensemble toute sa saveur, mais constitue surtout ce qui lie entre elles chacune des couches du millefeuille. En effet, soigner les causes d'une mauvaise estime de soi permet d'améliorer significativement nos liens personnels, et c'est dans une relation intime que l'on peut le mieux prendre soin de notre bourreau intérieur. D'où tout l'intérêt du chapitre 8, car sans une démarche attentive, l'inverse même peut se produire, et le bourreau intérieur risque de détruire ou d'endommager le lien à l'autre, qui à son tour renforce le bourreau dans un cercle vicieux.

Ainsi, lorsque vous parviendrez à appliquer les principes du chapitre 8 dans votre quotidien, vous aurez bel et bien une raison de vous offrir un magnifique millefeuille : votre bourreau intérieur ne vous empêchera plus d'obtenir ce que vous souhaitez dans votre vie affective, professionnelle, ou n'importe quel autre domaine. Et, plus important encore : vous vous sentirez davantage vous-même, mieux dans votre peau et dans le monde qui vous entoure.

1

Rang, lien et bourreau intérieur

Une grande partie de nos activités quotidiennes relève de la comparaison avec les autres. Nous désirons obtenir leur considération, leur respect, développer notre influence et notre pouvoir personnel. Ainsi, nous nous mesurons fréquemment aux autres en établissant une hiérarchie, un classement. Presque en permanence, nous créons donc ce que je nommerai du « rang ». Mais tout aussi souvent, nous interagissons avec nos semblables sur un pied d'égalité, dans un esprit d'ouverture. Nous leur exprimons notre affection, notre intérêt, notre attention et notre amour, et recevons les leurs en retour. Ainsi, nous nous sentons en lien avec les autres, et par conséquent en sécurité. Parfois, nous accomplissons les deux tâches en même temps, par exemple lorsque nous mettons notre supériorité hiérarchique au service du lien pour améliorer la vie d'un tiers. Ce double objectif est à l'œuvre quand nous enseignons quelque chose à quelqu'un, que nous donnons un conseil à un proche ou que nous élevons nos enfants. Le rang et le lien nous accompagnent en permanence.

Selon les cas, nous sommes conscients ou non de ces activités. Quoi qu'il en soit, la création de rang, de hiérarchie, et la création de lien jouent un rôle dans la plupart de nos relations personnelles. Ils sont également souvent à l'origine de nos problèmes, en particulier lorsque notre estime de soi est défaillante, car, en établissant des hiérarchies, nous nous classons trop bas. Bien souvent, nous tombons alors dans des sentiments extrêmes de honte et de dévalorisation de soi. Nous nous identifions alors avec une partie de notre personnalité qu'en général nous préférons éviter : le bourreau intérieur. Le moi perd alors contact avec la réalité ; son jugement étant biaisé, il se sous-estime, se pense insuffisant et méprisable. Que cette situation se produise occasionnellement ou à chaque instant de notre vie, elle nous conduit à laisser passer certaines opportunités et, plus généralement, occasionne une véritable souffrance.

Notre tendance à la hiérarchisation est donc à l'origine de ce moi dévalué, de cet aspect de notre personnalité que je nomme le bourreau intérieur. La meilleure défense contre celui-ci consiste en un juste équilibre entre nos liens et nos rangs. Plus vous serez conscient de la façon dont vous vous comparez aux autres, ou au contraire dont vous vous liez à eux, plus vous découvrirez les raisons – souvent instinctives et inconscientes – qui font que vous vous sous-estimez. Dès lors, il vous sera plus facile d'éviter l'apparition de cette partie de votre personnalité, et si vous ne parvenez pas à faire taire le bourreau intérieur et ses multiples facettes, au moins pourrez-vous traiter avec lui.

La création de rang et de lien s'observe dans le comportement de tous les animaux évolués, mais les scientifiques commencent à peine à comprendre que ces deux activités participent du système inné qui contrôle l'ensemble de nos comportements sociaux. Le couple rang/lien s'apparente au couple amour/pouvoir. En effet, l'amour est une forme particulière du lien, la hiérarchisation, quant à elle, détermine le pouvoir. C'est en psychologie politique, sous la plume de Riane Eisler et de David Loye[1], qu'est apparue pour la première fois en 1983 l'opposition des termes anglais *ranking* (ranger, classer, trier par ordre d'importance) et *linking* (fait de créer des liens, de se lier à l'autre dans une relation affective, sous la forme d'un partage). Au début des années quatre-vingt-dix, la psychologie sociale s'est emparée de ces termes et de cette opposition *ranking/linking*, mais jusqu'à aujourd'hui les termes restent rarement usités.

En tant que notions séparées, l'amour et le pouvoir ont toujours constitué un pôle d'intérêt majeur pour les spécialistes des comportements animaux et humains. Moi-même, je les ai longtemps abordées individuellement, mais je me suis rendu compte, en tra-

---

1. R. Eisler et D. Loye, « The "Failure" of Liberalism : A Reassessment of Ideology from a New Feminine-Masculine Perspective », *Political Psychology* 4, 1983. (« L'"échec" du libéralisme : reconsidérer l'idéologie à travers une perspective masculine-féminine », non traduit.) J. Sidanius, B. J. Cling, et F. Pratto, « Ranking and Linking as a Function of Sex and Gender Role Attitudes », *Journal of Social Issues* 47, 1991. (« Rang et Lien dans les attitudes sexistes », non traduit.)

vaillant avec mes patients en thérapie, que ces deux notions étaient intimement liées. Ceux-ci présentaient un problème commun : une estime de soi déficiente, qui menait à une absence de relations personnelles sincères, profondes et salutaires. J'ai ainsi réalisé que, même si une grande majorité de mes patients prétendait rechercher l'amour – le lien – ils voyaient toujours le pouvoir – le rang – dans leur relation à l'autre.

Certes le rang – la création de hiérarchie – fait partie intégrante de notre vie. Il a même des aspects très positifs, comme le plaisir de la compétition sportive, la joyeuse émulation entre amis, au travail, dans la conquête amoureuse… Il peut être très sain de se sentir en concurrence. Toutefois, si nous le laissons s'étendre à l'ensemble de nos comportements sociaux, cette rivalité peut nous affecter négativement. Un jour ou l'autre, chacun de nous connaît l'échec. Celui-ci agit sur notre amour-propre et déclenche des sentiments dépressifs temporaires. Plus nous voyons la vie comme une suite de compétitions et de comparaisons, plus le risque de connaître l'échec est grand, et plus nous avons l'impression que notre rang hiérarchique est élevé, plus les échecs – inévitables - seront ressentis avec acuité.

Bien entendu, il ne s'agit pas d'éliminer notre désir de réussite ou notre plaisir à dominer les situations. Mais notre besoin de rang, notre volonté d'occuper une position élevée, peut nous faire oublier les aspects les moins plaisants de la hiérarchisation. Après un échec, nous ressentons des émotions sociales négatives et extrêmement déplaisantes, comme la honte et la dépression. Certes, le soutien de nos proches, famille ou amis, peut nous aider à surmonter ces revers, mais lorsque le rang, la relation hiérarchique, prend trop d'importance, il nous devient souvent difficile, sinon impossible, de créer et de conserver nos liens affectifs sincères.

Un grand nombre d'entre nous présente une tendance excessive à classer et hiérarchiser, autrement dit à créer du rang. Ceci s'explique à la fois par notre environnement social, souvent axé sur la compétition, mais aussi par des défaites individuelles passées qui demeurent un traumatisme. Inconsciemment, les expériences soldées par des échecs nous poussent à rester sur nos gardes pour éviter de nouvelles humiliations. Ainsi, nous avons tendance à établir des hiérarchies là où elles n'existent pas. Pour guérir les effets de ces traumatismes, il est impératif de recourir aux outils qu'offre une pleine compréhension de la façon dont nous créons du rang (de la compétition), et du lien (de la compassion). La plupart d'entre nous souffrent d'un déséquilibre entre rang et lien, et de l'insuffisance de ce dernier dans leur vie. Nous pouvons créer le bon équilibre en comprenant clairement le fonctionnement du rang et du lien.

À vous !

Avec qui vous sentez-vous bien ? Avec qui vous sentez-vous mal ?

Dans ce livre, vous trouverez des exercices et des tests qui vous aideront à comprendre comment le rang, le lien et le bourreau intérieur sont à l'œuvre dans votre vie. Vous pouvez tenir un journal où vous noterez vos réponses vers lesquelles vous pourrez ainsi revenir sans peine. Le premier exercice consiste à établir deux listes : celle des gens dont la présence vous met en général à l'aise, et celle de ceux qui vous mettent plutôt mal à l'aise (un même nom peut se trouver sur les deux listes à la fois). Laissez de l'espace entre les noms car vous reviendrez à cette liste plus tard.

Remarquez que presque toutes les personnes qui vous font vous sentir bien sont des gens avec qui vous entretenez un lien, qu'il s'agisse d'un simple bonjour amical, d'un coup de fil occasionnel ou d'un lien amoureux. À l'inverse, quasiment toutes les personnes qui vous mettent mal à l'aise sont celles avec qui vous vous sentez en comparaison, qu'il s'agisse d'un vague sentiment d'être jugé ou bien d'une attitude ouvertement compétitive et qui s'étend à tous les domaines, comme s'il y avait entre cette personne et vous une lutte permanente pour déterminer qui est le meilleur. Le lien nous fait nous sentir bien avec nous-mêmes et avec les autres, en revanche, les relations fondées sur le rang nous rendent anxieux, incertains de notre valeur et bien moins heureux. Vos deux listes illustrent donc à quel point la création de rang peut être associée au sentiment de mal-être.

La danse du lien et du rang

Le terme de « rang » renvoie à notre place dans un groupe ou une hiérarchie sociale. Le pouvoir est étroitement lié à ce rang, car il résulte d'une position élevée. Le terme de « pouvoir » n'est pas négatif en soi, il peut prendre l'aspect d'une influence positive sur les autres, d'un respect acquis.

Le lien constitue notre façon naturelle d'équilibrer ce rang. Nous sommes attirés par les autres, apprécions leur présence, nous voulons les connaître, si possible les aider. L'amour n'est rien d'autre que du lien amplifié.

Tous les jours, nous tentons d'établir l'équilibre entre le lien – donner et recevoir de l'amitié, de l'attention sincère – et le rang – gagner le respect des autres grâce à notre influence, nos compétences, notre sens des affaires, notre renommée, la qualité de nos amis et de nos alliés, notre apparence, nos richesses ou notre appartenance à des cercles reconnus. Nous avons souvent l'impression, pour nous-mêmes ou les autres, que l'équilibre n'est pas atteint, en général, le rang est en excès, au détriment du lien. Dans certaines situations, nous ne pensons qu'à notre rang, nous voulons savoir précisément quelle est notre place, notre valeur dans un groupe. Dans d'autres occasions, néanmoins, un tel classement ne s'effectue pas consciemment. Dans certains cas, nous préférons croire que le rang n'est pas en jeu. Pourtant, dans tout groupe (et un groupe est constitué à partir de deux personnes), le rang est présent, même en arrière-plan. Dans ces conditions, rétablir l'équilibre plutôt que de se laisser entraîner par les circonstances requiert un effort conscient.

Même sans nous en rendre compte, nous tentons souvent de contrebalancer le potentiel néfaste du rang en développant un sens de l'égalité. En sport, par exemple, nous faisons de notre mieux pour nous montrer fair-play, nous respectons les règles de la compétition. Au travail, nous tenons nos engagements et restons cordiaux.

Le rang doit aussi être pris en considération dans les relations amicales. Deux amies savent laquelle a le plus d'argent ou le travail le plus prestigieux ; mais elles préfèrent partager que comparer. Au restaurant, elles divisent l'addition en deux au lieu de calculer ce que chacune a pris. Si l'une formule un compliment, l'autre fait de son mieux pour le retourner aussitôt. Au bout d'un certain temps, les amis ne raisonnent plus en termes de dettes, de rang ; la priorité est simplement donnée à celui qui en a le plus besoin à un moment précis. L'essence du lien se trouve précisément dans cet échange.

Le lien : définitions importantes

* Lien : notre tendance innée à nous tourner vers l'autre, à lui témoigner de l'affection, de l'intérêt, à offrir notre aide lorsque c'est nécessaire.

* Amour : une forme raffinée de lien, fondée sur une attirance puissante envers quelqu'un, qui nous amène à vouloir être à ses côtés, le ou la connaître intimement, pourvoir autant que possible à ses besoins et accepter de bonne grâce qu'il prenne en charge les nôtres en retour. C'est comme si on incluait l'autre dans soi-même.

* Altruisme : un amour désintéressé pour les autres, y compris ceux que nous ne connaissons pas, qui s'étend parfois à toute l'humanité. Quand les autres sont dans le besoin, il prend la forme de la compassion.

Lien et rang mènent ensemble une danse complexe et fascinante. Le rang peut parfois servir les objectifs du lien. Les parents, enseignants, dirigeants et politiques sont dans une situation de supériorité et détiennent donc un pouvoir. Dans l'idéal, ils mettent celui-ci au service du lien, de l'amour et de l'altruisme. Lorsque ces personnes d'un rang supérieur appliquent des lois ou des règles, s'expriment ou agissent en notre nom, nous ne leur en voulons pas car nous savons qu'ils agissent pour notre bien. En revanche, lorsqu'ils agissent sans considération pour les autres, nous leur en voulons pour cet abus de pouvoir. Le rang sert également le lien quand, dans un groupe, des alliances temporaires se forment pour parvenir à un objectif. Le lien peut se cacher derrière le rang lorsqu'un enseignant et son élève, un patron et son employée cherchent à se dissimuler leur attirance réciproque. Et le rang peut se cacher dans le lien quand par exemple quelqu'un cherche à contrôler les autres « pour leur propre bien ».

Un aspect fréquent et fort perturbant de la tendance à la hiérarchisation apparaît lorsque le rang s'immisce dans le lien. C'est alors que se déclenche vraiment le bourreau intérieur. Vous déjeunez par exemple avec une amie, et celle-ci vous annonce sa toute récente promotion. Certes, vous voudriez partager sa joie, et peut-être y parvenez-vous en partie. Mais dans le même temps, d'une façon plus ou moins consciente, vous vous comparez à elle, vous n'avez eu aucune promotion depuis cinq ans, et vous vous sentez très mal à l'aise. Vous ne déjeunez alors plus avec votre amie, mais avec votre bourreau intérieur.

Le rang : définitions importantes

* Rang : notre tendance innée à évaluer et améliorer notre position dans une hiérarchie sociale, à nous considérer comme un individu séparé et distinct, et à exiger de l'équité et le respect de nos droits.

* Pouvoir : l'influence que nous exerçons sur les autres en fonction de notre rang dans une hiérarchie. Le pouvoir peut être exercé physiquement ou psychologiquement, avec brutalité ou douceur, de façon directe ou détournée.

* Pouvoir au service du lien : l'utilisation de notre rang et de notre pouvoir pour satisfaire aux besoins des autres aussi bien qu'aux nôtres.

* Abus de pouvoir : l'utilisation du pouvoir à des fins purement égoïstes.

* Lien au service du rang : le fait de former des alliances dans le seul but d'améliorer son rang et d'acquérir davantage de pouvoir personnel ou collectif.

Un sens inné : l'amour-propre

Trop de rang, de hiérarchisation, de rivalité, mène directement à la dévaluation de l'estime de soi, à l'éveil du bourreau intérieur. Comment cette situation se produit-elle ?

En tant qu'animal social, l'homme a évolué pour vivre en groupe afin de mieux garantir la survie et le bien-être de chacun. De génération en génération, des savoirs se sont transmis, pour que chaque individu n'ait pas à réinventer la hache de pierre ou l'ordinateur. La fonction du groupe est donc la protection de l'ensemble de ses membres. Ainsi, il s'assure que chacun reçoive de quoi assurer sa survie et limite les tendances égoïstes. Parmi nos ancêtres, ceux qui respectaient spontanément les règles du groupe se trouvaient en situation plus avantageuse que ceux qui, naturellement, avaient tendance à y désobéir. Pour instinctifs qu'ils soient, ces comportements d'acceptation ou de refus des standards sociaux sont encore à l'œuvre chez nous, même si, dans certains cas, ils nous desservent.

Si, comme nos ancêtres, nous vivions dans un groupe unique, nous y occuperions un statut particulier, une place définie dans la hiérarchie. Plus cette position serait élevée, plus nous pourrions influencer le groupe et ses décisions. Dans ce type d'organisations tribales ou claniques, il y a conflit lorsqu'un membre du groupe décide de remettre en question le rang d'un autre. Le gagnant garde sa place, voire obtient une situation plus élevée, l'autre doit ravaler ses prétentions. Pour éviter de dangereuses erreurs, nos ancêtres ont donc acquis un sens, sans doute inconscient, de ce que j'appelle l'« amour-propre » : une idée de la place qu'ils méritent, fondée sur le soutien à l'intérieur du groupe, sur les capacités physiques, les talent, l'intelligence, etc.[1] Pour le membre du groupe qui avait récemment connu la défaite dans une confrontation, et dont l'estime de soi se trouvait dévaluée, il était bien plus sûr de s'en remettre à ce sens de la valeur personnelle et de ne pas réitérer le conflit. Après tout, il y avait beaucoup de chances pour que le passé se répète, mieux valait donc pour lui économiser son énergie et éviter le combat. Son amour-propre, bien qu'endommagé, assurait sa survie.

Nous vivons aujourd'hui à l'intérieur de plusieurs groupes : familles, groupes d'amis, collègues, équipes de sport. Dans chacun d'entre eux, nous sommes classés en fonction de différentes qualités à divers moments, et nous avons rarement besoin de déterminer si nous sommes globalement meilleurs ou moins bons qu'une autre personne. Dans ces groupes, la tendance innée à s'attribuer une valeur globale, en d'autres termes l'amour-propre, est devenue un handicap car cette valeur tendra toujours à être fausse selon les critères choisis.

───── **Le bourreau intérieur : définitions importantes** ─────

* Amour-propre : estimation personnelle de vos capacités à remporter une confrontation, sans rapport avec les capacités spécifiques à une compétition donnée.

---

1. L. Sloman et P. Gilbert, *Subordination and Defeat: An Evolutionary Approach to Mood Disorders and Their Therapy*, Lawrence Erlbaum, 2000 (non traduit).

* Réponse à la défaite : tendance à répondre à l'échec par la honte et les sentiments dépressifs, vous menant à accepter de meilleure grâce un rang inférieur plutôt que de poursuivre la confrontation.

* Le bourreau intérieur : partie de vous qui se développe à partir de la tendance à éviter la défaite. Plus vous avez connu de défaites, plus cette partie est vigilante. Vous percevez du rang là où il n'est pas, et vous vous classez de vous-même si bas dans la hiérarchie que vous n'entrez pas en compétition.

Votre réponse innée à la défaite

En plus de la stratégie de dévaluation de l'estime de soi après la défaite, nous avons une autre tendance innée, la « réponse à la défaite[1] ». On peut la voir à l'œuvre chez les animaux : lorsqu'ils perdent un combat, ils s'éloignent, montrant des signes de honte et des comportements apparentés à des symptômes dépressifs. Ils paraissent désespérés, comme s'ils avaient perdu le goût de la vie, et leur organisme montre tous les signes de la dépression. Leur élan vital soudain s'effondre. Ils ne se préoccupent plus de leur rang et leur confiance en eux les abandonnent. Ils évitent alors de reprendre le combat… ce qui assure leur survie.

Cette réponse innée à la défaite est présente en chacun de nous, sous forme de honte et de sentiments dépressifs. Quand nous échouons, nous nous sentons malheureux. Notre énergie, notre enthousiasme et notre confiance en nous sont touchés. Notre amour-propre est endommagé et, de façon générale, nous avons

---

1. *Ibid.*

l'impression de ne pas valoir grand-chose. Si l'échec est important, ces sentiments peuvent persister pendant des jours. Lorsque nous nous sentons rejetés, ils peuvent s'exprimer sous la forme de timidité. On se met alors à craindre le jugement social et la défaite.

Si vous avez connu l'échec de manière intense ou répétée, ou lorsque vous étiez très jeune et impressionnable, vous pouvez en conserver un sentiment d'impuissance ; à vos propres yeux, vous êtes sans valeur, honte et timidité vous submergent. Votre enthousiasme disparaît. Ayant l'impression que tout est votre faute, vous vous sous-estimez constamment. De tels sentiments peuvent être à la source de symptômes dépressifs majeurs, qui résultent fréquemment d'émotions sociales apparaissant dans des situations de hiérarchisation, de rang[1].

Les émotions sociales

En tant qu'animaux sociaux, nous naissons équipés d'une série d'émotions complexes, dont certaines déterminent notre comportement vis-à-vis des autres dans des situations données. Elles nous poussent à agir rapidement pour assurer ou conserver notre place dans le groupe. Ce sont la fierté, la culpabilité, l'anxiété, ainsi que les sentiments dépressifs décrits plus haut. Je les nomme « émotions de la perception de soi » ou « émotions sociales », elles trouvent leur origine dans notre amour-propre. Bien entendu, anxiété et

---

1. *DSM-IV-TR, Manuel diagnostique et statistique des troubles mentaux, texte révisé*, Elsevier Masson, 2003. J. P. Tangney et K. W. Fischer, *Self-Conscious Emotions: The Psychology of Shame, Guilt, Embarrassment, and Pride*, Guilford, 1995, (non traduit).

dépression peuvent naître hors des situations sociales, mais nous les ressentons le plus souvent au cours des interactions avec les autres.

Ces émotions varient suivant les tempéraments et l'éducation, mais nous y sommes tous soumis à un degré ou un autre. En général, de telles réponses conditionnées ne sont plus adaptées à nos situations contemporaines, dans la mesure où nous relevons aujourd'hui de plusieurs groupes qui coexistent. Ainsi, nous pouvons appartenir par exemple à une colocation, à un groupe de collègues de travail, à une équipe de basket, etc. Chacun de ces groupes peut nous accueillir indépendamment des autres, et nous y occupons des positions très différentes. Pourtant, les puissantes émotions sociales qui naissent à l'intérieur d'un groupe se transfèrent bien souvent dans les autres. Elles naissent en général dans un groupe bien plus ancien, la famille ou l'école, ou peuvent venir d'un groupe où vous avez récemment connu un échec. Imaginons la scène suivante : vous êtes une jeune femme célibataire, à la recherche d'une âme sœur. Par SMS, vous invitez un jeune homme à prendre un verre. Il refuse, d'où déception et dévaluation de votre estime de soi. Peu après, vous devez passer un entretien d'embauche. En le préparant, vous vous sentez mal à l'aise, vous n'êtes pas contente de vous. Le jour dit, vous trouvez que l'entretien se passe mal. Le soir, à l'entraînement de badminton, vous commettez de nombreuses fautes. Pourtant, vous n'aviez vraiment pas envie d'un nouvel échec… Inconsciemment, vous avez sans doute transféré d'un groupe à l'autre votre angoisse due à ce premier – et tout relatif – déboire sentimental.

La fierté

La fierté est une émotion sociale positive, nous la ressentons quand nous avons l'impression de nous tenir ou d'accéder à un rang élevé, comme lorsque nous montons en grade. Quand nous sommes fiers, notre estime de soi fait des étincelles. Face à toutes les perspectives de confrontation, nous nous sentons en confiance. Cette fierté a un impact sur les autres, qui ont tendance à l'admirer, confortant de la sorte ce que nous considérons comme notre rang.

Pourtant, la fierté a ses inconvénients. Si elle accroît trop l'amour-propre, elle peut mener à l'excès de confiance et entraîner par la suite – lorsque, tout naturellement, on échoue dans une autre compétition – une honte cuisante et des sentiments dépressifs profonds. Le sentiment de honte est particulièrement virulent quand la fierté précède l'échec. En outre, plus nous nous sentons fiers de nous-mêmes, moins nous sommes capables d'empathie et de compassion. Plusieurs études scientifiques montrent que les sujets qui éprouvent une grande fierté ont tendance à se lier avec d'autres personnes de position élevée, mais ne parviennent pas à voir leurs points communs avec des personnalités plus faibles, de rang inférieur.

La culpabilité

Nous ressentons de la culpabilité lorsque nous avons mal agi et que nous voyons la possibilité de « défaire » notre acte, de nous rattraper, d'être pardonnés, de présenter une excuse valable, ou de limiter les conséquences de notre geste de quelque façon que ce soit. Sur le moment, la culpabilité peut réveiller le « bourreau intérieur », amenant un sentiment de mésestime, voire de dégoût de soi. On se sent dénué de valeur, « complètement nul ». Or, cette réaction est nécessaire, elle nous amène à tout mettre en œuvre pour réparer notre erreur. Une fois que nous aurons corrigé notre acte, le groupe nous réintégrera, et notre amour-propre sera rétabli. La culpabilité ne dure en général pas longtemps, car elle concerne nos actions et non l'essence de notre être.

La culpabilité était fondamentale pour nos ancêtres. Si les plus forts, les meilleurs chasseurs d'un groupe tribal ne l'avaient pas ressentie, ils auraient certainement gardé pour eux les meilleurs morceaux du gibier. Alors, les mères, les enfants et les anciens auraient souffert de la faim. Les groupes capables d'éprouver de la culpabilité sont ceux qui ont survécu. De nos jours, les membres d'une famille peuvent ressentir cette culpabilité lorsqu'ils ne se téléphonent pas ou ratent les mariages. Mais lorsqu'un de ses membres connaît des problèmes, la famille le prend en charge. La culpabilité, à défaut de l'amour, remplit cette fonction.

Anxiété et timidité

L'anxiété apparaît souvent lorsque nous craignons l'échec. Même lorsque nous avons peur des serpents ou des ouragans, c'est en un sens l'échec qui nous effraie. Toutefois, c'est en général l'anxiété sociale qui se révèle la plus handicapante et la moins contrôlable, celle qui concerne tout spécialement notre rang, notre statut dans le groupe. Risquons-nous de descendre dans la hiérarchie, de subir la confrontation et la défaite, voire un rejet total ?

La timidité est la manifestation de cette anxiété sociale. Elle correspond à la peur d'être observé et jugé, voire de perdre son rang dans le groupe. L'anxiété, tout comme la timidité, sont accrues par un manque d'estime de soi. De même, elles peuvent aggraver les attaques du bourreau intérieur.

Ces émotions sociales viennent en général d'un groupe où nous avons été jugés ou vaincus, et se transfèrent ensuite vers les autres groupes que nous intégrons. Notre anxiété n'a donc souvent pas de raison d'être : dans ces nouveaux groupes, nous n'avons pas encore été évalués. Toutefois, anxiété et timidité réalisent d'elles-mêmes ce qu'elles cherchent à éviter, du fait que les gens classent en mauvaise position ceux qu'ils perçoivent comme timides ou anxieux.

Les sentiments dépressifs

La dépression est souvent une réponse à l'échec, bien qu'elle puisse survenir en d'autres situations, car elle est corrélée à une baisse des taux de neurotransmetteurs susceptible de se produire à la suite de n'importe quelle expérience stressante.

Si vous repensez aux périodes où vous avez pu éprouver des sentiments dépressifs, vous constaterez sans doute que la plupart d'entre eux étaient liés à un sentiment d'échec. On sait depuis des années que la dépression, ainsi que l'anxiété généralisée, sont davantage susceptibles d'apparaître à la suite d'événements stressants, mais des recherches plus récentes montrent que la dépression est en particulier associée à l'humiliation[1]. De même, on retrouve des taux élevés de cortisol, associés au stress et à l'anxiété, chez un individu qui envisage d'être évalué négativement par les autres[2].

Souvent ceux qui ont connu des échecs ou des séparations répétés, en particulier au cours de leur enfance, souffrent de dépression chronique. Ces expériences négatives peuvent avoir été infligées par d'autres enfants, mais les dégâts les plus sérieux sont causés par des adultes incapables d'offrir à l'enfant le lien de sécurité nécessaire à son développement harmonieux. Dans ce cas, le rang supérieur de l'adulte, son autorité, son pouvoir sur l'enfant, ne sert pas à construire le lien mais à assurer sa propre domination. Se rejoue alors systématiquement une confrontation dont l'adulte sort vainqueur, tandis que l'enfant plonge dans la défaite et la dépression. À la longue, ces traumas enfantins peuvent conduire à des sentiments dépressifs chroniques et une estime de soi déficiente, un bourreau intérieur particulièrement redoutable.

1. K. S. Kendler, J. M. Hettema, F. Butera, C. O. Gardner, et C. A. Prescott, « Life Event Dimensions of Loss, Humiliation, Entrapment, and Danger in the Prediction of Onsets of Major Depression and Generalized Anxiety », *Archives of General Psychiatry* 60, 2003. (« Du rôle des expériences bouleversantes sur la prévision des épisodes dépressifs majeurs et de syndrome d'anxiété généralisée », consultable en anglais sur http://archpsyc.ama-ssn.org/cgi/content/full/60/8/789.)
2. S.S. Dickerson et M.E. Kemeny, « Acute Stressors and Cortisol Responses: A Theoretical Integration and Synthesis of Laboratory Research », *Psychological Bulletin* 130, 2004. (Synthèse des recherches de 208 laboratoires sur les taux de cortisol et le stress, consultable via le site de l'APA, http://psycnet.apa.org/.)

La honte

La honte suit immédiatement la défaite, avec les sentiments dépressifs, mais elle surgit également dans d'autres situations sociales. Ce sentiment nous suggère qu'au plus profond de nous, presque par essence, nous sommes sans valeur, défectueux, foncièrement mauvais. Le bourreau intérieur s'en délecte. Comme la dépression, la honte nous mène à accepter un rang inférieur et à nous y tenir pour nous sentir, à tout le moins, intégré dans le groupe.

La honte est la plus puissante et la plus douloureuse des émotions sociales[1], elle constitue notre meilleure défense contre le risque d'exclusion du groupe. Comme un aiguillon, elle nous incite vivement à rentrer dans le rang sans attendre, à agir à nouveau comme les autres le souhaitent. La gêne est une forme atténuée et moins durable de la honte, elle nous donne aussi l'impression de ne pas être conforme aux attentes sociales et nous force à modifier rapidement nos comportements pour réintégrer le groupe.

Quand nos ancêtres vivaient dans un groupe unique, la honte les empêchait de se lancer dans des combats inutiles ou d'être bannis. Aujourd'hui, nous participons à plusieurs groupes, et la honte peut, à l'inverse, compromettre notre sécurité. En effet, le fait de se sentir sans valeur dans toutes les situations et tous les groupes

---

1. N. I. Eisenberger, M. D. Lieberman, et K. D. Williams, « Does Rejection Hurt ? An fMRI Study of Social Exclusion », *Science* 302, 2003. (« Le refus fait-il souffrir ? Une étude IRM de l'exclusion sociale », consultable en anglais sur le site du magazine, http://www.sciencemag.org/content/302/5643/290.abstract.)

entraîne l'anxiété, le manque de confiance en soi et de faibles performances. Des recherches montrent que les étudiants qui se con-
centrent sur la réussite obtiennent de meilleurs résultats que ceux
focalisés sur l'échec[1]. Réussir et se sentir bien vous permet de rester
intégré dans la plupart des groupes auxquels vous appartenez.

Quand la honte conduit à l'échec

Voilà des semaines que Carole prépare son diplôme d'assistante sociale.
L'examen comporte une dissertation. À cause d'un problème de poignet,
elle ne peut écrire et a obtenu l'autorisation d'utiliser un ordinateur porta-
ble, nettoyé de tout fichier relatif à l'examen.

Elle pensait s'en être bien tirée. Mais lorsque, la semaine suivante, elle
reçoit ses notes, c'est la déception : elle a seulement 21 sur 100. Elle réagit
mal, ne peut plus ni manger ni dormir, reste enfermée chez elle, incapable
de penser à autre chose, et a tellement honte de sa piètre performance
qu'elle ne peut en parler à ses proches.

Elle finit par avouer son échec à sa famille et à une amie, qui lui apportent
un peu de réconfort. La présence de gens qui croient en elle la rassure sur
sa valeur mais, lorsqu'elle se retrouve seule, la souffrance revient. Car il
s'agit bien de souffrance : à cause de son mauvais résultat, elle pense
qu'elle ne vaut rien, qu'elle est une personne indigne d'intérêt. De tous ses
camarades de classe, elle est la seule à avoir raté son diplôme, ce qui, lui

---

1. A. J. Elliot et A. Moller, « Performance-Approach Goals: Good or Bad Forms of
   Regulation? », *International Journal of Educational Research* 39, 2003. (« Objectifs de
   performance orientés vers la réussite : bonnes ou mauvaises formes de régulation ? ».
   Il s'agit d'un travail sur la motivation des étudiants, distinguant ceux qui visent la
   réussite et ceux qui cherchent plutôt à éviter l'échec, lié à la « théorie des objectifs »
   (*goal theory*) en psychologie de l'éducation.)

semble-t-il, démontre une rare incompétence. Elle se sent totalement stupide, bonne à rien.

Étant sa thérapeute, je sais pourtant que Carole est une jeune femme brillante, très motivée par ses études et qu'elle était de plus bien préparée. Comment peut-elle avoir obtenu une aussi mauvaise note ? Je parviens à la convaincre, malgré ses réticences et sa peur de l'humiliation, d'effectuer les démarches pour relire sa copie d'examen.

Le jury de l'examen accepte de la lui envoyer par courriel. À la relecture, elle trouve que la dissertation commence bien... mais au bout de quelques paragraphes, elle s'aperçoit que tout est mélangé. Immédiatement, Carole comprend ce qui s'est passé : sur la clé USB où elle devait rendre les résultats, elle a enregistré non pas sa dissertation, restée sur son disque dur, mais le brouillon de celle-ci. Elle le signifie au jury, qui accepte de réexaminer son cas et lui accorde de repasser l'épreuve... où elle obtient 96 points sur 100.

À travers l'expérience de Carole, nous voyons comment la réponse à la défaite, qui déclenche honte et sentiments dépressifs, peut nous plonger dans des tourments inutiles. En plus de la classe de préparation au diplôme, Carole appartenait à cinq autres groupes : ses amis, sa famille, ses collègues de travail dans l'emploi qu'elle occupait précédemment, ainsi que le club des amis du Labrador (sa passion) et le groupe qu'elle forme avec moi. Je savais qu'elle était tout sauf stupide, et dans ses autres groupes, elle occupait des positions élevées. Pourtant, une simple mauvaise note à un examen, et elle se sentait en échec, déprimée et honteuse dans l'ensemble de ses activités et relations. Au lieu de chercher à comprendre en quoi elle avait échoué, ses sentiments la poussaient à se remettre totalement en question, à tout abandonner et à s'exclure volontairement des autres groupes auxquels elle appartenait. Elle avait l'impression que son mauvais résultat la rendait indigne de tout contact.

Aucun des amis de Carole ne l'aurait rejetée pour un examen raté. Mais chaque fois que nous nous trouvons confrontés à l'échec dans un domaine de notre vie, nous courons tous le risque de réagir comme elle. Est-ce inévitable ? Nous pouvons au moins apprendre à diminuer l'intensité de la réaction en reconnaissant les effets de notre tendance innée à créer du rang et du lien.

Le lien et l'amour

Le lien à l'autre peut s'établir de façon spontanée. « Bonjour, comment allez-vous ? Belle journée, n'est-ce pas ? » Ces bonnes manières servent à montrer que vous n'êtes pas hostile, que vous êtes prêt à échanger. Ce type de lien met de l'huile dans les rouages de la vie sociale et nous aide à vivre et travailler ensemble en évitant le plus possible les conflits de rang. Vous voulez sincèrement savoir comment se porte votre interlocuteur, lui proposer votre aide le cas échéant, et éventuellement le laisser vous aider. L'amour est une expression plus intense de ces sentiments vis-à-vis de l'autre.

De très nombreuses études montrent que le fait de créer du lien diminue la tension du groupe, réduit le stress et augmente le bien-être et la longévité de ses membres[1]. Pour beaucoup, la motivation principale au travail est de continuer à nourrir et à créer du lien avec ceux qu'ils aiment. Il n'est pas rare que la camaraderie née des liens entre collègues constitue la seule raison d'aimer son emploi.

---

1. E. Berscheid et H.T. Reis, « Attraction and Close Relationships », *Handbook of Social Psychology* (4e éd.), S. Fiske, D. Gilbert, et G. Lindzey, McGraw-Hill, 1998. (« Attirance et relations intimes », non traduit.)

De fait, de plus en plus d'études démontrent que le facteur majeur de satisfaction au travail reste la qualité des relations sociales[1].

Mais l'amour plus intense est aussi plus mystérieux. Nous utilisons le même mot pour décrire une relation tourmentée, obsessionnelle, une union sexuelle ardente, le ciment d'un couple marié, une passion sans retour, l'affection qui existe entre parents et enfants, voire les liens qui unissent des amis ou l'amour inconditionnel de tous les êtres. Dans ce livre, je parle surtout de l'amour qui existe entre deux personnes qui se connaissent bien, et qui se fonde souvent sur une grande attirance initiale. Personne ne sait avec certitude sur quels critères s'effectue ce choix amoureux, mais il semble que, de façon innée, nous soyons programmés pour nous consacrer à une seule personne pendant un certain temps[2].

Quelle que soit la façon dont naît l'amour, il entraîne un désir de connaître la personne complètement, de faire partie d'elle et de l'intégrer à soi, dans une relation où chacun s'épanouit grâce à l'autre et à travers lui. Spontanément, nous voulons subvenir autant que possible aux besoins de l'autre, comme s'il s'agissait des

---

1. F. P. Morgeson et S. E. Humphrey, « The Work Design Questionnaire (WDQ): Developing and Validating a Comprehensive Measure for Assessing Job Design and the Nature of Work », *Journal of Applied Psychology* 91, 2006. (« Développer et valider un outil de mesure d'évaluation des types d'emploi et de la nature du travail », non traduit.)
2. H. E. Fisher, « Lust, Attraction and Attachment in Mammalian Reproduction », *Human Nature* 9, 1998. (« Désir, attirance et attachement dans la reproduction des mammifères », non traduit.)

nôtres, et nous acceptons que l'autre prenne en charge nos propres besoins[1].

« Autant que possible » et « comme s'il s'agissait des nôtres » : ces deux expressions ont leur importance. Il y a des différences entre vous et votre partenaire amoureux, des préférences, des choix divergents, sources potentielles de conflits. Il existe des séparations claires entre vos deux personnalités. Dans ces limites au moins, le rang continue d'exister. Comme deux cercles entrelacés, vous êtes inclus l'un dans l'autre, et pourtant séparés[2]. Ce type d'amour est presque toujours partagé : la relation de don fonctionne dans les deux sens – même entre parents et enfants, où ce don s'effectue tout au long de la vie, en changeant de forme.

Enfin, si le lien et l'amour peuvent engendrer toute une palette de sentiments, joie, culpabilité, plaisir, chagrin, frustration, curiosité, ils mènent tout d'abord à un immense bien-être. Ils nous donnent le plaisir de la relation à l'autre, grâce aux échanges de plaisanteries, de compliments ou de points de vue. Ces liens donnent tout son sel à la vie.

---

1. A. Aron et E. N. Aron, *Love and the Expansion of Self: Understanding Attraction and Satisfaction*, Hemisphere, 1986. A. Aron, E. N. Aron, M. Tudor, and G. Nelson, « Close Relationships as Including Other in the Self », *Journal of Personality and Social Psychology* 60, 1991. (« Les relations d'intimité ou comment inclure l'autre dans le soi », non traduit.)
2. A. Aron, E. N. Aron, et D. Smollan, « Inclusion of Other in the Self Scale and the Structure of Interpersonal Closeness », *Journal of Personality and Social Psychology* 63, 1992. (« Inclure l'autre dans la construction de soi : structure de la relation intime » non traduit.)

S'éveiller au lien et à l'amour

Intelligent, voire brillant, Julien est parfaitement à l'aise avec les ordinateurs... mais beaucoup moins avec les liens d'affection. Il est venu me consulter car, s'étant récemment installé dans la région, il ne parvient pas à se faire d'amis. Son objectif principal ? Trouver l'âme sœur et fonder une famille, mais les relations amoureuses le remplissent d'anxiété. Il fréquente des sites de rencontre, et obtient des rendez-vous avec plusieurs partenaires potentielles. Mais chaque fois, c'est un échec. Soit la jeune femme le rejette, soit elle ne l'intéresse pas. Ce schéma se répète si souvent que Julien finit par ne presque plus sortir de chez lui. Je m'inquiète : l'anxiété de Julien ne tend-elle pas à se transformer en dépression, sa timidité en honte ? Comme nous en parlons, il admet penser au fond de lui que, si une personne l'attire, elle finira toujours par le rejeter.

Dans les conversations de Julien, je note la présence d'une certaine Corinne, qui vit dans le même immeuble que lui. Ils se sont rencontrés dans des circonstances peu banales : une nuit, la sirène d'incendie a retenti, et tous les locataires ont été évacués. Sur le trottoir, seuls Corinne et Julien n'avaient pas pris le temps d'enfiler leurs vêtements et avaient emporté leur animal domestique. Se retrouver en peignoir avec un chat dans les bras, voilà une façon originale de briser la glace ! Depuis ce jour, ils se saluent chaque fois qu'ils se croisent.

Quelques mois plus tard, Julien m'apprend qu'il a accepté de s'occuper du chat et des plantes de Corinne, qui part en vacances. En plaisantant, il précise que, de façon surprenante, leurs deux chats s'entendent comme larrons en foire. De plus en plus souvent, les anecdotes de Julien ramènent à la jeune femme. Elle est venue frapper à sa porte un matin à cinq heures : elle n'avait plus de lait, et avait entendu en passant dans le couloir que Julien était réveillé. Une autre fois, ils se sont croisés dans l'escalier et y ont bavardé de tout et de rien pendant au moins une heure. Je fais remarquer à Julien qu'il semble prendre beaucoup de plaisir à ces rencontres... mais

« ce n'est pas ce que vous imaginez », me répond-il : seulement une relation de bon voisinage, « purement utilitaire ». Il considère en termes de rang le lien qui est en train de s'établir.

Pourtant, quelques semaines plus tard, il parle de « son amie Corinne ». Il commence à percevoir le lien. Pour l'encourager dans cette voie, je reviens sur le sujet après quelques séances : trouve-t-il Corinne attirante ? « Je crois qu'elle ne me voit pas sous cet angle. Elle a beaucoup d'amis masculins, elle sort souvent avec eux. » Je lui demande : « Est-il possible que vous-même ayez peur de la voir sous cet angle, au risque de gâcher le lien que vous avez ? » Sombrement, Julien admet que j'ai raison. J'espère lui avoir au moins montré comment, dans cette situation, le rang, la comparaison, l'empêche de construire le lien.

Mais un jour, il vient en consultation avec un sourire ravi, qui change de sa maussaderie habituelle. Alors qu'il discutait avec le concierge, Corinne est passée dans le couloir et les a salués. Bien au fait des potins de l'immeuble, le concierge en a profité pour informer Julien qu'une voisine lui avait rapporté une conversation où Corinne avait glissé que ce qu'elle préférait dans l'immeuble, c'était Julien ; en fait, la jeune femme avait même avoué avoir le béguin pour lui. Quand Julien me dit tout cela, je vois son visage s'illuminer : enfin, il est prêt à prendre le risque de tomber amoureux.

Un an plus tard, Julien et Corinne étaient mariés. Et le concierge était invité à la noce.

Rang et pouvoir

Pour beaucoup d'entre nous, le rang, le pouvoir associé à une position sociale élevée, présente bien moins d'attrait que le lien et l'amour. Toutefois, rang et lien nous accompagnent en permanence et, utilisés à bon escient, la compétition et le classement peuvent être agréables. Le rang et le pouvoir comblent notre besoin de nous sentir autonomes, de sortir du lot (du rang !), d'être remarqués et respectés, ainsi que d'exercer notre influence sur les autres. Ces désirs nous sont naturels, innés, et le fait de les assouvir apporte un plaisir véritablement physiologique[1].

Plus le rang est élevé, plus notre influence et notre pouvoir augmentent. Le terme de « pouvoir » recouvre une vaste réalité[2]. Nous détenons un certain pouvoir si, par exemple, nous occupons un poste à responsabilité, ou bien si notre physique est particulièrement impressionnant, voire tout simplement, si les gens aiment notre compagnie et recherchent notre avis.

Bien entendu, rang et pouvoir peuvent changer. Si nous sommes mis à l'épreuve, ou si nous défions quelqu'un, nous pouvons gagner ou perdre, obtenir une promotion ou au contraire subir une mise à l'écart. Dans certains groupes, la hiérarchie est souple et se modifie en fonction des situations rencontrées. On peut également descendre dans l'échelle sociale en raison d'un manque de capacité à créer du rang. Si, par exemple, on assigne à un subalterne une tâche qu'il ne parvient pas à accomplir, cet échec rejaillit sur notre statut[3]. Même si nous atteignons nos objectifs, nous pou-

---

1. L. Tiger, *À la recherche des plaisirs*, Payot, 2003.
2. B. H. Raven, J. Schwarzwald et M. Koslowsky, « Conceptualizing and Measuring a Power/Interaction Model of Interpersonal Influence », *Journal of Applied Social Psychology* 28, 1998. (« Concevoir et mesurer un modèle pouvoir/interaction de l'influence interpersonnelle », non traduit.)
3. B. H. Raven, « Power Interaction and Interpersonal Influence », Lee-Chai et Bargh, *Use and Abuse of Power: Multiple Perspectives on the Causes of Corruption*, Psychology Press, 2001 (non traduit).

vons perdre du rang pour avoir utilisé des moyens trop brutaux. Lorsqu'un professeur de lycée punit toute une classe à cause du chahut de deux ou trois élèves, il parvient à restaurer son pouvoir, sa « véritable » place. Pour autant, loin d'être conforté, son statut s'en trouve affaibli, car il n'a pas réussi à contrôler autrement les élèves en question.

Bien que le rang n'engendre pas autant de sentiments positifs que le lien, le fait de connaître notre place nous épargne d'avoir à apprendre encore et encore, à la dure, qui se situe au-dessus de nous dans la hiérarchie. Imaginez que chaque jour, au travail, vous deviez commencer par savoir qui sont les responsables… Dans le cas du sport, le rang, sous forme de rivalité, est source de plaisir : nous échafaudons des stratégies et prenons des risques pour ressentir l'excitation d'un renversement de situation, les supporters vivent cette émotion par procuration. Les paris, les investissements risqués, tout comme les rendez-vous amoureux offrent à certains un frisson similaire. « Combien as-tu gagné ? », « Qu'est-ce qu'il faut acheter en bourse aujourd'hui ? », « Et en ce moment, avec qui sort-elle ? »

Le rang au service du lien

En dépit de leur tendance naturelle à apprécier le pouvoir, certaines personnes se sentent mal à l'aise en position de force, qu'elles s'y trouvent réellement ou qu'elles s'imaginent y être. Les caractères altruistes et coopératifs en particulier, évitent le pouvoir. Lorsqu'ils se retrouvent en situation de domination, ils deviennent en général encore plus altruistes et non égoïstes[1]. Ils choisissent de mettre leur rang au service du lien avec les autres, qu'ils les connaissent ou non. Cette tendance est constatable chez la plupart d'entre nous quand nous nous trouvons dans les rôles de parents, d'enseignants, de conseil ou de guide.

Peut-être plus qu'aucune autre espèce animale, les hommes se témoignent de l'affection entre eux dans la majeure partie de leurs comportements. Suffisamment, en tout cas, pour consacrer à leur prochain du temps, de l'énergie, et parfois même leur vie. Il n'est pas rare de voir des gens utiliser leurs ressources, et toutes les autres formes d'influence acquise grâce à leur rang, pour aider les autres, alors même que ces derniers ne peuvent pas leur offrir la réciproque. Les scientifiques proposent maintenant une explication à ces comportements altruistes[2] : ils ont démontré que les groupes qui ont les meilleures chances de survie sont ceux où existent une majorité de personnalités altruistes. Comme je l'ai dit au sujet de la culpabilité, dans des temps reculés, le fait de se partager sa nourriture était un comportement centré sur l'autre car il lui permettait de survivre. De nos jours, la survie du groupe professionnel passe par l'entraide et le travail d'équipe, et celle du groupe familial par

---

1. A. Y. Lee-Chai, S. Chen, et T. L. Chartrand, « From Moses to Marcos: Individual Differences in the Use and Abuse of Power », dans Lee-Chai and Bargh, *Use and Abuse of Power*, *op.cit.* (« De Moïse au commandant Marcos : différences individuelles dans l'utilisation et l'abus de pouvoir », non traduit.) I. H. Frieze and B. S. Boneba, « Power Motivation and Motivation to Help Others », *ibid.* (« Motivation du pouvoir et motivation d'aide », non traduit.)
2. E. Sober et D. S. Wilson, *Unto Others: The Evolution and Psychology of Unselfish Behavior*, Harvard University Press, 1999.

la loyauté et la franchise. Par les gènes comme par la culture (sous forme de dogmes moraux ou religieux par exemple), l'altruisme peut se transmettre de génération en génération, et demeure un facteur de survie du groupe. Les ensembles sociaux où dominent les profiteurs et les enragés de la hiérarchie présentent une durée de vie plus courte.

La plupart des groupes sont constitués d'un mélange de personnalités altruistes et de personnalités égoïstes. Ceux où les premières parviennent à contrôler les secondes auront la meilleure chance de se maintenir. Depuis des centaines de milliers d'années, la majorité des groupes tentent de contrôler, tout en les conservant en leur sein, les personnalités les plus égoïstes afin d'augmenter le bien-être de tous[1].

L'altruisme ne se cantonne pas seulement à notre groupe. Il repose sur notre capacité empathique, et peut ainsi s'étendre à tous, car nous sommes capables d'imaginer ce que ressentent d'autres êtres humains même s'ils se trouvent à l'autre bout de la planète. Bien entendu, le rang lui aussi peut s'étendre très loin, il nous arrive de nous sentir supérieurs à des gens que nous n'avons jamais vus. Cette tendance à considérer notre groupe comme le meilleur est à l'origine des pires moments de l'humanité. Grâce aux médias, néanmoins, nous sommes tellement au courant de ce qui arrive à nos semblables, où qu'ils soient, que, selon moi, nous nous trou-

---

1. C. Boehm, *Hierarchy in the Forest: The Evolution of Egalitarian Behavior,* Harvard University Press, 2001 (non traduit).

vons dans un mouvement empathique ascendant qui nous permettra un jour de considérer toute l'humanité comme un seul groupe.

L'abus de pouvoir

Si le pouvoir qui résulte du rang n'est pas tempéré par le lien ni par une tendance culturelle à l'altruisme, il devient abusif. Les personnes en position dominante poursuivent leurs objectifs sans tenir compte des besoins des autres, et ont tendance à chercher, même inconsciemment, à contrôler ceux-ci. La création de rang est un réflexe inné. Ainsi le potentiel d'abus de pouvoir existe en chacun de nous.

Lorsqu'il n'est pas limité par le souci de l'autre, le pouvoir revêt souvent des formes brutales : la dérision, le mensonge, voire les violences verbales ou physiques. Mais les pires formes d'abus de pouvoir sont parfois les plus « douces », comme le fait de déployer charme et persuasion pour parvenir à ses fins, ou utiliser des arguments « rationnels » pour pousser son interlocuteur, *via* un sentiment de honte, à ignorer ses propres sentiments. « Franchement, tu ne penses vraiment qu'à toi, ce serait si simple si tu… » Les spécialistes de l'abus de pouvoir ont peut-être l'impression d'être dans le lien quand ils disent « je fais cela pour toi », mais au fond, ils ne cherchent que leur propre bien-être[1]. Une des méthodes préférées des dictateurs est de convaincre leurs sujets qu'ils sont les seuls à

---

1. E. S. Chen et T. R. Tyler, « Cloaking Power: Legitimizing Myths and the Psychology of the Advantaged » dans Lee-Chai and Bargh, *Use and Abuse of Power*, *op. cit.* (« Les masques du pouvoir : les mythes légitimants et la psychologie du dominant », non traduit.)

même de les protéger des attaques d'un autre groupe, détournant l'attention générale vers cette menace extérieure pour s'accaparer tous les avantages du pouvoir.

Quelle que soit la façon dont se produit l'abus de pouvoir, il résulte purement de l'égoïsme. Il peut causer de graves dommages, et quand il est exercé de sang-froid, et non issu d'un désir temporaire de gagner ou de se venger, il nous apparaît comme le mal absolu.

Pourquoi certains s'enivrent-ils de ce pouvoir malsain ? On peut y voir l'effet de tendances psychopathiques. Si elles sont détectées dès l'enfance, une éducation parentale et scolaire particulièrement vigilante peut, sinon en venir à bout, du moins empêcher qu'elles se réalisent dans le passage à l'acte... à l'exception des cas les plus graves[1]. Mais souvent, les personnes ayant tendance à abuser de leur pouvoir ont eu des parents qui leur ont appris que donner de l'amour était un signe de faiblesse, voire un danger. Le sentiment de pouvoir a alors pour fonction de combler l'absence d'amour. Dans d'autres cas, il peut s'agir d'enfants qui n'ont pas appris à maîtriser leurs sentiments de jalousie à l'intérieur de leur fratrie, et s'érigent en dominateurs par des moyens violents. Chez tous les

---

1. E. Viding, R. James, R. Blair, T. E. Moffitt et R. Plomin, « Evidence for Substantial Genetic Risk for Psychopathy in 7-Year-Olds », *Journal of Child Psychology and Psychiatry* 46, 2004. (« Preuves de l'existence des risques psychopathiques chez des enfants de 7 ans », non traduit.) T. E. Moffi, A. Caspi, H. Harrington, et B. J. Milne, « Males on the Life-Course-Persistent and Adolescence-Limited Antisocial Pathways: Follow-up at Age 26 Years », *Development and Psychopathology* 14, 2002. (« Résultats d'une étude chez des hommes de 26 ans ayant présenté à l'adolescence des comportements asociaux », non traduit.)

membres d'une même fratrie, la notion de pouvoir abusif devient alors centrale. À l'école, les enseignants ont souvent fort à faire pour maîtriser les « petits caïds », et leurs victimes peuvent à leur tour, dans des accès parfois meurtriers, décider de se venger.

Certaines situations font émerger ces tendances abusives chez presque tous les individus, comme lorsqu'un tyran contrôle ses sujets par la force ou la peur, les poussant à agir de même envers leurs subalternes. On pense bien évidemment aux génocides et aux prisons où les gardiens sont incités à infliger de mauvais traitements aux prisonniers. Dans ces situations, les normes de contrôle habituelles du pouvoir disparaissent, et les populations se révèlent soudain capables d'exactions massives et terribles, même si, elles ne font le mal que par peur de perdre leur lien avec le reste du groupe[1].

Le lien au service du rang

Le lien peut être utilisé de façon constructive au service du rang. Par exemple, dans le code du travail, les syndicats permettent aux ouvriers de se hisser au même rang que leurs employeurs dans la négociation. Deux étudiants qui révisent ensemble créent aussi une forme de lien dans un objectif de rang : ils partagent leur savoir

---

1. P. Zimbardo, *The Lucifer Effect: Understanding How Good People Turn Evil,* Random House, 2007 (non traduit). On peut consulter également « Comment des gens ordinaires deviennent des monstres ou des héros », vidéoconférence sous-titrée, http://www.ted.com/talks/lang/fre_fr/philip_zimbardo_on_the_psychology_of_evil.html.

tout le temps de la préparation du concours, avant de chercher individuellement à obtenir le meilleur classement.

Il est indispensable de savoir reconnaître les situations où le lien se met au service du pouvoir. Si c'est pour le bien des protagonistes, le lien va s'atténuer ou se rompre une fois l'objectif atteint, évolution certes regrettable, mais naturelle. Si le lien ne sert que des objectifs égoïstes, nous devons apprendre à voir ce qui se cache sous le vernis pour refuser cette relation faussée.

Les frontières personnelles

Chacun de nous occupe un rang particulier, une valeur déterminée par ce qu'il est, indépendamment des autres. Nos attitudes, nos préférences, nos biens, nos objectifs, notre organisation personnelle, notre travail ou l'espace que nous occupons nous sont propres. Chacun établit ses frontières personnelles et entend qu'elles soient respectées. Plus notre situation hiérarchique est élevée, plus nous pouvons défendre ces limites plutôt que de laisser les autres les établir à leur guise en fonction de leurs désirs, de leurs choix, de leurs buts ou de leurs besoins. Naturellement, ceux qui ont tendance à se sous-estimer ont plus de difficultés à faire respecter leurs frontières personnelles.

Moins votre rang est élevé (ou moins vous le *pensez* élevé), plus les individus de rang supérieur peuvent se permettre d'ignorer les limites que vous cherchez à imposer, pour vous pousser à agir comme ils le souhaitent. S'ils exigent de vous temps et énergie, vous risquez fort de leur céder. Vous avez l'impression que c'est votre devoir, que vous devez leur témoigner du respect sans que la réciproque soit vraie. Quand ils vous regardent dans les yeux, vous avez tendance à baisser la tête.

La colère nous signifie que nos frontières ont été outrepassées. Les personnes qui ont une faible opinion d'elles-mêmes ont tendance à ne pas suffisamment exprimer leur colère. Or, si elles se le permettaient, les autres respecteraient probablement davantage leurs limites personnelles, voire entendraient leurs demandes. La colère est certes un sentiment déplaisant, et l'exprimer ouvertement est souvent contre-productif, mais utilisée à bon escient, elle peut avoir des aspects positifs. En montrant sa colère, on rappelle aux autres qu'il existe des limites à ne pas dépasser, que nous sommes tous soumis aux mêmes règles. La colère indique également à ceux que vous aimez que leur comportement vous blesse et, dans un conflit, vous donne la force de tenir tête, d'exprimer et de soutenir votre opinion afin de trouver une solution avantageuse pour tous. En revanche, exprimer sa colère est voué à l'échec chez ceux qui se sous-estiment de façon chronique, car les autres vont en général ignorer leur demande. De fait, montrer sa colère et son besoin au mauvais moment ou dans une circonstance inappropriée, peut abaisser encore notre rang hiérarchique.

Distinguer rang et lien au travail

Fraîche émoulue de son école de commerce, Mélissa se trouve au bureau dans une situation qui la fait enrager : on a installé tout près de son espace de travail, une nouvelle photocopieuse, et le bruit de la machine, ainsi que les conversations de ceux qui l'utilisent, la rendent folle. Elle envisage de se plaindre à la direction. Il est arrivé une mésaventure semblable à l'un de ses collègues et amis ; non seulement sa plainte n'a eu aucun effet, mais elle a été mentionnée dans son entretien annuel comme un point négatif. Bouleversée et en colère, Mélissa trouve que sa société a une bien curieuse manière de traiter ses employés.

Avec tact, je lui fais remarquer que, par nature, le travail engendre de la compétitivité. L'entreprise qui l'emploie, elle et son collègue, ne peut lui fournir l'écoute attentive et aimante à laquelle sa famille l'a habituée. Au contraire, elle se contente d'assurer le strict minimum, et ne se préoccupe du confort et du bien-être de ses employés que pour les meilleurs d'entre eux. D'après ce que j'ai pu comprendre, Mélissa en fait partie... ce qui n'est pas le cas de son ami.

Je suggère à Mélissa, qui a tendance à se sous-estimer, qu'elle obtiendrait de meilleurs résultats en présentant sa requête en même temps qu'un bilan de ses réussites professionnelles qui mettrait en évidence son rang élevé parmi les employés. Je lui indique qu'elle gagnerait certainement à indiquer que, pour maintenir ses performances au même niveau et éviter les erreurs, elle doit travailler dans le calme et par conséquent être éloignée de la photocopieuse.

Ainsi coachée, Mélissa rencontre son responsable. À la suite de l'entrevue, on lui propose un espace moins bruyant. La jeune femme réalise alors le pouvoir qui résulte d'un rang élevé.

Le triomphe du lien

Bien que le rang et la puissance jouent un rôle important, et souvent déterminant, dans notre vie quotidienne, le lien finit toujours par triompher, par son importance biologique, émotionnelle et spirituelle. Il y a un gros avantage à être des animaux sociaux : nous créons des liens, faisons des rencontres et les membres du clan s'entraident pour survivre, élever les enfants, trouver de la nourriture, guérir des blessures et des maladies, ils jouent, s'exercent et pensent ensemble. L'altruisme est plus important pour la survie que la « loi de la jungle ».

Regardez autour de vous. Nous coopérons pour vivre ensemble dans des communautés ou des pays, réaliser des projets et gouverner les nations. L'expression ultime du lien est peut-être Internet, avec ses mails, chats, blogs, réseaux sociaux, sites de rencontre et échanges d'idées gratuits. Certes, le réseau peut se révéler une zone de compétition mais, dans son essence, il participe indéniablement du lien et non du rang.

Au jour le jour, nos efforts ne concernent pas seulement notre propre personne, mais visent à améliorer la vie de ceux que nous aimons, voire de ceux que nous ne connaissons pas. Notre amour des autres peut transcender toute forme de classement. Du point de vue spirituel, l'amour désintéressé est au centre de toutes les grandes religions, qui nous apprennent que le bien que l'on fait aux autres constitue en lui-même sa propre récompense. Aucune religion ni aucun système philosophique ne suggère que le rang est le chemin du bonheur.

Comprendre l'intérêt du rang et du lien

À présent, vous voyez sans doute le rang et le lien à l'œuvre dans toutes les situations que vous observez. C'est normal, ils sont partout. Chaque membre d'un groupe comprend de façon inconsciente comment fonctionnent compétition et relation à l'intérieur de celui-ci. Pourtant, pour guérir de son bourreau intérieur, il faut rendre plus consciente encore cette compréhension. Lorsque rang et lien deviennent clairs, il est plus simple de voir lequel des deux prend le dessus dans une situation donnée. Il faut pouvoir reconnaître les moments où la personne qui se trouve dans l'un de ces registres parle et agit comme s'il était dans l'autre, et éviter de voir le rang ou le lien là où il n'est pas. Tant que vous ne parvenez pas à établir ces distinctions, il est difficile, voire impossible, de choisir librement entre la hiérarchisation et la relation.

Garder à l'esprit ces notions de rang et de lien nécessite un petit effort, car nous avons tendance à les penser indépendamment l'une de l'autre et à les considérer cantonnées à des situations données. Au travail, nous tentons de résoudre nos conflits de rang et de pouvoir pour assurer notre carrière, avec le risque fréquent de ne pas voir les possibilités de lien offertes par la situation ou nos interlocuteurs. En dehors du cercle professionnel, nous nous consacrons à nos relations personnelles, cherchant à élargir et approfondir nos liens amicaux, et certains problèmes dans ce domaine peuvent naître d'un sentiment de rang faible. Lorsqu'on se sent laid ou stupide, incapable de se défendre ou encore sous l'emprise d'un tiers, on a souvent du mal à se lier aux autres.

Les rapports de rang et de lien peuvent s'avérer particulièrement subtils. On peut dire « Je t'aime » pour contrôler quelqu'un, et « Fais ce que je te dis » est parfois une preuve d'amour. Le lien et le rang se jouent dans nos têtes, ce qui est une des principales causes de la mésestime de soi. Souvent, de façon inconsciente, nos peurs se projettent en nous comme un film en boucle, et confortent nos faux présupposés sur notre valeur individuelle. Elles se fondent sur les expériences passées comme sur des erreurs d'interprétation. Que cela vous arrive souvent ou non, vous focaliser sur des questions de rang et de pouvoir au mauvais moment peut gâcher les plus beaux moments de votre vie, vous empêchant de partager avec les autres, de réaliser pleinement votre potentiel et de connaître le succès. Nous sommes faits pour créer le lien et l'amour, et également pour exercer, lorsque nécessaire, une certaine influence sur les autres, prendre plaisir à la compétition et être à l'aise en position d'autorité. Par-dessus tout, nous sommes faits pour choisir l'option la mieux adaptée dans une situation donnée. Apprendre à discerner le lien et le rang dans notre vie est la première étape pour vaincre notre bourreau intérieur.

À vous !

Dans la liste qui suit, entourez les phrases qui vous correspondent.

Lien

- Je sais aider les gens à exprimer leurs sentiments profonds.
- Je fais souvent des cadeaux surprise aux gens que j'apprécie.
- Je sais mettre les gens à l'aise.
- Il m'est très facile de me laisser aider ou réconforter par quelqu'un.
- Je sais comment rendre une relation plus intime.
- Je sais mettre un terme à une dispute.
- Quand je rencontre de nouvelles personnes, je pars du principe que nous allons bien nous entendre.

• Quand je suis le seul à avoir de la nourriture, j'offre de la partager ou préfère manger à l'écart.

• Dans ma vie, il y a plusieurs personnes avec qui je peux avoir des discussions profondes, sincères et intimes.

• Quand je m'adresse aux gens, je les regarde dans les yeux et leur souris fréquemment.

• Si je ne suis pas d'accord avec quelqu'un, ou si je ne l'apprécie pas particulièrement, je reste conscient de ses sentiments et peux entendre son point de vue.

• Quand je ne vais pas bien, je sais que certains de mes proches sauront me remonter le moral.

Rang

• Quand j'entreprends quelque chose, je crains l'échec dès le départ.

• Je peux voir si une personne me contrôle dans mon propre intérêt.

• Quand je réussis quelque chose, je me sens très fier.

• Quand j'échoue dans une tâche importante et me sens nul, une partie de moi sait que je ne le suis pas complètement.

• Je ne pense pas être plus déprimé qu'un autre lorsque j'échoue à quelque chose.

• Je sais comment surmonter les moments de déprime après un échec.

• Quand quelqu'un me fait un compliment, je sais en général s'il est sincère ou s'il veut se servir de moi.

• J'accepte les critiques de bonne grâce.

• Devant des gens que je ne connais pas, je n'hésite pas à prendre la parole si j'ai une idée valable.

• Je suis à l'aise avec le fait de m'exprimer devant un auditoire.

• Quand je suis bien préparé pour une performance ou une compétition, je me sens en confiance.

• Je sais défendre les limites que j'établis.

• Je sais reconnaître quand quelqu'un tente de se servir de moi sans se soucier des conséquences négatives pour moi.

• Je peux former des alliances pour me protéger des abus de pouvoir.

• Je peux quitter une relation fondée sur l'abus de pouvoir avant qu'elle ne me blesse.

Moins vous avez entouré de phrases dans les listes ci-dessus, plus ce livre peut vous venir en aide. De même, s'il existe une grande disproportion entre le nombre de phrases entourées dans chaque liste, ces pages vous permettront de rétablir l'équilibre entre rang et lien.

Choisir le bon entourage

Fort heureusement, aucune tendance, innée ou acquise, n'est indépassable, même notre réponse à la défaite. Il est possible d'acquérir davantage de souplesse et de maîtrise lorsque nos « émotions sociales » prennent le dessus. Ce livre se veut un guide dans cet apprentissage.

Reprenez le carnet (ou le fichier informatique) que vous avez commencé à remplir, et en particulier les deux listes que vous avez établies au début de ce chapitre : les gens avec qui vous vous sentez bien et ceux qui vous mettent mal à l'aise. Vous pouvez éventuellement jeter un œil dans vos divers carnets d'adresses, au cas où vous en auriez oublié. Cachez la liste des personnes avec qui vous êtes à l'aise. À présent, vous ne voyez que les autres, ceux dont le nom vous évoque le rang. Remarquez-le : votre humeur s'assombrit. Faites l'inverse et lisez les noms de ceux avec qui vous êtes en lien. Vous vous sentez mieux, plus en confiance. Voilà le plus simple exemple d'une façon de se sortir consciemment d'une réponse innée : changer d'entourage, ou bien penser à d'autres personnes.

À vous !

Vous aviez laissé un espace sous chaque nom des deux listes : notez-y à présent vos réflexions concernant les places respectives du lien et rang dans la relation avec cette personne.

* Côté rang, certaines relations vous semblent-elles abusives, ou bien cette personne utilise-t-elle son pouvoir pour votre bien ? Côté lien, combien de vos rapports peuvent être assimilés à de l'amour ou à une profonde affection ? Dans certaines relations de lien, distinguez-vous aussi du rang ? Votre objectif, ici, est d'améliorer votre perception de ce qui se joue dans le rapport à l'autre.

Si, en général, le bien-être correspond au lien et le malaise au rang, il existe des exceptions à cette règle. Réfléchissez-y.

* Dans votre liste « bien-être », existe-t-il des personnes avec qui vous entretenez une relation fondée sur le rang ? Pourquoi ? Une personne mieux placée que vous dans la hiérarchie peut vous faire du bien, par ses compliments, ou car elle estime votre travail à sa juste valeur. Il s'agit alors d'une alliance qui, sans constituer en rien une amitié durable, peut améliorer votre rang à tous deux, ce qui est fort appréciable. Quand vous êtes en position de supériorité, vous pouvez également vous réjouir du respect que vous montrent les autres, de votre pouvoir et votre influence.

* Dans votre liste « malaise », y a-t-il des personnes avec qui vous vous pensiez en lien, mais dont vous vous rendez compte que votre relation est plutôt basée sur le rang ? Ces personnes vous font-elles vous sentir inférieur, honteux ou impuissant ? Ou bien n'appréciez-vous pas leur compagnie parce que vous vous sentez supérieur, qu'elles vous ennuient et que vous ne parvenez pas à respecter leurs idées et leurs croyances ?

* Certains noms figurent-ils sur les deux listes à la fois, vous faisant vous sentir bien et mal à la fois ? Se peut-il que vous ou l'autre utilisiez le rang au service du lien, ou le contraire ?

* Concentrez-vous sur ceux que vous aimez, qui se trouvent, on le suppose, sur votre liste positive. Vous arrive-t-il de vous comparer à eux, en vous inquiétant d'avoir davantage besoin de leur affection et de leur intérêt qu'eux des vôtres ? Aimeriez-vous renforcer vos liens avec certains individus de la liste bien-être ? Dans l'immédiat, comment pourriez-vous vous y prendre ?

* Observez les types de rapports que vous avez décrits sur la liste « malaise » : certaines de vos relations abusent-elles de leur pouvoir sur vous ? S'il existe dans cette liste des personnes qui se situent en dessous de vous dans la hiérarchie, pourquoi vous mettent-elles mal à l'aise ? Votre rang élevé est-il une responsabilité trop lourde ? Sont-ils trop demandeurs ? Ou bien, de façon générale, cela vous ennuie-t-il d'exercer le pouvoir ?

Choisissez les bons groupes

Établissez une liste des groupes auxquels vous appartenez : famille, associations, équipes de sport, groupes sociaux, collègues, etc. Incluez-y les groupes de deux personnes, ceux formés avec vos amis et votre partenaire. Vous pouvez également noter les groupes importants de votre passé, comme vos classes de lycée, et les groupes dont vous ne connaissez pas tous les membres, comme l'entreprise où vous travaillez, les gens qui exercent le même métier que vous, votre génération ou votre groupe ethnique. Il s'agit de dresser une liste des groupes qui ont une forte influence sur la façon dont vous vous percevez. Soulignez ensuite les groupes où vous vous sentez bien, puis celui qui, à ce jour, a le plus grand impact sur votre amour-propre. Si cet impact est négatif, reportez votre attention sur les groupes « bien-être » et déterminez lequel vous semble, en ce moment précis, le plus important.

Identifiez rang et lien dans une journée-type

Repensez à votre journée d'hier. Choisissez quelques interactions significatives, et, sur votre carnet, estimez dans chacune le pourcentage de rang et de lien. Bien entendu, les chiffres n'ont pas à être précis. Pour les situations de comparaison, demandez-vous si vous avez eu tendance à vous sous-estimer.

Par exemple : vous vous êtes réveillé aux côtés de la personne qui partage votre vie, et vous avez parlé avec elle. Vous avez ressenti 90 % de lien, de partage, une bonne façon de commencer la journée. Vous auriez peut-être indiqué

100 % si, au réveil, vous ne craigniez toujours que l'autre vous trouve affreux, ce qui est, vous le savez, une façon de vous sous-estimer : votre partenaire n'est pas non plus au mieux de sa forme à ce moment-là...

Puis, vous êtes allé au travail en voiture. Par rapport aux autres conducteurs, vous vous sentiez plutôt compétitif, 80 % de rang, mais vous avez laissé passer une voiture qui voulait changer de file, et plus tard un autre automobiliste vous a rendu la pareille. Ici, vous ne vous êtes ni sous-estimé ni effacé.

Au bureau, vous avez salué une collègue, qui vous en veut de la supplanter dans l'estime du patron, même si vous n'y pouvez rien : 70 % de rang. Dans cette situation, vous occupez un rang supérieur, pourtant, vous vous sentez un peu coupable, voire honteux : le bourreau intérieur est à l'œuvre.

Vous avez rendez-vous avec votre supérieure hiérarchique, vous vous entendez très bien avec elle, votre relation se compose à 50 % de rang, elle reste votre chef, et à 50 % de lien. Le bourreau intérieur est resté silencieux.

Plus tard, vous avez téléphoné à un client que vous aimez bien, 60 % de lien, mais 40 % de rang car vous ne pouvez pas vous permettre de le perdre. De fait, vous feignez parfois d'être d'accord avec lui, alors que vous pensez le contraire. Néanmoins, en raccrochant, vous étiez content de vous. Votre estime de soi était intacte.

Vous avez déjeuné avec un ami proche, 90 % de lien. Pourquoi pas 100 % ? Parce qu'ensuite, vous vous êtes senti légèrement mal à l'aise. Vous avez l'habitude de payer l'addition à tour de rôle, mais vous ne vous souveniez plus qui s'en était chargé la fois précédente. Votre ami a plaisanté en disant que vous aviez la mémoire courte... quand ça vous arrangeait ! De façon générale, vous vous sentez toujours un peu gêné après vos discussions. Vous vous demandez si votre relation n'est pas plus axée sur le rang que vous ne le pensiez, car cet ami déclenche souvent votre bourreau intérieur.

Enfin, vous vous êtes rendu dans votre salle de sport. Il vous a semblé que vous étiez plus essoufflé que les autres participants, que votre silhouette était de loin la moins gracieuse ou musclée. La comparaison fonctionnait à 100 %, votre bourreau intérieur s'en est donné à cœur joie.

Les six masques du bourreau

2

Il n'est pas toujours simple de déterminer à quel moment nous tombons dans la spirale du rang, cette tendance compulsive à la comparaison et à la rivalité qui éveille notre bourreau intérieur et nous fait nous sentir totalement sans valeur. En effet, nous employons, souvent inconsciemment, des mécanismes de protection, des masques, pour ne pas ressentir de honte. La honte due à une défaite sociale s'inscrit dans le cerveau de la même façon que la douleur physique. Pas étonnant que l'on dise qu'un rejet est *blessant*, et que l'être humain ait développé des moyens d'échapper à cette souffrance. Pour savoir à quel moment le bourreau intérieur est à l'œuvre, nous devons donc nous débarrasser de ces œillères.

Il existe six protections, six masques, qui tendent à dissimuler la souffrance et la honte : la relativisation, le reproche, l'effacement, le perfectionnisme, la fanfaronnade et la projection. Le bourreau intérieur les porte tour à tour, de façon plus ou moins prononcée suivant les caractères et les histoires individuelles. Ces procédés d'évitement nous épargnent de prendre conscience de nos sentiments les plus néfastes. Pourtant, ils peuvent engendrer autant de désagréments que la réponse à la défaite et les émotions sociales négatives dont ils sont censés nous protéger. Par exemple, rejeter sur les autres la responsabilité d'un échec ne nous rendra heureux que le temps de nous apercevoir, ce qui ne saurait manquer d'arriver, qu'ils n'y sont en réalité pour rien.

En général, nous n'utilisons pas ces masques de façon consciente, sinon ils ne fonctionneraient pas. Ils servent à nous tromper nous-mêmes, voire à tromper les autres, sur notre rang. « Moi, me sentir honteux ? Impuissant ? Certainement pas ! » Mais comme, depuis longtemps, le bourreau intérieur s'en prend à notre estime de soi en se dissimulant derrière des masques, nous devons les ôter avant de pouvoir identifier, sentir et éliminer nos sentiments d'insuffisance. Non seulement vous parviendrez ainsi à mieux percevoir les moments où votre bourreau, c'est-à-dire vous-même, utilisez ces masques, mais vous apprendrez également à les voir à l'œuvre chez les autres. Cela vous évitera d'accepter les critiques ou de vous sentir inférieur devant quelqu'un qui exagère son rang, vous délivrant ainsi de votre bourreau intérieur… et de celui des autres.

À vous !

N'étant, en général, pas conscient des masques protecteurs que vous utilisez dans des situations de comparaison, il va vous falloir établir un certain nombre de règles pour répondre aux questions ci-dessous.

* Inscrivez « V » en face de toutes les affirmations qui vous semblent vraies dans votre situation présente ou passée, aussi déplaisantes et irrationnelles qu'elles puissent vous paraître.

* Avant de marquer « F » pour Faux, prenez le temps de réfléchir si c'est vraiment le cas. Les situations indiquées peuvent vous paraître détestables, mais n'oubliez pas que l'exercice a pour but de vous faire percevoir certains de vos comportements inconscients.

* Répondez à chaque question séparément. Ne vous inquiétez pas s'il vous semble contredire des réponses antérieures. C'est en fait l'occasion pour plusieurs parties de votre mental, dont votre bourreau intérieur, de communiquer entre elles ; chacune d'elles utilise ses propres masques.

* Évitez de juger. Admettre qu'une affirmation est vraie indique seulement que vous avez pu y penser, sans forcément passer à l'acte, ou qu'elle s'est réalisée parce que les circonstances l'exigeaient.

* Pour vous assurer de la confidentialité de vos réponses, inscrivez-les sur une feuille volante ou sur votre carnet plutôt que sur ce livre, où un tiers pourrait les lire. Toutefois, conservez ces réponses à disposition, car vous les réutiliserez par la suite.

1. Je crois que les hommes en général ne se préoccupent que de leurs propres intérêts.

2. Au fond de moi, je sais que je ne peux pas faire confiance aux autres.

3. Quand on dit quelque chose de positif sur moi, je ne parviens pas à l'entendre.

4. Selon moi, il y a de fortes probabilités que je sois cambriolé, agressé ou assassiné.

5. Quand on partage quelque chose en deux, je remarque toujours quelle part est la plus grande.

6. Je déteste les gens qui font ce que je m'interdis, en se montrant égoïstes, faibles, paresseux ou en manque d'affection.

7. Plutôt que de me sentir coupable ou honteux pour quelque chose que j'ai fait ou dit, j'essaie de me convaincre que cela n'a pas d'importance et de l'oublier.

8. Si j'avais à choisir, je préférerais consacrer ma vie au bonheur des autres plutôt qu'au mien.

9. Je me sens impuissant.

10. Je ne peux pas me sortir de mes problèmes, car la vie a toujours été injuste envers moi.

11. Même deux personnes qui s'aiment se manipulent réciproquement.

12. Mes ennemis sont des malfaisants.

13. Quand j'échoue dans un domaine qui m'intéresse, je préfère prétendre qu'au fond cela ne m'importe pas.

14. Il y a des gens que je déteste vraiment, sans raison valable.

15. Je me déçois souvent moi-même, mais j'essaie de faire de mon mieux.

16. Quels que soient les problèmes que me pose une personne, je pense que, si j'étais parfait, je pourrais y répondre par l'amour.

17. Quand j'échoue, c'est la faute à pas de chance.

18. Si les gens étaient vraiment honnêtes, ils admettraient que certains valent mieux que d'autres.

19. Tout au long de ma vie, j'ai été le « second en tout » ou le « bon deuxième ».

20. Je travaille tellement que je n'ai pas le temps de prendre soin de ma santé.

21. Je trouve que la plupart des gens sont très décevants.

22. Je cherche toujours à causer le moins de dérangement possible autour de moi.

23. Quand je conduis, je m'attends toujours à ce qu'on me fasse une queue-de-poisson.

24. Je suis quasiment prêt à tout pour éviter un conflit.

25. Cela ne me gêne pas d'enfreindre les règles si je sais que personne n'en souffrira de trop.

26. Quand je ne pense pas pouvoir gagner dans une activité donnée, je considère qu'elle est stupide ou sans importance.

27. On me dit souvent que les autres profitent de moi.

28. À l'intérieur d'un groupe, je refuse de me préoccuper des ambitions de chacun.

29. Plus d'une fois, je me suis complètement trompé sur le compte de quelqu'un.

30. Je crois que les gens se font souvent une montagne de pas grand-chose.

31. Je pense que le monde est un lieu peuplé de bien méchantes gens.

32. Je me consacrerai entièrement à ma carrière tant que je n'aurai pas prouvé l'étendue de ma valeur.

33. Pour que les gens m'aiment, il faut que je ne cesse jamais de les impressionner.

La plupart de ces affirmations cherchent à cerner comment vous tentez d'échapper à votre bourreau intérieur. Certaines d'entre elles – 1, 2, 5, 11, 18 et 19 – mesurent aussi à quel point le rang fait partie de votre philosophie de vie. En général, les personnes qui ont répondu « vrai » à celles-ci se reconnaissent également dans la plupart des autres propositions. Celles-ci peuvent parfois sembler relever du bon sens plutôt que de mécanismes de protection. Par exemple, vous pouvez penser que les gens en général ne se préoccupent que d'eux-mêmes ; c'est une opinion assez répandue. Et de fait, il arrive que certaines personnes se conduisent de la sorte. Pourtant, si vous pensez que c'est *toujours* vrai, alors on peut y reconnaître un masque protecteur.

En ce qui concerne la tendance à la comparaison et l'utilisation de ces protections, il n'y a pas de comportement « anormal ». Nous le faisons en permanence. Votre objectif est de distinguer à quel moment vous y avez recours. Je vous ai demandé une sincérité totale. Loin de moi l'idée de prétendre que les résultats de ce test peuvent être « bons » ou « mauvais ». Ce serait injuste et blessant pour vous – et très bon pour votre bourreau intérieur. Aussi, vous devez utiliser le guide des réponses qui suit comme une simple façon de constater lesquels de vos masques protecteurs sont le plus souvent à l'œuvre.

* Si vous avez répondu « Vrai » aux questions 7, 13, 17, 26 et 30, vous utilisez sans doute fréquemment la *relativisation*.

* Aux questions 1, 2, 4, 9, 10 et 19 correspond davantage le masque du *reproche*.

* Une tendance à l'*effacement* entraîne le choix des réponses 8, 16, 22, 24, 27 et 28.

* Le masque du *perfectionnisme* vous aura fait choisir les 3, 15, 20, 32, 33.

* Si vous utilisez le masque du *fanfaron*, vous avez sans doute répondu « vrai » aux questions 1, 11, 18, 21, 23 et 25 (la 1 et la 11 projettent sur les autres une tendance à créer du rang).

* Enfin, les questions 6, 12, 14, 29 et 31 révèlent une tendance à la *projection*.

Les six masques protecteurs

Chacun de nous utilise tour à tour ces masques protecteurs. Reconnaître leur présence permet de réduire leur impact, nous amenant ainsi à une vie plus apaisée et heureuse. D'autre part, si vous avez considéré comme vraies plus de dix-huit des affirmations qui précèdent, c'est probablement que vous sentez un fort besoin de vous protéger, car vous voyez le rang partout ou presque, et avez donc une forte tendance à vous sous-estimer : votre bourreau intérieur est particulièrement virulent. Grâce à ce livre, vous apprendrez à vous débarrasser de ces masques. Au début, vous vous sentirez peut-être vulnérable, mais peu à peu, vous améliorerez votre capacité à créer, avec les autres, des liens profonds et durables, vous libérant ainsi de l'anxiété causée par la comparaison permanente, objectif recherché à travers nos protections intérieures.

Les six masques

* Relativisation : vous minimisez ou niez votre rôle dans une situation négative, ou suggérez que l'on ne peut rien attendre de vous dans une situation positive.

* Reproche : vous accusez les autres pour expliquer vos échecs, alors qu'ils n'y sont pour rien.

* Effacement : vous niez tout intérêt à la relation de rang, voire prétendez ne pas en être conscient et recherchez le lien à tout prix.

* Perfectionnisme : vous travaillez sans relâche pour obtenir un rang élevé, mais vous ne vous sentez jamais « assez bien ».

* Fanfaronnade : vous avez, ou voulez donner, l'impression que vous êtes le meilleur, en vous efforçant de vous mettre systématiquement en valeur.

* Projection : vous niez vos propres défauts pour les voir chez les autres, alors qu'ils ne s'y trouvent pas.

Le masque de la relativisation

La relativisation, ou déni, est l'essence même de ce que nous considérons comme une défense. Combien de fois avons-nous justifié notre mauvais résultat au tennis par la fatigue de la journée de travail ? Nous avons perdu, indiscutablement, mais nous relativisons notre responsabilité dans cette défaite. Nous pouvons aussi tenter de minimiser nos efforts : « J'ai perdu, mais je n'avais pas très envie de jouer, aujourd'hui. » Parfois, nous nions l'importance du jeu, comme s'il ne nous intéressait pas vraiment : « De toute façon, le tennis, ce n'est pas vraiment mon truc. »

Une autre tactique de relativisation consiste à se décharger de la responsabilité de la défaite sur la chance ou le destin : « La chance ne m'a pas souri, aujourd'hui » ou bien, après un test de natation : « Et alors ? De toute façon, je n'ai pas l'intention de devenir maî-tre-nageur ! »

De même, il arrive qu'on annonce à l'avance ses faibles performan-ces pour les relativiser : « Franchement, au golf, mon *put* ne vaut pas grand-chose, mais je vais essayer… », ou bien : « Tu sais, je suis vraiment timide, mais je vais faire un effort pour aller à cette fête. » Ainsi, nous minimisons les attentes, si nous échouons, tout le monde en connaîtra les raisons et personne ne pensera que nous nous surestimons, autre source potentielle de honte.

La relativisation est si facile à utiliser et si commune qu'on la reconnaît sans peine, les autres savent quand nous sommes sur la défensive. Elle signale également que vous êtes dans une perspective de rang, de classement. Vous allez à la piscine avec une amie : vous aurez peut-être tendance à lui dire « Il te va très bien, ce maillot de bain. Le mien est moins joli. L'année dernière, il me fai-sait une belle silhouette, mais j'ai un peu grossi. Qu'importe : après quelques séances de piscine, ça ira mieux. » Tout cela est vrai, sans doute, mais… qui a commencé à se comparer à l'autre ? Désor-mais, quand vous aurez ce type de pensées, vous saurez que votre bourreau intérieur est à l'œuvre, tout simplement pour vous éviter de vous sentir honteux ou honteuse.

Le masque de la relativisation au travail

Voilà des années que Stéphane occupe le même poste dans une administration. Compétent, il accepte toutes les formations continues qu'on lui propose, mais ne passe néanmoins jamais les concours qui lui permettraient de monter en grade. Peu lui importe, prétend-il. Il s'amuse de voir ses collègues s'échiner à obtenir des promotions, « tout ça pour une augmentation minable et des heures de boulot en plus ».

En réalité, Stéphane présente une déficience d'apprentissage qui l'a toujours mis en difficulté pendant les épreuves en temps limité. Ce problème n'a pas été détecté lorsqu'il était enfant, et il a pris l'habitude de collectionner les mauvaises notes, au point d'arrêter ses études dès que possible. Heureusement, certains de ses professeurs ont découvert que Stéphane était très intelligent, et ils l'ont aidé à s'orienter vers un métier où son défaut ne posait pas problème. Pourtant, il refuse toujours de se remettre dans la situation humiliante d'être observé et chronométré au cours d'un examen. Il accepterait tout, même un salaire plancher, pour éviter ça. Tout comme pendant son enfance, Stéphane relativise son problème pour s'éviter la honte de l'échec.

Quand la relativisation s'invite dans le couple

Depuis des années, Renaud serine à Claudia qu'il aimerait la voir « un tout petit peu plus soignée ». Il souhaiterait qu'elle perde un peu de poids, s'habille mieux et participe davantage aux tâches ménagères. Claudia relativise les problèmes que pointent ces reproches : « J'aime bien manger, et alors ? J'ai du mal à me contrôler, c'est tout, on ne va pas en faire un monde. Au moins, tu ne peux pas dire que je claque tout notre argent dans les magasins de mode ! »

Renaud minimise à son tour son agacement : « C'est Claudia, elle est comme ça. Pas du genre à se regarder toute la journée dans la glace. Et elle a raison : le week-end, nous avons mieux à faire que ranger la maison. »

Mais au fond, Claudia sait qu'elle a un problème avec la nourriture, un problème dont elle a vraiment honte et qu'elle ne parvient pas à contrôler. Avec son excès de poids, elle ne croit pas pouvoir se rendre attirante, et a abandonné tout effort dans ce sens. En réalité, un sentiment de désespoir l'envahit souvent, mais elle fait de son mieux pour l'ignorer. Il faut dire qu'elle a de qui tenir : ses deux parents étaient alcooliques, mais refusaient d'admettre leur problème.

Un jour, Renaud change de travail. Il doit voyager plus souvent. Dans une autre ville, il retrouve un ami de lycée, qui lui présente Hélène, une charmante jeune femme à l'appartement accueillant. Plus encore, Hélène est posée, réfléchie, consciente de ses qualités et de ses défauts, en particulier ceux qui l'ont amenée à choisir le mauvais mari... car Hélène, depuis peu, est séparée.

Soudain, Renaud entrevoit la possibilité d'une nouvelle vie – avec Hélène ou une personne semblable à elle. C'est pour lui une révélation. Pourtant, il se déteste car il a l'impression de trahir Claudia. Bouleversé, il s'aperçoit à quel point il est insatisfait et malheureux avec son épouse, et se demande comment il pourrait vivre toute sa vie dans ces conditions. De retour de son voyage, il se confie immédiatement à Claudia, envisageant une thérapie de couple.

Mais Claudia se met à rire : « Nous, une thérapie de couple ? Ce n'est pas notre genre ! »

Renaud a beau insister, il reçoit chaque fois la même réponse. Alors, il comprend que tout est fini.

Ironiquement, après que Renaud l'a quittée, Claudia se met à changer. Désormais, impossible pour elle de prendre ses problèmes à la légère. Elle consulte un thérapeute. À sa grande surprise, elle se rend compte qu'apprendre à s'aimer elle-même n'est pas si compliqué. _____

Indices de la relativisation

Point de départ inconscient : « Être en bas de l'échelle ne me gêne pas tant que je parviens à montrer que je n'accorde aucune importance au rang et ne fais aucun effort pour monter en grade. »

Phrases toutes faites : « Je ne me suis pas donné à fond aujourd'hui, c'était juste un entraînement. » « J'ai eu trop de travail pour me consacrer à ça. » « Je me demande pourquoi les gens prennent tout tellement au sérieux. » « En ce moment, j'ai vraiment la guigne. »

Autres indices possibles :

* Lorsque vous parlez de vos performances, vous trouvez toujours une excuse : vous ne vous sentiez pas très bien, aviez mal dormi, etc.

* Dans vos paroles comme dans vos pensées, le destin, la chance, semblent avoir une grande influence sur votre vie.

* Vous faites de votre mieux pour ignorer les aspects de vous-même et de vos proches que vous n'aimez pas.

* Même quand, au fond, vous savez que quelque chose est important pour vous, vous faites de votre mieux pour nier cette importance.

* Vous vous défendez toujours d'avoir des problèmes, même si vous savez que c'est faux.

Le masque du reproche

« Je suis tombé parce qu'elle m'a fait un croche-pied. » « J'ai perdu parce que l'autre a triché. » Bien entendu, il se peut qu'on vous ait réellement fait un croche-pied ou qu'un adversaire triche. Parfois, il est logique de blâmer les autres au lieu de se prétendre à tort seul responsable de son échec. Mais s'il vous arrive fréquemment de vous sentir floué ou trompé, alors il peut s'agir d'une forme de protection.

La plupart du temps, le masque du reproche est activé lorsque, sans en avoir conscience, vous passez du lien au rang. Imaginons que vous ayez proposé à une amie de l'aider à déménager. Très vite, le jour dit, vous vous rendez compte qu'elle s'est mal organisée : les cartons ne sont pas terminés, et elle a oublié d'inviter quelques gros bras pour déménager les meubles encombrants. Au lieu de décider de vous asseoir un moment avec votre amie pour parler, établir vos limites et l'aider à s'organiser de façon plus efficace, vous continuez à déplacer des cartons... tout en pestant intérieurement. Après tout, elle se sert de vous, abuse de votre gentillesse ! Elle vous prend vraiment pour une poire ! Le bourreau intérieur fait son office, vous ne pensez plus en termes de lien, mais de rang. De toute évidence, votre amie croit qu'elle peut vous donner des ordres, comme si elle était la chef et vous le subalterne. Que ces pensées soient explicites ou non, vous avez l'impression d'être manipulé, et vous pouvez vous sentir honteux de vous laisser ainsi abuser.

Bien sûr, vous ne voulez pas être un mauvais ami, égoïste et mesquin... et pourtant, vos sentiments sont réels. Dans cette situation, la seule solution est de reporter le blâme sur votre amie. Le bourreau intérieur ne se calmera que si elle accepte de vous rendre justice, en admettant ses erreurs et en s'excusant. Mais dans ce cas, c'est votre amie qui se sentira coupable et en situation d'infériorité. Le masque du reproche finit par nuire à votre amitié.

Lorsque vous êtes mécontent de vous-même, quelle qu'en soit la raison, vous courez le risque d'utiliser le masque du reproche pour éloigner vos sentiments de honte, en particulier si vous trouvez une cible facile pour vos critiques. J'aime comparer la honte à une balle dont on se débarrasserait commodément en la jetant à quelqu'un d'autre. « C'est ta faute, pas la mienne. » « Je n'ai pas de problème, c'est toi qui en as un. » « D'accord, j'ai fait ça, mais tu le fais tout le temps. » Dans cet état d'esprit, il nous vient rarement l'idée de simplement « lâcher la balle » ; la honte nous effraie bien trop pour cela.

Le poids des reproches du passé

Quand, par le passé, cette tendance à blâmer l'autre a souvent été justifiée, elle peut devenir chronique. Quelqu'un qui, par exemple, a souffert de discrimination au cours de son enfance ne saurait établir du lien ni éviter le rang dans une relation interpersonnelle, en particulier si son interlocuteur appartient à un groupe susceptible d'entretenir des préjugés à son égard. Pourtant, cette méfiance qui conduit à voir toutes les situations sous l'angle du rang, peut rendre la vie impossible. Lorsque tout semble se liguer contre vous, le désespoir n'est jamais loin. Vous vous sentez exclu, tenu à l'écart du groupe et du monde. Et si on vous propose de l'aide ou de l'amitié, vous vous protégez en les rejetant, persuadé que les autres ont des arrière-pensées condamnables.

Une personne en butte à la discrimination est mésestimée, voire méprisée de façon systématique. Elle se trouve reléguée à un rang très bas. Pour reconstruire sa perception du rang et du lien, elle doit au préalable admettre qu'elle a été victime de discrimination et qu'elle en a souffert. Dans le cas contraire, elle risque de réprimer les sentiments négatifs qu'elle a ressentis et nier que son amour-propre ait été endommagé. Ainsi, elle tente inconsciemment de museler son bourreau intérieur en lui appliquant sans cesse le masque du reproche. Inflexible, elle voit souvent le rang, le jugement, là où il n'est pas.

En revanche, si vous parvenez à admettre les effets néfastes du préjugé dont vous avez été victime, vous devrez affronter et revivre toutes les émotions négatives qu'il a engendrées, culpabilité, anxiété, sentiments dépressifs et honte, ainsi que la colère de n'avoir pas pu vous exprimer à cause de votre rang inférieur. Mais à court terme, cette prise de conscience est salutaire, car elle seule permet de guérir l'amour-propre et de s'ouvrir au lien. Comprendre pleinement les effets de la discrimination dont vous avez été victime nécessite souvent un travail sur l'appartenance au groupe, c'est-à-dire se lier à des personnes qui ont vécu des situations identiques. Vous sentir incorporé à une communauté vous donnera le sentiment de sécurité nécessaire pour exprimer ouvertement votre colère et vos sentiments négatifs.

Les victimes de discrimination – raciale, sociale ou autre – utilisent souvent les masques de l'effacement et du perfectionnisme[1].

---

1. R. Mendoza-Denton, G. Downey, V. Purdie, A. Davis, and J. Pietrzak, « Sensitivity to Status-Based Rejection: Implications for African American Students College Experience », *Journal of Personality and Social Psychology* 83, 2002. (« Sensibilité à la discrimination : expérience sur l'implication des étudiants afro-américains », non traduit.)

Les effets d'un masque du reproche exacerbé

Lesbienne et afro-américaine vivant aux États-Unis, Maud sait qu'elle doit se méfier de sa tendance à blâmer les autres. Tout en restant ouverte et amicale, elle se bat sans relâche contre le racisme et les discriminations. En tant que personne de couleur et lesbienne, elle en a été doublement victime, au point qu'elle a construit sa carrière là-dessus : au cours de son cursus de psychologie, elle s'est passionnée pour des études mettant en évidence l'existence de préjugés raciaux à travers les réactions inconscientes à des indices subliminaux. Ces recherches montraient que la quasi-totalité des citoyens américains conservaient des réflexes racistes – y compris les personnes de couleur. D'autres expériences mettaient en lumière des résultats similaires en ce qui concerne les préjugés sexistes. Par exemple, les étudiants des deux sexes tendent à sous-évaluer la retranscription d'un cours si on leur indique qu'il a été donné par une femme[1].

Passionnée, Maud a choisi l'un des chercheurs impliqués dans cette étude pour diriger son master de psychologie sociale. Mais, à peine les cours commencés, elle reçoit une lettre anonyme l'informant que son directeur de recherche déteste les lesbiennes et qu'elle ferait bien de cacher son homosexualité. À présent, Maud se souvient d'une multitude de petits signes (certains regards ou inflexions de voix, l'absence de l'enseignant au cours d'une présentation de travaux) qu'elle interprète dans ce sens.

Pendant des jours, la jeune femme remâche sa colère, se demandant comment réagir. Ses meilleures amies – deux étudiantes en master toujours de bonne humeur, avec qui elle adore en général discuter et plaisanter – lui demandent ce qui ne va pas, mais Maud ne répond rien. Toutes deux sont

---

1. D. Kierstead, P. D'Agostino, and H. Dill, « Sex Role Stereotyping of College Professors: Bias in Students Ratings of Instructors », *Journal of Personality and Social Psychology*, 1988. (« Stéréotypes sexuels : le jugement biaisé des étudiants sur leurs enseignants », non traduit.)

blanches, elles la taquinent : comment ça, leur copine n'est plus la plus *cool* des « *black girls* » ? Elles l'interrogent longtemps, sur le ton de la plaisanterie. Maud se renferme de plus belle.

Finalement, elle n'y tient plus. Pénétrant en trombe dans les locaux de l'UFR, elle exige de voir sur-le-champ son directeur. La secrétaire proteste ; Maud la menace physiquement, et s'introduit sans frapper dans le bureau de l'enseignant. Jetant la lettre sur le bureau, elle lance :

– Vous allez vous expliquer, ou je vous assure que toutes les facs de psycho du pays vont savoir qui vous êtes vraiment.

Par bonheur, le chercheur ignore ces menaces et se contente de lire la lettre.

– Vous savez qui a écrit ça ? lui demande-t-il posément.

Maud doit admettre que non. Au même moment, elle se rappelle que l'homme s'est toujours montré courtois, voire gentil avec elle. Pourquoi a-t-elle accordé davantage de crédit à une lettre anonyme qu'à ces témoignages d'estime ?

Dans le secrétariat, derrière elle, elle entend les voix de ses deux amies :

– Maud ! Heureusement qu'on a su que tu pétais les plombs ! On a accouru ici le plus vite possible !

Et toutes deux d'admettre que la lettre émane d'elles : il s'agissait seulement d'une blague qui a mal tourné.

À nouveau, Maud fulmine. Et les cibles de sa colère sont toutes désignées : ces deux petites dindes, des blanches qui ne se rendent pas compte de ce qu'elles lui ont infligé, jouant sans vergogne avec ses sentiments d'infériorité (qu'elle dissimule soigneusement) en tant que noire et lesbienne... Pourtant, ses deux amies n'y voyaient aucun mal. Elles pensaient que Maud ne se laisserait pas prendre à cette mascarade, et que les piques de ses amies lui mettraient la puce à l'oreille.

Le bourreau intérieur de la jeune femme est terriblement efficace : se reprochant inconsciemment d'appartenir à une minorité ethnique et sexuelle,

elle a choisi de lutter contre la honte en réussissant brillamment ses études ; toute forme d'échec qu'elle rencontre la pousse à formuler à l'encontre des autres des reproches aussi virulents qu'infondés. De fait, comme de nombreuses autres personnes de son entourage, ses amies voyaient simplement en elle une jeune femme talentueuse, forte et pleine d'assurance. Pour son propre bien, Maud doit apprendre à se percevoir de la même façon, et cesser de se faire des reproches qu'elle finit par retourner contre les autres.

Aujourd'hui, Maud est mondialement reconnue pour ses recherches sur la discrimination. Elle est devenue une conférencière de renom, et les étudiants se battent pour assister à ses cours. Toutefois, elle sait qu'elle doit toujours surveiller sa tendance au reproche, qui peut instantanément prendre une importance disproportionnée.

Le masque du reproche peut provenir d'une discrimination ou d'un jugement disqualifiant subi dans votre famille.

Quand la discrimination vient du milieu familial

Daniel a toujours déçu ses parents : à leurs yeux, il n'était assez bon ni à l'école, ni en sport pour être digne de leur prestigieuse famille. Il leur arrivait même, en plaisantant, de faire mine de croire qu'il était un fils illégitime.

Comme tous les enfants, Daniel se reprochait sa « nullité ». Tout naturellement, il a grandi en pensant systématiquement qu'il échouerait. Mais, entré en fac, les choses changent. Il voit l'université comme la possibilité d'un nouveau départ, car personne ne le connaît. Il se consacre donc d'arrache-pied à ses études et obtient de très bons résultats dans certaines matières, car en réalité il est loin d'être sot. Pourtant, son sentiment d'imperfection ne le quitte jamais, et chaque note « moyenne » qu'il reçoit déclenche en lui des sentiments négatifs puissants. Afin de se protéger de ceux-ci, il utilise le masque du reproche : « C'est le prof. Il m'a dans le collimateur depuis le début. » En signe de protestation, il refuse de prendre les sujets d'examen au sérieux, cherchant systématiquement la petite bête pour démontrer que les questions sont orientées ou fausses. Et à ce jeu, il s'en sort très bien... D'autres fois, il prétend que sa pensée est trop « originale » pour que le professeur la comprenne. Pour marquer sa supériorité, il prend un malin plaisir à arriver en retard en cours, quand il ne les « sèche » pas purement et simplement. Par ce comportement agressif et défaitiste, il réussit bien entendu à se mettre à dos ses professeurs... mais leur réprobation ne fait que renforcer ses certitudes.

Au début, ses camarades de classe le soutiennent. Personne n'a envie de jouer les chouchous des profs en les défendant, et les amis de Daniel savent qu'il est plutôt brillant. Mais peu à peu, ils réalisent que quelque chose ne va pas. Ils passent de moins en moins de temps avec lui. Malheureusement, Daniel préfère leur en vouloir que de se confronter à sa plus grande peur : être indigne d'affection et trop bête pour apprendre quoi que ce soit. Ainsi, il construit toute son existence autour du masque du reproche.

Indices du reproche

Point de départ inconscient : « Si mes échecs ne sont pas de mon fait, mais proviennent de l'injustice d'un autre, cela signifie que je ne suis pas complètement nul. »

Phrases toutes faites : « Quelqu'un aimerait bien que je me plante », « Tout le monde est contre moi », « Les gens ne cessent pas de dire du mal de moi dans mon dos », « Je suis né sous une mauvaise étoile. »

Autres indices possibles :

* On vous suggère souvent que vous avez tendance à vous apitoyer sur vous-même, voire à dénaturer les faits.

* Vous mettez fréquemment fin à des amitiés ou changez de travail car vous vous sentez traité injustement.

* Parfois, vous vous sentez coupable d'avoir accusé les autres de ne pas penser suffisamment à vous, tout en sachant que c'est injuste de votre part.

* Vous avez des comportements passifs-agressifs, vous débrouillant pour mettre des bâtons dans les roues de ceux qui, selon vous, vous traitent mal.

* Vous détestez (ou au contraire, vous acceptez facilement) que l'on vous considère comme une victime.

Le masque de l'effacement

Cette protection consiste à nier inconsciemment l'existence du pouvoir et de la compétition. On choisit de s'en tenir à l'écart, car la notion de rang comporte le risque d'une terrible défaite. Ce n'est pas un comportement altruiste, une volonté morale de subordonner ses propres besoins à ceux du reste de l'humanité pour servir le bien commun, pas plus que l'adoption d'une position inférieure pour plaire aux autres, qui impliqueraient l'acceptation du rang. Le masque de l'effacement consiste non seulement à refuser la compétition, mais également à se croire au-dessus d'elle. Vous enfilez ce masque lorsque vous lancez des phrases comme « Franchement, qui se soucie de ça ? Pas moi, c'est certain », « Ne vous inquiétez pas, je m'occupe de tout », « L'avis des autres ? Franchement, je m'en fiche » ou bien « Pas besoin de me remercier, je suis là pour rendre service, c'est tout. »

Hélas, nous avons beau faire de notre mieux pour nier l'existence des relations de rang, d'autres interprètent notre attitude comme l'acceptation d'un rang inférieur et peuvent avoir tendance à se décharger de leur travail sur nous et à ignorer nos suggestions. Ce masque de l'effacement peut nous conduire aussi à hésiter à exercer un pouvoir sur les autres alors même que le devoir nous en incombe. À cause de ce manque d'autorité, des abus et des conflits de toutes sortes peuvent naître parmi ceux que nous pensions aider.

Quand l'effacé a le pouvoir

Lorsqu'elle est investie d'un pouvoir, une personne qui accepte tacitement une position subalterne en niant l'existence du rang se trouve confrontée à un grave problème. C'est le cas de Justin et de son adorable fils, Max. Devenir père a aidé Justin à améliorer son estime de soi, et les premières années de Max ont été enchanteresses. Mais l'enfant a aujourd'hui douze ans et il a beaucoup changé : désormais, il ne cesse de rabaisser son père, refuse d'être vu en sa compagnie, et l'assomme de caprices. Il sort tous les soirs et rentre tard, sans jamais indiquer où il va. Les devoirs, les tâches ménagères dont Max a promis de s'occuper ? C'est Justin qui les fait en secret, pour cacher à son épouse qu'il ne parvient pas à se faire obéir de son fils. Bref, les comportements répréhensibles de Max ne rencontrent aucune opposition et ne portent pas à conséquence.

Justin explique qu'il a choisi pour son fils une « éducation centrée sur l'enfant », autorisant celui-ci à exprimer ses sentiments et à opérer ses propres choix. Pourtant, on sait à présent que les éducations trop permissives sont aussi néfastes pour les enfants que les excès d'autoritarisme. Une autorité simple et aimante semble être la plus efficace : il s'agit de montrer l'intérêt et l'affection que l'on accorde à l'enfant en lui fixant des limites et en lui expliquant leurs raisons d'être. Mais Justin, effrayé par la confrontation et craignant les insultes et les colères de son fils, préfère utiliser son masque d'effacement. Il risque ainsi de perdre encore plus le contrôle sur Max. Incapable d'affronter sa peur de la défaite, aveuglé par le masque qu'il s'est choisi, il fait courir à son fils un grave danger.

Le masque de l'effacement et ses extrêmes

Charlène, « cette bonne vieille Charlène », a cinquante-cinq ans. Depuis vingt-quatre ans, elle travaille avec le même patron dans la même entreprise, au point qu'elle affirme souvent que celle-ci est pour elle une véritable famille. Elle n'entre jamais en concurrence avec personne, ne cherche à s'attribuer aucun mérite. En tant qu'assistante de direction, elle prend tellement à cœur le travail de son patron qu'elle s'y implique autant que lui. Elle prétend que travailler le soir ou le week-end ne la dérange pas, au contraire : plutôt ça que rester seule à la maison. Mais un jour, son patron décide de revendre l'entreprise à une multinationale et de prendre sa retraite aux Seychelles. Il accorde une prime à Charlène et la recommande chaudement aux nouveaux dirigeants. Reconnaissante, l'employée ne discute pas le montant de son bonus : elle n'est pas cupide, et elle s'en félicite. Elle n'a pas de gros besoins : ajouté à ses économies, l'argent suffit à constituer un premier apport pour une petite maison, son rêve de toujours.

Mais les repreneurs décident très vite de restructurer l'entreprise. Le nom de Charlène figure en bonne place sur le plan de licenciement, car elle n'entre pas dans « l'esprit » des méthodes agressives du nouveau PDG. La société est sens dessus dessous, et dans l'inquiétude générale personne ne s'émeut vraiment du sort de Charlène. Bien entendu, chacun promet de garder le contact, mais elle sait que tous ont d'autres soucis en tête – leur famille, leur emploi – et elle n'y compte pas trop. Une page se tourne.

Pendant un an et demi, Charlène reste sans emploi. Elle subsiste d'abord grâce aux allocations chômage, puis à ses économies, avant de retrouver un poste avec un salaire inférieur d'un tiers. Ne s'étant jamais sentie suffisamment stable financièrement, elle n'a pas osé acheter la maison de ses rêves.

En conclusion, elle a fait passer son intérêt en dernier, feignant d'ignorer que la concurrence est inhérente à tout groupe, en particulier dans le cadre professionnel. Charlène s'est toujours gardée d'envisager que, si elle ne progressait pas en faisant reconnaître sa valeur dans l'entreprise, elle en pâtirait un jour.

Indices de l'effacement

Point de départ inconscient : « Je ne vaux rien, alors à quoi bon entrer en compétition ? Personne ne peut me désirer ou vouloir vivre avec moi si je ne montre pas que je ne serai jamais un rival. »

Phrases toutes faites : « Rendre les autres heureux, c'est mon seul bonheur », « Je ne suis pas trop dans la compétition », « Ça m'est égal de ne pas gagner », « Je ferai comme tu voudras. »

Autres indices possibles :

* Avec vos amis, il existe une règle implicite : vous ne les critiquerez pas, et cela vous perturberait grandement qu'ils vous critiquent.

* Vous préférez croire que ceux qui vous font du mal finiront par le comprendre sans qu'il soit besoin de le leur dire.

* Vous le dites souvent : le regard des autres vous importe peu.

* Il vous est arrivé de suivre et d'écouter quelqu'un pendant des années avant de vous apercevoir qu'il ne cherchait qu'à vous contrôler et à vous utiliser dans son intérêt.

* Vous faites fréquemment l'amour avec votre partenaire sans en avoir envie. Après tout, cela lui fait plaisir...

Le masque du perfectionnisme

Ceux qui utilisent ce mécanisme de défense ont appris que le bourreau intérieur se tait lorsqu'il reçoit des compliments. En général, on adopte ce masque très tôt et on le conserve tout au long de sa vie, mais il peut rester une attitude temporaire. Par exemple, votre partenaire vous quitte, et même si vous savez que vous n'êtes pas prêt pour une nouvelle relation sérieuse, vous multipliez les rencontres, simplement pour vous prouver que vous restez attirant.

Ce perfectionnisme s'acquiert souvent dans l'enfance, auprès des parents ou des professeurs. Lorsqu'un enfant, chez lui ou à l'école, se sent chroniquement en échec, en proie à des sentiments de honte et de dépression, il arrive fréquemment qu'il développe ce moyen de protection. Il utilise alors sa capacité à plaire à des enseignants qui se montrent gentils et compréhensifs, car ils ont tendance à encourager et à aimer les perfectionnistes, sans réaliser l'effort demandé à l'enfant, lequel risque de se croire systématiquement obligé de prouver sa valeur plutôt que d'accepter sa véritable personnalité.

Un handicap, l'appartenance à une minorité ou tout autre sentiment de défaut, peuvent également mener au perfectionnisme. On apaise la douleur par une brillante réussite dans un domaine donné, l'école, le sport, la musique, l'informatique… n'importe quel talent que l'on développe jusqu'à l'épuisement. Si vous utilisez ce masque, prouver votre valeur vous permet de reprendre du pouvoir. Vous triomphez au lieu de vous sentir en échec. Mais le remède ne dure pas et ne restaure jamais pleinement votre amour-propre fondamental. Au fond, vous pensez qu'on ne vous apprécie que pour ce que vous faites, et supposez qu'on cessera de vous aimer si vous vous arrêtez. Ainsi restez-vous en permanence dans l'action, au risque de vous tuer littéralement à la tâche.

Bien entendu, le perfectionnisme n'est pas toujours une protection. Le fait que votre entourage vous reproche d'en faire trop n'est pas forcément significatif : peut-être vous investissez-vous simplement dans votre travail parce que vous adorez ce que vous faites... Mais il est probable que le perfectionnisme soit un masque s'il vous est difficile ou impossible de prendre soin de votre santé, de garder du temps pour vous et de rester à l'écoute de ceux que vous aimez.

La course à la perfection dans la fratrie

On ignore trop souvent la rivalité qui existe au sein de la fratrie, pourtant, si elle est négligée par les parents, elle peut mener à des sentiments d'échec permanents chez un ou plusieurs de ses membres.

Célia et Camille sont jumelles, les deux petites dernières d'une fratrie de cinq. Comme toujours chez les jumeaux, l'un des deux est plus gros et a pris davantage de place dans le ventre de leur mère. Il s'agit de Célia, toujours considérée comme la plus jolie, la plus vive et extravertie. Camille, elle, est une enfant plus calme. Elle se contente de suivre les autres. Quand les amis de Célia viennent jouer à la maison, elle a du mal à s'intégrer. Jusqu'à la puberté, elle reste plutôt joufflue. Les parents des jumelles font de leur mieux pour leur offrir un traitement rigoureusement équivalent. Mais en réalité, Camille aurait besoin qu'on s'occupe davantage d'elle, car elle a très vite tendance à se sous-estimer et à douter d'elle-même.

Au collège, un enseignant remarque ses capacités en mathématiques. Elle apprécie énormément d'être reconnue et félicitée, pour lui faire plaisir, elle travaille jour et nuit. Quand elle termine sa troisième, elle pleure à l'idée de changer de professeur.

Au lycée, Camille a beaucoup de mal à trouver sa place. Sa timidité s'accroît, d'autant plus qu'on la compare souvent à sa sœur, celle qui est « jolie, sympa et drôle ». À nouveau, elle se réfugie dans la science, obtenant les félicitations de ses profs de maths et de physique. Comme elle se distingue tout particulièrement en chimie, elle décide d'en faire sa matière principale à l'université. Sa peur secrète, en réalité, est de ne jamais trouver l'âme sœur. Elle devient professeur de chimie appliquée, tandis que Célia fait le Conservatoire de théâtre avant de se lancer dans une carrière de comédienne. Lorsqu'un peu plus tard sa jumelle se marie et a deux enfants, Camille ne peut s'empêcher de l'envier profondément. Soudain, il lui semble qu'elle déteste la chimie appliquée, ainsi que tous ces hommes qui la voient uniquement comme une collègue de travail.

Un jour, quelques-uns de ses élèves lui demandent son aide pour analyser l'eau courante de la région, à la recherche de toxines ; Camille se découvre alors une passion pour l'environnement, et devient une active militante écologiste. Inconsciemment, elle pense que se consacrer à la lutte contre la pollution surclasse en quelque sorte les choix de vie de sa sœur, qui reste « seulement mère au foyer ». Elle s'investit dans l'environnement avec tant de fougue qu'elle impressionne tous ses camarades de lutte : sans jamais se préoccuper des risques pour sa propre santé, elle fait passer les besoins de la planète bien avant les siens. Camille se vante de n'avoir besoin que de quelques heures de sommeil par nuit. Elle remporte même un prix pour ses recherches dans le domaine de la santé publique ; en revanche, elle souffre à présent de troubles nerveux liés au stress.

Pendant ce temps, sa sœur, qui écrit des livres pour la jeunesse, est devenue un auteur à succès tout en se consacrant au soutien scolaire auprès des plus démunis. Sans remarquer la similitude, Camille décide d'écrire un ouvrage sur son combat contre les grandes entreprises d'agroalimentaire. Lorsque Célia est élue présidente d'une grande association de lutte contre l'illettrisme, Camille se présente sur une liste écologiste à des élections nationales. Si Célia mène une vie équilibrée et heureuse, Camille n'est admirée que pour son dévouement... « malgré ses nombreux problèmes de santé ». D'elle, on dit qu'elle se donne à fond dans ce qu'elle fait ; mais ceux qui connaissent les jumelles depuis leur naissance pensent plutôt que Camille n'est nulle part aussi engagée que dans sa lutte pour prouver qu'elle est « presque aussi bien » que sa sœur.

Indices du perfectionnisme

Point de départ inconscient : « Si je travaille assez dur, quelqu'un m'aimera, et personne ne pourra dire que je ne vaux rien ; enfin, je cesserai de me sentir bon à rien. »

Phrases toutes faites : « Quoi que vous vouliez, je peux le faire. Je me débrouillerai », « Je donne tout pour ce travail – rien d'autre ne compte à mes yeux. » « Je me sentirai bien mieux dans ma vie quand j'aurai fait ce lifting (ou perdu du poids, ou obtenu mon doctorat). » « Les gens disent que j'en fais beaucoup, mais franchement ça ne me pèse pas. »

Autres indices possibles :

* D'une certaine façon, aussi importantes que soient vos réalisations, elles ne vous impressionnent guère.

* Les autres vous voient comme un expert, mais au fond vous vous voyez plutôt comme un usurpateur.

* Quand d'autres vous critiquent, ou travaillent dans un domaine proche du vôtre, vous vous rendez compte que vous attaquez ce qu'ils font avec une véhémence qui vous surprend.

* On se plaint que vous travaillez tout le temps, ce qui nuit à vos relations avec votre famille et vos amis.

* Quand vous ne travaillez pas, vous vous sentez mal à l'aise, et le travail vous remplit souvent d'un sentiment de bien-être.

Le masque du fanfaron

Contrairement au perfectionniste, le fanfaron ne cherche pas à atteindre un impossible état à l'abri de la honte, il se sent tout simplement le « roi du pétrole » : plus beau, plus intelligent, plus cultivé que quiconque, le meilleur dans son domaine. Dans sa tour d'ivoire, il domine la compétition et reste à l'abri des sentiments d'indignité.

Nous avons tous rencontré des narcissiques qui fanfaronnent ouvertement, dans un domaine particulier ou de façon générale. C'est en général un mécanisme de protection, même si certains ne font que refléter leur valeur réelle. Toutefois, ce masque protecteur demeure parfois difficile à déceler. Chacun de nous le revêt à un moment ou un autre. Des études démontrent que lorsqu'elles risquent l'échec, certaines personnes « regonflent » inconsciemment leur amour-propre[1]. Peut-être vous trouvez-vous dans une situation où tout signe de doute ou de manque de confiance en soi risque de provoquer la honte : alors, vous exagérez votre rang pour vous protéger des risques d'échec ou de défaite.

Nous fanfaronnons aussi lorsque toute autre forme de protection passerait pour une attitude défensive. Par exemple, vous jouez aux cartes avec votre patron et tous les « gars de la boîte » et vous êtes en train de perdre. Vous pourriez utiliser vos défenses habituelles :

---

1. L. A. Rudman, M. C. Dohn, et K. Fairchild, « Implicit Self-Esteem Compensation: Automatic Threat Defense », *Journal of Personality and Social Psychology* 93, 2007. (« Compensation implicite de l'estime de soi : une réponse automatique à la menace », non traduit.)

ce n'est pas votre jour de chance, l'essentiel n'est pas de gagner, et ils n'ont qu'à bien se tenir car vous prenez des cours de poker en ligne et les battrez à plate couture la prochaine fois… mais vous craignez de passer pour un mauvais joueur. Vous préférez donc lancer une petite phrase qui vous remet en situation dominante, quitte à mentir un peu : « Heureusement que je vais toucher ma prime de meilleur vendeur du mois, sans quoi j'aurais eu du mal à vous payer ! »

Certaines phrases peuvent sonner comme des fanfaronnades, mais n'en sont pas : elles relèvent de la fierté bien placée ou d'une façon de communiquer avec les autres : « Vous savez quoi ? J'ai été reçu premier ! » Toutefois, d'autres affirmations sont purement défensives : « Vous sortez peut-être tous de HEC, moi pas, mais je fais ce métier depuis trente ans ! » Est-il vraiment utile de le rappeler ou bien êtes-vous simplement en train de couvrir une terrible impression d'infériorité et de honte par rapport à votre manque de diplômes ?

Lorsqu'on utilise le masque de la fanfaronnade, nos bons résultats et nos réussites réelles ne nous apaisent pas : tout au fond, nous avons honte de nous-mêmes en permanence. Faire bonne impression sur les autres nous rassure, nous pensons avoir dissimulé nos échecs et notre insuffisance. Nous ne pouvons pas nous contenter d'être à l'aise financièrement, instruits ou minces : nous devons le montrer aux autres par des signes extérieurs de richesse, en étalant notre culture ou en jeûnant pendant trois jours avant de nous montrer en maillot de bain.

Le rappel constant de votre position élevée est une autre forme de fanfaronnade. Certes, vous présidez telle association, avez remporté tel ou tel prix : mais lorsque vous vous sentez en infériorité, vous n'avez de cesse de mentionner ces réussites dans la conversation, parfois de façon totalement déplacée. De la même façon, vous faites référence à ces positions élevées quand vous vous sentez inadapté à une situation. « D'accord, je ne suis pas originaire de votre pays et je n'ai pas votre expérience dans le domaine, mais je suis médecin et cette maladie est la même partout. »

De même, nos achats peuvent être destinés à impressionner les autres : il nous *faut* la plus belle voiture, la plus grande maison, la montre la plus luxueuse... Nous ferions tout pour conserver le physique le plus séduisant ou le meilleur classement de notre club de tennis, comme si ne plus être au sommet risquait de nous détruire irrémédiablement. Pareillement, lorsque nous ne nous sentons pas en sécurité, nous nous montrons bravache ou multiplions les bons mots pour nous assurer l'attention de tous.

Dans tous ces exemples, le masque du fanfaron sert à installer et renforcer une impression de supériorité afin d'éviter l'anxiété, la honte, les sentiments de dépression et de défaite qui surgiraient si nous laissions notre bourreau intérieur étendre son emprise.

Fanfaronnade et parentalité

Même lorsque nos efforts semblent aider les autres, ils peuvent s'avérer négatifs si notre but premier et inconscient est de maintenir un rang élevé pour nous protéger de la honte. Par exemple, nous pouvons insister pour aider quelqu'un qui n'en a plus besoin, dans le seul but de conserver notre supériorité sur lui. Comme nous risquons de souffrir du moindre de ses échecs, nous le poussons à ne jamais dévier de la perfection. Ce risque est particulièrement important pour les couples qui, souffrant de leur bourreau intérieur, se projettent dans leurs enfants, en cherchant à se montrer les meilleurs parents du monde ou en exigeant que leur progéniture se montre irréprochable. Ainsi, ils pensent éviter tout sentiment de défaite et de honte.

Avez-vous déjà eu honte que votre fils n'ait pas été sélectionné dans l'équipe mascotte de son club de foot ? Que votre fille ait obtenu des résultats médiocres au Brevet des collèges ? Que votre bébé tarde à apprendre le pot ? Il n'y a rien de répréhensible à vouloir devenir le meilleur parent possible (ou le meilleur employé, ou la meilleure joueuse de l'équipe, etc.), pas plus que de ressentir de la fierté devant les résultats de vos enfants ou d'apprécier les compliments qu'on vous en fait, la tâche de parent est ardue et mérite notre admiration. En revanche, il y a problème lorsqu'on sacrifie l'intérêt véritable des enfants. Combien de mères ou de pères rêvent-ils d'avoir l'enfant le plus apprécié de l'école, choisissant d'ignorer, voire de contraindre, la nature plutôt timide et introvertie de leur progéniture ?

Quand le fanfaron pèse sur les enfants

Catherine et Sébastien se sont rencontrés à l'université. Ils se sont mariés très vite et ont presque aussitôt décidé d'avoir un enfant. Ainsi, alors que Sébastien gravissait les échelons universitaires, Catherine, qui travaille dans le même domaine, a été forcée d'attendre quelques années pour poursuivre son doctorat. Victime du sexisme dès l'enfance, et dotée d'un tempérament de battante, elle se sent d'autant plus mal à l'aise de devoir rester « seulement » mère au foyer. Pendant cette période, elle connaît des accès de déprime ; toutefois, femme de caractère, elle parvient à les dépasser pour se consacrer à sa fille Daphné. Elle a bien l'intention de lui donner les armes pour devenir une meneuse dans tout domaine qu'elle choisira. Grâce à cette détermination, Daphné sait lire à quatre ans, sans compter ses talents exceptionnels en gymnastique, chant, danse et natation. Bien entendu, c'est aussi une petite fille modèle, parfaitement sage et bien élevée. Une vraie championne, quelle que soit la discipline. Pourtant, quand elle entre en petite section, les instituteurs et les parents d'élève se plaignent d'elle : elle ne cesse de vouloir contrôler les autres enfants, et les fait souvent pleurer. Quand elle apprend cela, Catherine entre dans une phase de déprime. Elle se sent humiliée par ceux qui formulent ces accusations. Au fond, son comportement de mère n'avait qu'un seul but : placer Daphné, par sa réussite, sur un rang élevé afin de compenser ses propres sentiments d'impuissance, son impression d'être tout au bas de l'échelle, en particulier dans son domaine professionnel.

Le fanfaron dans l'entreprise

Haut placé dans la hiérarchie de son entreprise, René détient un rang élevé et un pouvoir incontestable. Pourtant, il éprouve une crainte exagérée de la concurrence et des « jeunes loups » de la société. Plutôt que de montrer sa véritable autorité en contrôlant son sentiment d'insécurité afin d'aider ces nouveaux arrivants à faire leurs armes pour le bénéfice de tous, il fanfaronne tant et si bien que ses collègues finissent par douter de sa véritable valeur et de sa confiance en lui. En effet, non seulement il critique inlassablement toutes les idées nouvelles, y compris les bonnes, mais il ne cesse de remettre sur le tapis ses réussites passées. René devrait faire confiance à sa propre sagesse et à son expérience, car, débarrassé du masque du fanfaron, il pourrait continuer à exercer sur les autres l'influence qu'il souhaite tout naturellement conserver.

Indices de la fanfaronnade

Point de départ inconscient : « Je dois en permanence signifier aux autres et à moi-même ma supériorité, et ceci afin de masquer mon sentiment d'indignité. »

Phrases toutes faites : « J'ai beaucoup de mal à trouver des gens à mon niveau ou qui ne m'ennuient pas. » « C'est comme ça : je sais des choses que les autres ignorent. » « En général, on me trouve irrésistible. » « Si tu veux réussir, fais ce que je dis. »

Autres indices possibles :

* Rester mince, ou jeune, ou en forme, constitue une obsession pour vous ; vous préférez qu'on vous voie en compagnie de gens qui partagent cette philosophie.

* Vous soulignez et amplifiez vos réussites, et dévalorisez celles des autres.

* Quand vous vous sentez menacé, vous mettez en avant vos titres ou votre expérience.

* Si un de vos amis connaît un échec, vous songez à mettre un terme à votre amitié, car vous craignez que sa baisse de rang ne rejaillisse sur vous.

* Vous avez du mal à aimer, car vous vous sentez souvent supérieur.

Le masque de la projection

Tout extrême qu'il soit, le masque de la projection est très répandu. La « projection défensive » est complexe à déceler, mais heureusement, simple à modifier. La projection consiste à voir chez les autres ce qui, chez nous, abîmerait notre image de nous-mêmes. La facilité avec laquelle nous recourons à cette gymnastique mentale est sidérante. Par exemple, le fait de dire « je déteste les gens snobs » peut indiquer que vous n'êtes pas vous-même exempt de ce défaut. Si ce trait de caractère vous agace tant (au point que vous le voyez partout), c'est peut-être qu'un jour, vous avez ressenti une très grande honte après vous être comporté de la sorte. Ainsi, le snobisme vous est devenu une obsession, vous le voyez comme un péché mortel, et vous devez absolument vous faire croire que vous ne le commettez jamais. De la même façon, vous pouvez lancer « je déteste son tempérament critique », alors que de toute évidence c'est vous qui critiquez. C'est un aspect de vous que vous haïssez et qui vous obsède, mais que vous ne voyez que chez les autres. Si par exemple, vous craignez de ne pas être assez attirant, mais que vous culpabilisez de ce sentiment, il se peut que vous répétiez souvent : « Les gens qui ne s'occupent que de leur aspect extérieur ? Je les trouve complètement creux ! »

La meilleure façon de vous surprendre en pleine projection est de penser à des personnes que, de façon irrationnelle, c'est-à-dire sans qu'ils vous aient réellement blessé ou maltraité, vous détestez vraiment. Concentrez-vous ensuite sur le trait de personnalité ou le comportement qui vous révulsent le plus chez elles : arrogance, vulnérabilité, sournoiserie, avidité, jalousie, crédulité… Examinez ce défaut en toute honnêteté. N'est-ce pas simplement un trait que vous vous interdiriez en toutes circonstances et qui, si on vous le reprochait, ne serait-ce que de façon minime, vous emplirait de honte ? Pourtant, vous savez qu'aucun de nous n'est entièrement exempt de ces attitudes, on vous a simplement appris à avoir honte de vous-même lorsque vous vous comportez ainsi.

Il est également possible, lorsque nous nous sentons très mal à l'aise avec nous-mêmes, que nous projetions nos véritables qualités sur les autres. Les autres nous semblent heureux, riches ou pleins de talent, bien plus que nous. Pourtant, il y a fort à parier que les autres ne partagent pas notre opinion.

Quand la projection saccage toute relation potentielle

Malika est une jeune femme indépendante et décidée, l'aînée de six enfants. Quand elle avait cinq ans, son père a quitté leur pays d'origine pour trouver du travail en France. Il a monté sa propre entreprise, qui, grâce à son travail acharné, s'est fortement développée. La mère de Malika était une femme effacée, souvent malade ou déprimée, dépassée par ses enfants et qui a eu beaucoup de mal à s'adapter à leur nouveau pays. Malika a donc dû très tôt prendre les choses en main, obéissant toujours à son père. Ce rôle l'a longtemps remplie de fierté.

Au moment où elle entrait à l'université, son père a eu l'opportunité de retourner dans leur pays d'origine. Toutefois, il lui a enjoint de rester en France où, selon lui, elle pourrait bénéficier d'une meilleure éducation. Les deux premières années de fac de Malika ont été cauchemardesques. Sa famille lui manquait et, chez les cousins où elle était hébergée, elle se sentait mise à l'écart. L'année suivante s'est révélée pire : la seule université qui l'acceptait en licence se trouvait à l'autre bout du pays. Si elle refusait de s'y inscrire, elle risquait de devoir quitter le territoire.

Malika a donc accepté de déménager. Elle a terminé ses études, acquis la nationalité française et a trouvé un très bon emploi. Travailleuse comme son père, elle a vite gravi les échelons. C'est là alors qu'elle vient me trouver : elle rêve d'une rencontre amoureuse, mais rien ne se passe comme elle le souhaiterait. Si elle plaît aux hommes, la réciproque n'est jamais vraie. Il lui semble que tous ceux qui s'intéressent à elle sont des parasites qui n'en veulent qu'à son argent, ou bien des pots-de-colle aux demandes affectives démesurées.

Mais une nuit, elle rêve de son dernier petit ami en date, qu'elle s'apprête à quitter. Elle me raconte ce rêve, où elle rencontrait le garçon au cours de sa dernière année d'université. Les détails importent peu : en consultation, Malika le relie à toutes les nuits où elle s'est retrouvée seule, submergée par des sentiments de chagrin, d'insécurité et de solitude. Être éloignée de sa famille la terrifiait. Son bourreau intérieur s'est éveillé à cette époque-là, minant sa confiance en elle, qui se voulait pourtant décidée et indépendante. Elle a pris conscience à quel point elle aurait aimé qu'on s'occupe d'elle. Mais ce trait de caractère la rapproche par trop de sa mère. Or, son père lui a enseigné que dépendre des autres constituait une faiblesse impardonnable. Ainsi, elle a appris à projeter son désir d'intimité et de soutien sur les autres, et en particulier sur les hommes qu'elle rencontre ; elle les soupçonne d'attendre qu'elle les prenne en charge, eux. Très souvent, comme dans le cas de Malika, le trait de caractère que nous haïssons et rejetons sur les autres est un défaut que nos parents méprisaient en nous, ou que nous méprisions en eux. Malika, elle, détestait la faiblesse de sa mère, et son père refusait qu'elle en fasse preuve à son tour.

La projection d'une ambition démesurée

Bertrand a grandi dans une famille modeste. Ses professeurs prenaient son allure dépenaillée pour un signe d'incompétence intellectuelle, et nul ne l'a jamais encouragé à aller plus loin que le bac. Il s'est donc orienté vers la mécanique, où il s'est donné à fond. Son esprit ingénieux le poussait à imaginer des inventions en tout genre ; il a en particulier développé un système améliorant les performances des plaquettes de frein. Avec l'aide d'un ingénieur, il a déposé une demande de brevet ; intéressée, une investisseuse lui a prêté de l'argent pour produire et commercialiser le dispositif. Aujourd'hui, grâce à son ambition et son intelligence, Bertrand dirige une société qui emploie plusieurs centaines de personnes.

Ce qu'il déteste le plus ? L'injustice. Il met un point d'honneur à « ne pas enquiquiner ses ouvriers pour rien ». Mais ceux-ci ne sont pas forcément de son avis... Car si Bertrand choisit systématiquement d'embaucher des « types normaux », il ne cesse par la suite de surveiller leur comportement, se méfiant en particulier de ceux qui paraissent des « meneurs d'hommes » et refusant de promouvoir ceux qui « se mettent trop en avant ». En réalité, lui-même a passé sa vie à prendre des initiatives et à mener les autres. Ayant connu dans son enfance très peu de lien et un rang très bas, il fait une fixation sur ceux qui tentent de dépasser les autres. Autour de lui, il ne voit que les signes d'une ambition dévorante – cette ambition qu'il exècre tant qu'il ne pourrait jamais admettre en faire preuve lui-même.

Indices de la projection

Point de départ inconscient : « Je ne peux pas supporter mes sentiments de honte et d'insuffisance. Il y a en moi des aspects très déplaisants dont je dois me débarrasser ; pourtant, ils me hantent. Je les vois à l'œuvre partout et chez tout le monde. »

Phrases toutes faites : « Je ne sais pas pourquoi, mais Untel m'insupporte complètement. » « Je ne suis pas en colère. C'est toi qui l'es. » « Je ne veux supplanter personne mais si j'étais vous, je me méfierais de ces gens qui, mine de rien, font tout pour prendre le contrôle. »

Autres indices possibles :

* Vous voyez souvent chez les autres, mais jamais chez vous, des comportements que vous jugez totalement inadmissibles.

* Vous admirez les autres et vous méprisez vous-même (vous trouvez à tout le monde des qualités que vous ne vous reconnaissez pas).

* Vous reprochez souvent aux autres de se montrer trop critique, oubliant que c'est précisément ce que vous êtes en train de faire.

* Vous considérez une personne comme malhonnête et égoïste avant de vous apercevoir que votre jugement est infondé.

* Le mal, c'est les autres ; de votre côté, vous n'avez rien à vous reprocher.

À vous !

À présent que vous en savez davantage sur les masques du bourreau, retournez à la liste des affirmations du chapitre précédent et vérifiez que certaines réponses « fausses » ne sont pas en réalité « vraies ».

Vous allez découvrir comment les masques se mettent en place chez vous dans des situations spécifiques, et comment vous pouvez cesser de les utiliser à l'avenir. Toutefois, n'exigez pas trop de vous-même, il vous reste encore quelques étapes à franchir. Plus vous avancerez dans ce livre, mieux vous apprendrez à vous passer de ces mécanismes de défense et à apaiser votre bourreau intérieur. Mais vous pouvez dès à présent atténuer le pouvoir de celui-ci. En abandonnant vos masques, vous commencerez à moins utiliser le rang, la comparaison, et à améliorer le lien, l'affection, dans vos relations à l'autre. Commencez par examiner vos comportements habituels et par vous demander comment vous pourriez les modifier à l'avenir.

Reconnaître vos masques

Dans votre carnet de bord, notez le nom de chacun des six masques sur une page indépendante. À présent, reprenez votre liste des « bonnes » et des « mauvaises » relations du chapitre 1, et notez sur chaque page trois occasions où, dans les dernières semaines, vous avez utilisé un de ces masques dans vos relations. Il peut s'avérer difficile de retrouver des moments de honte, surtout quand on a fait de son mieux pour faire taire ce sentiment (l'oubli constitue un autre masque du bourreau, mais il est, par définition, très difficile de s'en souvenir). Poursuivez cet exercice jusqu'à avoir rempli la page correspondant à chaque masque. Si vous ne trouvez rien au cours des dernières semaines, vous pouvez éventuellement remonter plus loin dans vos souvenirs.

Notez les occasions où vous avez réellement senti la présence du masque plutôt que des moments discutables.

Imaginez ce que vous auriez pu faire au lieu d'utiliser un masque protecteur

Cet exercice vous aidera à voir comment vous avez revêtu un masque dans une situation réelle, à vous représenter à quel point il pourrait être agréable de ne plus le faire, et à imaginer des façons d'y parvenir. Pour chacun des dix-huit incidents que vous avez notés (trois pour chacun des six masques), posez-vous les questions qui suivent et demandez-vous comment vous auriez pu vous comporter autrement.

* Comment pensez-vous que l'autre a réagi à votre masque ?

* Qu'auriez-vous pu dire à la place ? Qu'aurait-il pu arriver si vous aviez révélé vos véritables sentiments : auriez-vous subi un échec ? Seriez-vous passé pour une mauvaise personne ?

* Dans ce cas, comment aurait réagi l'autre ?

Par exemple : vous avez décidé de faire cavalier seul sur un projet que vous étiez censé partager avec une collègue. Elle s'en est aperçue. Vous avez l'impression que les autres sous-estiment vos capacités, aussi aviez-vous décidé de faire vos preuves en vous chargeant seul de la tâche, puisque, vous en étiez pratiquement certain, votre collègue apprécierait ce geste. Pourtant, ça n'a pas été le cas. Vous vous êtes senti honteux : pris sur le fait, vous donniez une piètre image de vous-même (et vous ne saviez pas qui d'elle ou de vous cela gênait le plus). Sans lui laisser le temps de se mettre en colère, voire avant même que vous ressentiez de la honte, vous avez lancé : « C'est juste qu'il ne m'est pas venu à l'esprit que ça puisse te gêner. » Clairement, vous avez utilisé le masque de la relativisation, en minimisant l'importance de vos actes. Il pouvait y avoir également un soupçon de reproche : après tout, vous lui avez signifié qu'elle n'aurait pas dû se formaliser.

À présent, votre tâche consiste à imaginer ce qui a pu se passer dans sa tête et ce que vous auriez pu choisir de dire. Pour cela, aidez-vous des questions qui suivent :

* Comment pensez-vous que l'autre a réagi à votre masque ? Elle n'a pas cru à mes explications.

* Qu'auriez-vous pu dire à la place ? Peut-être : « Je suis désolé. Au fond, je savais que ça te poserait problème. Je voulais montrer à tout le monde que je pouvais me débrouiller seul, sans ton aide. Je regrette vraiment d'être passé outre, et d'avoir préféré essayer de me montrer sous un bon jour au lieu de me réjouir de travailler avec toi. »

* Dans ce cas, comment aurait réagi l'autre ? Elle aurait peut-être été impressionnée par ma franchise malgré la situation délicate où je m'étais mis ; néanmoins, elle se serait sans doute mise en colère, ce qui est tout à fait compréhensible. Mais comme j'avais admis mon tort et que je lui avais présenté mes excuses, elle ne m'en aurait pas voulu longtemps. Et au moins, je ne me serais pas donné une nouvelle raison d'avoir honte de moi-même en mentant pour couvrir mon erreur.

Comment les masques dissimulent le bourreau intérieur

Apprendre à moins utiliser ces protections est un objectif important, mais le but principal de ce chapitre est de vous aider à identifier les masques que vous avez l'habitude de revêtir et de comprendre à quel point vous restez en proie au bourreau intérieur. Réfléchissez à ceci, et notez sur votre carnet de bord le résultat de vos réflexions. Distinguez-vous mieux, à présent, ces mécanismes de défense ? Voyez-vous à quelle fréquence vous entrez dans le rapport de rang et tentez d'éviter les sentiments d'échec et de honte ? Même si tout cela reste vague pour vous, c'est déjà un pas en avant.

Le passé
du bourreau intérieur

3

Vous vous rendez parfois compte que vous voyez le monde à travers les yeux du bourreau intérieur. Maintenant que vous avez appris à distinguer ses masques, ces moments peuvent devenir plus fréquents. Ces prises de pouvoir du bourreau font que vous vous voyez généralement comme une « mauvaise » personne. Vous vous dites que vous ne valez rien, que vous êtes insignifiant et que personne ne vous aime. Et pourtant, vous savez parfaitement à quel point ces pensées sont irrationnelles.

Parfois, le bourreau intérieur est si fort que nous ne parvenons plus à prendre du recul, jusqu'à ce qu'un événement extérieur vienne enfin changer notre perspective, nous permettant de comprendre à quel point et avec quelle virulence nous sommes en train de nous sous-estimer. Vous est-il déjà arrivé de déjeuner avec quelqu'un et de penser tout au long du repas, que vous l'ennuyiez profondément et qu'il ne vous rappellera jamais ? Et quelques jours plus tard, recevoir ce message : « J'ai passé un excellent moment avec toi, il faut qu'on se revoie très vite. » C'est de ce genre de changement de perspective dont je parle.

Pour apprendre à les percevoir, il vous faut explorer les raisons qui vous poussent à vous sous-estimer à ce point. Identifier les causes de votre honte et de vos sentiments d'insuffisance peut vous donner une meilleure idée de ce qui déclenche votre bourreau intérieur, vous permettant de mieux parer ses coups et de vous en remettre plus rapidement. Un retour sur votre histoire personnelle peut également atténuer ces opinions négatives et les reproches que vous vous adressez.

Les deux armes du bourreau intérieur

Vous connaissez déjà la première arme de votre bourreau : cette tendance naturelle de l'amour-propre à diminuer, voire à disparaître (afin d'éviter les situations où vous pourriez subir échec et honte), accompagnée de la réponse conditionnée à la défaite et de l'existence d'émotions sociales fortes. Toutefois, ces tendances ne peuvent se déclencher qu'en fonction des échecs que vous avez réellement rencontrés. C'est là la deuxième arme du bourreau intérieur. Plus vous vous êtes senti vaincu intensément et souvent, plus le bourreau est puissant et plus il est important d'explorer votre histoire personnelle. Ce chapitre va vous y aider. Dans ces pages, vous verrez comment pratiquement tous les types de traumatismes (c'est-à-dire d'expériences qui entraînent des émotions puissantes, voire insupportables) influencent et renforcent votre bourreau intérieur.

Notre disposition naturelle à nous comparer négativement aux autres et à nous attribuer souvent un rang inférieur est complexe à gérer. Lorsque des traumatismes passés ont renforcé cette tendance, elle peut devenir chronique, et ses conséquences sont redoutables. Vous pouvez, par exemple, avoir cessé de prendre la parole en public à cause d'échecs passés qui vous ont amené à croire, par sécurité, que vous étiez moins doué que les autres. Ainsi, dans les réunions de travail, vous choisissez de vous taire même si, plus d'une fois, vous avez eu des idées brillantes qui auraient pu résoudre des problèmes importants. Il faut dire que vous avez grandi avec un père très critique, qui piquait des colères noires pour des broutilles et ne supportait pas que vous lui répondiez. Comme vous étiez très jeune et que vous l'admiriez, ses accès de rage vous étaient insupportables. Ainsi, au travail, vous n'avez pas seulement peur de proposer des idées discutables, vous éprouvez au fond de vous une véritable terreur à l'idée que quelqu'un, en particulier votre patron (qui étrangement ressemble un peu à votre père !), se mette à démolir vos propositions point par point. Vous préférez donc les garder pour vous… jusqu'à ce qu'un collègue propose une idée similaire à la vôtre, quoiqu'un peu moins bonne, et récolte les lauriers.

Tendance innée et histoire personnelle : les deux armes du bourreau intérieur peuvent nous assaillir sans relâche. Imaginons que vous soyez une jeune femme lors d'un premier rendez-vous avec un homme : il est très mignon, vous vous sentez intimidée. Instinctivement, vous vous « classez » plus bas que lui ; de toute évidence, vous n'avez rien qui puisse retenir son attention. Qui plus est, il se trouve que votre dernier petit ami, en qui vous aviez confiance, vous a quittée pour une autre. Les premiers instants du dîner sont très inconfortables : vous ne parlez pas, et votre interlocuteur ne dit pas grand-chose. C'est certain, il vous trouve idiote. Quelque temps plus tard, vous apprendrez qu'en cet instant précis, il pensait ne pas vous intéresser du tout…

Ainsi, très souvent, lorsque les deux armes du bourreau intérieur se complètent, vous vous sous-estimez de façon chronique, et vous ratez ou refusez toutes sortes d'opportunités ou de relations qui auraient pourtant pu tourner à votre avantage. Qui plus est, vous vous sentez souvent en proie à des sentiments d'anxiété, voire de dépression.

Le bourreau intérieur vous amène ainsi à formuler des prophéties auto-réalisatrices : à force de fuir ce qu'on vous propose, au travail comme dans vos relations personnelles, vous vous ankylosez et perdez vos capacités à partager, votre manque de confiance en vous devient si flagrant que les autres, à leur tour, vous classent à un rang inférieur. Et ce que vous craigniez se produit : on vous traite de haut, comme si vous ne valiez pas grand-chose.

Pour éviter ces échecs et soigner votre estime de soi, il est fondamental d'identifier les traumatismes passés qui ont renforcé votre bourreau intérieur et les instincts qui vous poussent à vous sous-estimer lors d'une confrontation. Tout d'abord, il faut mesurer à quel point vous vous sous-estimez. À présent que vous en savez davantage sur les masques du bourreau, cet exercice sera plus facile, car vous avez pris conscience des sentiments que cache chacun d'eux.

À vous !

Quelques points de repère avant de commencer

* Inscrivez un « E » en face des affirmations qui suivent si elles sont parfois vraies en ce qui vous concerne, ou si vous les avez déjà pensées, aussi irrationnelles et déplaisantes qu'elles puissent paraître. « E » signifie qu'il s'agit d'un « État » dans lequel vous pouvez vous trouver de temps à autre.

* Marquez d'un « T » les affirmations qui sont souvent vraies pour vous. « T » signifie « Trait », c'est-à-dire un aspect plus constitutif de votre personnalité.

* Prenez le temps de réfléchir pour chaque affirmation afin de voir, au-delà de vos masques, si elle est vraie pour vous. Si c'est le cas au premier abord, conservez cette réponse même si elle vous déplaît.

* Répondez à chaque question indépendamment. Ne vous préoccupez pas de savoir si elle contredit une autre de vos réponses.

* Pour des questions de confidentialité, utilisez une feuille à part ou votre carnet de bord plutôt que d'annoter directement ce livre. Toutefois, gardez vos réponses à portée de main, car nous y reviendrons.

Affirmations

1. Quand les gens vous disent qu'ils vous apprécient, vous ne les croyez pas.

2. Quand vous faites face à quelqu'un, vous regardez par terre ou ailleurs.

3. Vous comparez souvent les gens – qui est le plus beau, le plus riche, le plus intelligent, qui a les meilleures idées ou la plus belle voiture – même quand vous savez que les autres ne pensent pas de cette manière.

4. Vous devez faire plaisir aux autres et les rendre heureux quoi qu'il arrive.

5. Vous vous considérez souvent comme inférieur, même dans des situations où, objectivement, vous savez que vous êtes à égalité.

6. Quiconque vous critique peut être certain de vous faire passer une mauvaise journée.

7. Vous avez peur de prendre la parole même quand vous avez une bonne idée.

8. Vous vous tenez souvent la tête basse, les épaules en avant.

9. Au restaurant, vous renâclez à vous plaindre même lorsqu'il y a légitimement lieu de le faire.

10. Vous avez l'impression d'être un imposteur.

11. Dans une situation d'autorité « naturelle » (en tant que parent ou professeur par exemple), vous pensez que vous allez avoir du mal à obtenir le respect.

12. Quand quelqu'un dit « nous avons un problème », il vous semble immédiatement que c'est votre faute et qu'on va vous le reprocher.

13. Vous ne savez jamais vous sortir d'une situation difficile ; la solution vous apparaît toujours postérieurement.

14. Vous partez toujours battu d'avance.

15. Bien qu'il n'y ait aucune raison objective à cela, vous craignez en permanence de perdre votre emploi.

16. On dit souvent que vous manquez de confiance en vous.

17. Quand vous rencontrez quelqu'un, il vous semble évident qu'il ou elle ne s'intéressera pas à vous.

18. En présence d'un ami ou de votre partenaire, vous vous sentez dans l'ombre même dans des situations où vous devriez être en avant.

19. Vous avez souvent honte de ce que vous dites, de votre apparence, de votre famille, de votre passé ou de la personne avec qui vous vivez.

20. Vous faites fréquemment l'amour par peur de perdre l'affection de l'autre si vous refusez.

21. Lorsqu'un comportement vous semble répréhensible, vous ne parvenez pas à le signifier à la personne concernée.

22. Vous hésitez à affirmer votre volonté.

Résultats

Comptez le nombre de « E » pour un état que vous connaissez de temps à autre, le nombre de « T » pour un trait caractéristique de votre personnalité. Encore une fois, il n'y a pas de score « normal », mais dix « E » ou plus, tout comme deux « T » et davantage indiquent un important déficit d'estime de soi.

Les traumatismes à l'origine du bourreau intérieur

Lorsque nous parlons de traumatismes physiques, nous faisons référence à des blessures profondes ayant porté atteinte à l'intégrité corporelle. La psyché connaît des traumatismes aussi puissants, accompagnés ou non de marques physiques. Ils se produisent lorsqu'on éprouve des sentiments non seulement extrêmement puissants, mais littéralement insupportables. Lorsque le stress devient trop fort et qu'un sentiment d'impuissance se met en place pour éviter qu'il s'accroisse encore, la psyché perd son intégrité, littéralement, notre esprit « vole en éclats », « s'effondre » ou « tombe en morceaux ». Le cerveau subit des changements qui, s'ils ne sont pas toujours irréversibles, sont l'équivalent d'une blessure physique profonde. Ces traumatismes peuvent être aigus, issus d'une expérience brutale, ou chroniques, vous minant peu à peu au fil du temps.

La plupart des traumatismes de la vie impliquent d'autres personnes : quelqu'un nous a abandonnés, vaincus, blessés ou rejetés, ou bien nous nous sommes sentis délaissés ou impuissants à la suite d'une blessure physique. En conséquence, ils débouchent automatiquement sur la réponse conditionnée à la défaite, avec son cortège de honte, de sentiments dépressifs et de dépréciation de l'amour-propre.

Parfois, nos traumatismes sont si profonds que nous ne pouvons les considérer dans leur intégralité, le cerveau doit les réduire, les séparer de nous. Cela s'appelle la dissociation. Nous excluons alors de notre conscience des pans entiers de notre histoire et effaçons tous les souvenirs qui s'y rattachent. Nous pouvons également nous dissocier des sentiments provoqués par un traumatisme, nous nous souvenons alors de ce qui s'est produit, mais pas de ce que nous avons ressenti. Pourtant, il n'est alors pas rare que nous rencontrions des sentiments déplaisants et troublants, anxiété chronique, dépression, qui apparaissent « sans raison ». Nos propres comportements nous surprennent car ils nous paraissent sans lien avec le traumatisme de notre passé.

Sous le coup du traumatisme, certaines parties de notre psyché s'effondrent, et d'autres prennent le contrôle sans que nous en ayons conscience, afin de nous préserver, de dépasser la souffrance et de l'éviter dans le futur. Ces « autres parties » sont les réponses innées décrites plus haut : diminution de l'amour-propre, sentiments honteux et dépressifs rémanents. Pour ces comportements automatiques, le futur ne peut que répéter le présent. Ainsi ils nous enferment sous des masques protecteurs, nous plongent dans la déprime et, consciemment ou non, nous obligent à nous sous-estimer afin d'éviter tout nouveau traumatisme social.

Cette acceptation d'un rang inférieur se joue le plus souvent au niveau de notre inconscient. Comme il serait trop douloureux d'y penser sans cesse, nous « oublions » notre présupposé selon lequel toute rencontre se solde par la comparaison et la défaite. Il est donc capital de retrouver les traumatismes de notre passé en dépit des processus de dissociation qui peuvent nous empêcher de comprendre toute leur importance. C'est l'étape suivante dans la guérison de notre bourreau intérieur.

Rang et traumatismes d'enfance

À moins d'avoir connu une enfance très protégée, vous étiez à l'époque bien plus exposé aux traumatismes qu'un adulte parce que vous étiez moins fort physiquement. En général, il vous était impossible de fuir les situations traumatisantes. Vous étiez entouré de personnes physiquement et hiérarchiquement plus puissantes. Ainsi, vous avez souvent connu la défaite, ou bien avez appris à la craindre et à l'éviter. De plus, de nombreuses expériences étaient pour vous nouvelles et potentiellement effrayantes.

En outre, face à un traumatisme, la psyché d'un enfant tend plus facilement à créer de la dissociation, car son « moi » est encore en construction. Quel que soit l'événement traumatique, il a d'autant plus d'impact que l'enfant est jeune et manque de capacités pour l'assimiler, le comprendre et faire face au ressenti d'une défaite. Aujourd'hui, si quelqu'un se comporte mal envers vous, vous pouvez sans doute vous empêcher de penser que vous le méritez. Mais un enfant maltraité a de grandes chances de se sentir non seulement vaincu et impuissant, mais également fautif. Insupportables, ces sentiments l'amènent à se dissocier de l'expérience.

Dans la plupart des familles, les nourrissons occupent un rang élevé. Toute la maison tourne autour du bébé, préoccupation centrale de sa mère. Mais un enfant en bas âge peut voir différemment la situation. Même les parents les plus dévoués, doivent, par exemple, contraindre leur progéniture à subir certains vaccins. À quel point cet événement peut-il devenir traumatique ? Je connais un homme qui, depuis sa toute première expérience avec un pédiatre – un homme coléreux et qui, semble-t-il, détestait les enfants – et malgré les soins d'une mère aimante, a continué sa vie durant à éviter les médecins.

L'expérience enfantine du pouvoir abusif est traumatisante, mais à vrai dire, à cet âge, tout traumatisme psychique est vécu comme un abus de pouvoir, en particulier quand les adultes censés vous protéger, vous ont fait défaut. Un enfant de cinq ans qui voit sa maison brûler risque de se sentir abandonné et terriblement traumatisé si ses parents ne s'empressent pas de le rassurer et d'apaiser son sentiment de perte absolue ainsi que sa terreur à l'idée que cela puisse se reproduire. Bien entendu, un adulte ne percevra pas cet exemple comme un abus de pouvoir, car les parents qui ne pensent pas à agir de la sorte ne le font pas intentionnellement, mais pour un enfant, les « grands » sont présents ou absents.

Un événement particulièrement traumatisant pour un enfant, et déclencheur d'une réponse innée, est la séparation d'avec la personne censée s'occuper de lui. Il commence par protester (en pleurant très fort), puis par se désespérer (il se recroqueville et gémit) avant de retrouver un comportement apparemment normal, ponctué toutefois de signes de dépression[1]. L'enfant vient d'être « vaincu ». La réponse automatique à la défaite lui permet de conserver son énergie vitale, mais le laisse en proie à des sentiments de honte et de dépression.

En plus de la honte temporaire qui accompagne toujours la défaite, si l'enfant ne ressent pas la présence d'un lien, ou si les parents n'éprouvent pas de regret face à la séparation ou aux punitions qu'ils peuvent infliger, l'enfant peut alors avoir l'impression d'être fondamentalement indigne d'amour. Cette tendance innée à faire peser le reproche sur soi-même plutôt que sur les responsables, ici les adultes, le poussera très certainement à modifier son comportement pour conserver l'attention et l'affection de ceux-ci.

En tant qu'enfant, vous étiez extrêmement vulnérable aux traumatismes de séparation, négligeables pour des adultes. Vos parents, par exemple, peuvent vous avoir puni en vous enfermant dans votre chambre. Comme nous craignons tous d'être isolés du groupe, cela a pu vous paraître terrifiant. De votre point de vue, vous étiez emprisonné « pour toujours », et totalement impuissant à changer cela. Votre rang était bien trop bas.

---

1. J. Bowlby, « Attachement et perte », Vol. 2, *La séparation, angoisse et colère*, Paris, PUF, 2007.

Certains parents taquinent ou ridiculisent leur enfant, voire lui font honte de façon inconsciente, en particulier s'ils ont connu ce type de traitement dans leur enfance. Ainsi, ils mènent parfois l'enfant à se sentir en compétition de façon permanente. Certes, il peut sortir vainqueur de ces confrontations, mais il restera anxieux en permanence, car il craindra que l'échec ait pour conséquence un abandon.

À vous à présent, de retourner sur vos traumatismes de jeunesse. Le fait que votre mère ait dû passer deux semaines à l'hôpital quand vous aviez deux ans peut aujourd'hui vous paraître insignifiant, mais ce n'était certainement pas le cas à l'époque. Tout dépend de la sécurité de votre lien au cours de cet épisode.

Plus vous étiez jeune lors d'un événement marquant, plus il y a de chances que vous l'ayez vécu comme un traumatisme. Avant quatre ans, vous étiez particulièrement vulnérable car les modes de gestion du stress et le sens du « moi » vous faisaient défaut, contrairement aux adultes. Plus tard, entre quatre et douze ans environ, vous avez certainement vécu des expériences qui vous ont profondément touché alors qu'une personne plus âgée les aurait surmontées sans difficulté. Je pense en particulier aux moments où les adultes n'étaient pas là pour vous protéger de vos frères et sœurs ou de vos camarades d'école.

Quel que soit votre âge lors d'un événement stressant, le soutien de vos parents et des autres adultes a déterminé en grande partie la portée traumatique de cet événement. Si votre mère a été hospitalisée, mais que votre grand-mère adorée est venue vivre chez vous pendant cette période, vous l'avez mieux vécu que si vous vous étiez retrouvé tout seul avec un père constamment à l'hôpital et vous laissant seul avec vos peurs d'enfant.

La répétition d'un traumatisme, ou un autre traumatisme peu après le premier, accroît la souffrance de façon exponentielle, car, fragilisé par une première expérience, vous étiez bien plus vulnérable. Ainsi, le séjour de votre mère à l'hôpital, ajouté à ce que vous ressentez comme un abandon de votre père, vous a donné un double sentiment de perte. Vous avez eu l'impression d'être privé de tout soutien affectif, un traumatisme terrible.

Certains traumatismes, comme le décès d'un parent, restent si vifs dans l'esprit d'un enfant que le nombre d'expériences stressantes perd toute son importance. À l'inverse, un traumatisme bouleversant pour vous peut paraître anodin à un autre. En général, nous avons tous tendance à relativiser nos traumatismes.

Bien que la plupart des traumatismes enfantins aient été liés à des tiers, il ne s'agit pas ici de juger ou d'adresser des reproches à qui que ce soit. Il ne s'agit pas non plus d'abdiquer ses responsabilités : vous n'êtes sans doute pas responsable de ce qui vous est arrivé, mais il est de votre ressort de guérir ou d'apaiser votre « bourreau intérieur ».

Traumatismes d'enfance

Traumatismes fréquents

* Être persécuté par un camarade d'école, au point que vous vous êtes senti terrifié et impuissant ou que vous avez dû modifier votre vie pour l'éviter.

* Avoir été humilié en classe ou dans la cour de récréation.

* Avoir été rejeté par ceux dont vous vouliez être l'ami.

* Avoir redoublé.

* N'avoir jamais d'amitié qui dure plus de quelques jours.

* Avoir pour seuls « amis » des enfants qui vous faisaient honte.

* Avoir été dominé par une sœur ou un frère.

* Avoir des parents excessivement stricts.

* Avoir été l'objet de critiques virulentes de la part d'un parent.

* Avoir été menacé d'abandon : « Si tu ne cesses pas de pleurer sur-le-champ, je t'emmène dans un orphelinat. »

* Avoir été trop gros ou trop maigre ; avoir eu une acné envahissante, ou tout autre problème qui vous a fait vous sentir laid.

* Vous être senti coupable pour quelque chose dont vous ne pouviez parler à personne.

* Pendant votre adolescence, ne pas avoir osé parler aux filles et encore moins sortir avec elles (avec les garçons si vous êtes une femme).

Traumatismes moins fréquents et souvent plus graves

* Mort ou blessure grave d'un parent ou d'un frère (d'une sœur).

* Maladie grave ou chronique, pour vous ou un parent.

* Maladie mentale, alcoolisme ou addiction dans la famille.

* Avoir vécu une période d'extrême pauvreté ou des problèmes d'argent chroniques pendant toute votre enfance.

* Avoir déménagé fréquemment, avoir été expulsé d'un domicile ou l'avoir perdu dans un incendie ou une catastrophe naturelle.

* Membre de la famille (ou vous-même) victime d'un délit violent.

* Avoir été, ouvertement ou non, victime de discrimination.

* Avoir subi ou été témoin de négligence, abus physiques ou verbaux répétés, ou même d'abus sexuel de la part d'un membre de la famille.

* Parents divorcés, absents ou démissionnaires.

* Avoir appris que vos parents ne voulaient pas de vous.

* Avoir compris qu'un parent ne vous appréciait pas à cause de votre caractère, parce que vous étiez par exemple « trop timide » ou hyperactif.

* Avoir dû prendre soin en permanence d'un parent sur le plan émotionnel.

* Avoir été en butte aux critiques répétées de votre famille pour votre apparence ou votre comportement d'enfant.

* À l'adolescence, avoir connu des problèmes graves, en particulier d'alcool et de drogues, ou encore des sentiments suicidaires forts.

Un traumatisme, deux possibilités

Je pense à Audrey, une patiente dont la maison a brûlé accidentellement à cause d'une guirlande de Noël défectueuse. Elle ne se trouvait pas chez elle à ce moment, et ses parents lui ont annoncé la nouvelle avec précaution, l'aidant à affronter ses sentiments de perte et sa peur. Comme ses grands-parents vivaient dans la même rue, toute la famille s'est installée chez eux le temps que la maison soit reconstruite à l'identique. De fait, Audrey a perçu l'expérience comme une véritable aventure. Elle se souvient avoir suivi avec fascination, la reconstruction de la maison, aussi belle sinon plus que l'ancienne.

En revanche, Latifa a vécu une expérience similaire comme un terrible traumatisme, suivi d'autres, qui ont déclenché en elle des sentiments profonds de honte et de dépression. L'appartement où elle vivait a en effet été touché par un incendie d'origine criminelle et raciste. Son père, ouvrier immigré clandestin, a dû se cacher pendant plusieurs semaines ; sans domicile, son épouse a perdu son travail malgré sa situation régulière. À l'époque, au milieu des années quatre-vingt, Latifa, âgée de onze ans, a dû aider sa mère à s'occuper de sa famille. Celles-ci, comme toute la communauté immigrée de la petite ville de province où ils s'étaient installés, étaient plus ou moins considérées comme des pestiférés. Ainsi, la jeune fille a perdu toutes ses amies. Sans argent, elle était mal habillée et, malgré son intelligence, a pris beaucoup de retard à l'école, qu'elle a quittée à seize ans. Plus tard, toutefois, elle est parvenue à reprendre ses études et à se lancer dans la vie professionnelle. Bien qu'elle ait fini par comprendre qu'elle n'avait pas à avoir honte de son passé, et en particulier de son père qui avait tout fait pour leur assurer une vie meilleure, elle se sent toujours extrêmement mal à l'aise en société.

À vous !

Utilisez les deux listes des traumatismes d'enfance ci-dessus pour vous rappeler ceux que vous avez vécus. Ajoutez-y ceux qui n'apparaissent pas et dont vous vous souvenez. N'oubliez pas qu'un traumatisme, qu'il s'agisse de persécutions de la part d'un camarade ou de l'incendie d'une maison, peut avoir eu selon les circonstances des conséquences très différentes.

Puis, établissez un tableau similaire à celui de Latifa ci-contre (voir annexe 2). Remplissez-le en fonction des événements traumatiques que vous avez connus. Vous les inscrirez dans la première colonne, et cocherez la case correspondante en fonction de l'âge que vous aviez quand cela s'est produit : colonne 2 si vous aviez moins de quatre ans, colonne 3 si vous en aviez moins de douze. (NB : si l'événement s'est produit quand vous aviez deux ans, vous cocherez donc les cases 2 et 3 puisque vous aviez alors moins de quatre *et* moins de douze ans. Par cette double marque, nous indiquons l'importance de l'événement survenu dans les premières années.)

Tableau de Latifa

1	2 Avant 4 ans	3 Avant 12 ans	4 Peu ou pas de soutien	5 Répété (plus de deux fois)	6 Traumatismes simultanés	7 Bouleversements au niveau de la vie ou du caractère	8 Sentiments dépressifs et de honte
Traumatisme d'enfance							
Incendie de la maison		✓	✓			✓	✓
Disparition du père		✓	✓		✓	✓	✓
Licenciement de la mère		✓	✓		✓	✓	✓
Mauvais résultats, quitte l'école		✓	✓	✓	✓	✓	✓
Mise à l'écart		✓	✓	✓	✓	✓	✓

Cochez la case 4 si vous n'avez reçu que peu ou pas du tout de soutien après ce traumatisme, la case 5 s'il s'est répété. La case 6 concerne des occasions impliquant plusieurs traumatismes simultanés. Dans la case 7, vous inscrirez une ou deux croix en fonction de l'impact de l'événement sur vous, en particulier si vous avez l'impression que ce traumatisme a durablement affecté votre existence. N'hésitez pas à cocher cette case même pour des traumatismes « bénins » (ceux de la première liste) s'ils ont marqué le début de vos sentiments d'insuffisance : il s'agit d'évaluer l'importance que ces événements ont eue pour vous personnellement. Si, à la suite de cette expérience, vous vous êtes senti déprimé et honteux pendant plusieurs jours, inscrivez une croix dans la colonne 8.

Rang et traumatismes à l'âge adulte

Bien entendu, l'histoire de nos traumatismes personnels ne se cantonne pas à l'enfance. Les adultes connaissent leur lot d'événements traumatisants, dont la plupart sont liées aux conflits de rang. Certaines entreprises, par exemple, encouragent la concurrence à tout-va, créant un environnement propice au harcèlement et aux mauvais traitements. Certes, on finit par s'adapter, mais une expérience prolongée de l'abus de pouvoir finit presque toujours par être traumatique. Si vous pensez ne pas en sentir les effets, c'est sans doute que vous vous êtes coupé de ces sentiments. Lorsqu'on laisse un animal en cage avec un autre, en situation de conflit, le perdant montre des signes aigus de stress et de dépression[1]. Dans une situation de pouvoir abusif, s'il vous est impossible de vaincre comme de vous enfuir, vous ne pouvez que ressentir les mêmes effets.

---

1. Sloman et Gilbert, *Subordination and Defeat, op. cit.*

L'âge, la répétition ou la simultanéité des événements, et le soutien dont on bénéficie, qui font d'un événement bouleversant un traumatisme pour un enfant, fonctionnent de même pour un adulte. Mais l'âge compte moins que le degré « d'innocence ». Si vous avez connu une enfance pleine d'amour et dénuée de rang, le premier contact avec l'abus de pouvoir, au travail ou dans une relation amoureuse, peut constituer votre premier véritable traumatisme et entraîner de profondes répercussions, bien plus que si, depuis tout petit, vous pensiez que le monde pouvait se révéler dur.

La simultanéité ou la répétition de traumatismes en accentuera l'impact. Votre vie d'adulte étant plus complexe que votre vie d'enfant, ce ou ces traumatismes peuvent se répercuter de manière encore plus marquante. Quand, par exemple, un mariage se termine par un divorce ou un décès, le chagrin peut mener à une véritable dépression, alors que tous se demandent pourquoi vous ne vous décidez pas à « refaire votre vie ». Les conséquences au travail peuvent être importantes, et vous finissez par vous sentir mal également sur le plan professionnel. Ainsi, un traumatisme amoureux peut mener à la perte d'un emploi et à des problèmes financiers qui ne font qu'accroître votre honte, car vous avez l'impression de ne plus contrôler votre vie.

Le soutien des proches, ou son absence, détermine également l'importance du traumatisme. Quand on se sent soutenu, le pire désastre peut devenir une opportunité d'apprendre combien nous comptons pour les autres. Mais si leur appui fait défaut, surtout si la crise dure depuis longtemps, on se sent abandonné et on s'inquiète pour son avenir, ce qui accentue le traumatisme originel et renforce honte et dépression.

Traumatismes adultes

Traumatismes fréquents

* Être trahi par un ami proche ou un partenaire amoureux.

* Perdre un ami proche (parce qu'il ou elle s'en va).

* Connaître une série d'échecs amoureux ou professionnels.

* Divorcer.

* Souffrir d'une maladie grave ou chronique.

* Perdre son emploi, être renvoyé.

* Être expulsé de son logement, contraint de déménager pour des raisons professionnelles ou financières ou s'installer à long terme dans un centre d'accueil spécialisé.

* Se trouver en faillite ou être endetté à long terme.

* Subir un échec professionnel ou personnel important, voir sa réputation détruite.

* Se découvrir une maladie grave.

* Être en permanence, même adulte, tourné en dérision ou maltraité par ses parents ou des frères et sœurs.

* Souffrir d'une dépendance ou vivre avec une personne dépendante.

* Être harcelé verbalement, physiquement ou sexuellement.

* Maladie grave ou décès d'un proche aimé.

Traumatismes moins fréquents et souvent plus graves

* Être prisonnier politique ou victime de terrorisme.

* Vivre dans un pays en guerre.

* Être victime d'une grave agression (ou qu'un proche le soit).

* Être témoin du décès d'un proche ou échapper vous-même à la mort.

* Être arrêté ou emprisonné.

* Être accusé de graves délits.

* Être victime d'une rumeur ou d'attaques personnelles mettant gravement votre réputation en jeu.

* Être défiguré ou handicapé après un accident.

* Être responsable d'un accident, d'un incendie ou d'une catastrophe.

* Être victime des erreurs d'un autre.

La spirale de la chute de l'estime de soi

Samuel travaille en CDD pour le compte d'une entreprise informatique. Il aime son travail et le fait bien. À terme, il espère être recruté en CDI. À 24 ans, il gagne plus d'argent que jamais dans sa courte vie ; recevant un petit héritage d'une tante décédée, il décide d'acheter un appartement. À la même époque, il sort avec une très belle jeune femme qu'il espère épouser.

Comme l'y ont encouragé ses supérieurs, Samuel n'hésite pas à poser des questions pour progresser dans son travail. Un jour où son responsable direct est en congé maladie, et pour répondre à un projet urgent, Samuel contacte Frédéric, son supérieur, qui s'est toujours montré amical. Celui-ci répond à sa question ; mais un peu plus tard, le jeune homme apprend que le directeur a considéré l'épisode comme un signe d'incompétence, et qu'il pense que Samuel est incapable de travailler seul.

Son CDD touche à son terme et un poste se libère en CDI. Pourtant Samuel, qui pensait l'obtenir, apprend non seulement que celui-ci sera attribué à un ami de Frédéric, mais aussi que son propre contrat ne sera pas renouvelé. C'est un choc pour le jeune homme, conscient de l'injustice des reproches qui lui sont adressés et de la promotion subite de l'ami de son supérieur. Il parvient toutefois à ne pas se laisser envahir par son bourreau intérieur : rien de tout cela n'est sa faute, il le sait ... jusqu'à ce qu'il apprenne que son responsable direct était d'accord avec Frédéric quant à son incompétence.

Alors, son estime de soi s'effondre. Se repassant en boucle ses faits et gestes, il se trouve fautif sur tous les plans. Pire encore, il est à présent au chômage avec un emprunt à rembourser ; sa jolie fiancée se montre distante ; perturbé et distrait, il grille un feu rouge et provoque un grave accident de la route.

Après une période de convalescence, il se lance dans une recherche d'emploi et se heurte à des portes closes. Au bout de quelques semaines, il n'a d'autre recours que de se tourner vers ses parents pour qu'ils lui prêtent de l'argent. Réponse typique de son insensible de père : « Je te l'avais dit : un CDD, c'est toujours la même chose. Les autres entreprises savent que si on ne t'a pas gardé, c'est qu'il y a une raison. »

Samuel a fini par trouver un nouvel emploi, mais pas avant d'avoir dû revendre son appartement ; et sa belle fiancée l'a quitté pour un autre. Cette série de traumatismes lui a laissé des années durant un sentiment d'échec. Même s'il n'en parlait jamais autour de lui, il cachait au plus profond de lui une honte persistante, qui n'a pu s'exprimer que grâce à la thérapie. Avant cela, il a refusé plusieurs offres de travail et saboté quelques relations amoureuses.

À vous !

Explorez vos propres traumatismes d'adulte comme vous l'avez fait pour vos traumatismes d'enfance.

Tableau de Samuel

1	2	3	4	5	6	7
Traumatisme à l'âge adulte	Survenu à un moment d'« innocence »	Répété (plus de deux fois)	Simultané (plusieurs traumatismes)	Peu ou pas de soutien	Bouleversement majeur / réactions en chaîne	Sentiments dépressifs et de honte
Perd son travail	✓			✓	✓✓	✓
Départ de la petite amie	✓		✓	✓	✓	✓
Perd son appartement	✓		✓	✓	✓	✓
En butte aux sarcasmes de sa famille		✓	✓	✓		✓
Cause un accident de voiture	✓✓		✓✓	✓✓	✓✓	✓✓

Utilisez les deux listes ci-dessus pour vous remémorer chaque événement traumatique que vous avez pu subir et ajoutez ceux qui vous reviennent et qui n'y figurent pas. Puis, en utilisant le tableau que vous trouverez en annexe, notez dans la colonne 1 la liste de vos traumas personnels. Pour chacun d'entre eux, cochez la case correspondante dans la colonne 2 s'il s'est produit lorsque vous étiez relativement jeune ou « innocent », la case 3 si le traumatisme s'est répété plus d'une fois, la 4 si plusieurs événements traumatisants se sont produits simultanément.

La case 5 indique les situations où vous n'avez pas reçu de soutien : vous n'avez pas pu en parler, ou bien personne n'a voulu vous aider. Cochez la colonne 6 si le traumatisme a été particulièrement vif, vous poussant à vous sous-estimer de façon chronique, ou s'il a entraîné des réactions en chaîne. La case 7 indique la présence de sentiments de honte et de dépression.

Pour finir, n'hésitez pas à cocher deux fois les cases de la colonne 6 lorsqu'il s'agit de traumatismes figurant sur la deuxième liste ou que vous avez vous-même ajoutés. À vous d'évaluer lesquels ont été les plus sérieux, même si la liste vous en donne une idée. Dans le tableau suivant, qui explore le cas de Samuel, le fait d'être souvent tourné en ridicule par sa famille, ainsi que de perdre son emploi, a créé des « réactions en chaîne », parmi lesquelles son accident de voiture, événement plus rare et traumatisant.

Du traumatisme au bourreau intérieur

Toutes les expériences d'abus de pouvoir sapent notre amour-propre. Vous pourriez croire que, lorsque la responsabilité ne vous appartient pas, que vous ayez été cambriolé, renversé par un chauffard, ou violé, vous êtes pleinement conscients que c'est l'autre qui est en cause. En réalité, même lorsqu'on n'y peut rien, l'expérience de l'impuissance conduit à une réponse automatique à la défaite. Si vous vous êtes senti impuissant dans une situation, il est fort possible que, par la suite, vous vous reprochiez de n'avoir pas agi de façon appropriée. Certes, ce sentiment est utile, car il vous pousse à tirer une leçon de ce qui vous est arrivé et à être plus vigilant, mais il vous dévalue à vos propres yeux, et déclenche le bourreau intérieur.

Une inondation, un accident ou une maladie peuvent conduire à des sentiments d'impuissance et d'échec, entraînant la réponse automatique à la défaite : honte et dépression, perte de l'estime de soi. Vous reprocher ce qui vous est arrivé vous donne l'impression de pouvoir contrôler l'avenir dans une certaine mesure, en prenant une meilleure assurance, un style de vie plus équilibré, etc.[1] Mais cela se paie au prix fort, car vous éprouvez de la culpabilité pour avoir « laissé » l'événement se produire. Et si vous ne pouviez effectivement rien faire pour l'empêcher, vous pouvez le mettre sur le compte de la malchance, d'un mauvais karma… dont vous avez également honte, gardant peut-être l'impression qu'on vous considère avec pitié, ou différemment d'une personne plus « chanceuse ».

Peut-être avez-vous des raisons spécifiques, liées à un traumatisme, d'être vulnérable aux attaques de votre bourreau intérieur. Si le tableau que vous avez rempli comporte de nombreuses croix, votre bourreau, renforcé par vos expériences difficiles, est très actif.

---

1. R. Janoff-Bulman, « Characterological versus Behavioral Self-Blame: Inquiries into Depression and Rape », *Journal of Personality and Social Psychology* 37, 1979. (« Culpabilité du comportement contre culpabilité du caractère : études sur les dépressions liées au viol », non traduit. Voir aussi l'article anglais « *Self-Blame* » de Wikipédia.)

La discrimination, la sensibilité et l'insécurité enfantine peuvent l'avoir renforcé.

Le cas de la discrimination

Qu'elle soit raciale, sexuelle ou autre, toute discrimination agit puissamment sur l'amour-propre, surtout lorsqu'elle est subie précocement. Dans de nombreux cas, les enfants ont vu leurs parents souffrir des mêmes préjugés. Notre organisation psychique nous amène tous à vouloir à tout prix faire partie du groupe, et à nous sentir honteux si nous en sommes exclus. Ainsi, la discrimination nous fait souffrir de façon particulièrement insidieuse. Elle peut être insupportable et accroître les sentiments négatifs de chagrin, d'anxiété et de dépression. Les membres d'une minorité ont tendance à se déconsidérer d'eux-mêmes, ce qui touche profondément leur amour-propre[1]. Cet impact est tel que certaines études démontrent que les personnes victimes de discrimination tendent à avoir une espérance de vie moins élevée que les autres[2].

Être victime de discrimination peut constituer un traumatisme majeur dans une vie. On peut repenser à Latifa, dont l'appartement

---

1. L. A. Rudman, J. Feinberg et K. Fairchild, « Minority Members' Implicit Attitudes: Automatic Ingroup Bias as a Function of Group Status », *Social Cognition* 20, 2002. (Étude non traduite, basée sur des tests de comparaison, portant sur l'existence de préjugés entre et à l'intérieur de groupes minoritaires.)
2. M. Guyll et K. A. Matthews, « Discrimination and Unfair Treatment: Relationship to Cardiovascular Reactivity among African American and European American Women », *Health Psychology* 20, 2001. (« Discrimination et mauvais traitements : relations à la réactivité cardiovasculaire chez les femmes afro-américaines et d'origine européenne », non traduit.)

a brûlé à la suite d'un incendie d'origine raciste. Elle y avait perdu son toit, la présence de son père, la sécurité de sa famille et son statut social dans son groupe d'amies ; à cela s'ajoute toutes les vexations qu'elle a subies toute sa vie à cause de ses origines.

Plus tard, lorsqu'elle a rencontré des traumatismes qui n'avaient rien à voir avec celles-ci, elle a pourtant ressenti les mêmes sentiments de honte, d'impuissance et de dépression. Ainsi, alors qu'elle dormait dans une auberge, un arbre est tombé sur le toit. Elle s'est tirée de l'accident avec une fracture de l'humérus. En se rendant aux urgences, elle ne pouvait s'empêcher d'avoir honte de sa blessure, comme si son bras cassé était dû à une malchance personnelle et d'une certaine façon méritée. Les mêmes sentiments sont venus au décès de sa mère : elle aurait pu mieux s'occuper d'elle, et elle n'avait aucune raison, ni aucune légitimité, à porter le deuil plus de quelques semaines.

Reprenez les tableaux de vos traumatismes d'enfant et d'adulte, et ajoutez une croix à celles que vous avez déjà inscrites si vous avez été victime de discrimination dans votre enfance ou plus tard. Cette représentation visuelle vous aidera à saisir l'impact de ces comportements sur vous.

Les effets de l'hypersensibilité

L'impact des traumatismes est également accru par ce trait inné qu'est l'hypersensibilité. Avant de m'intéresser à la question du rang et du lien, du pouvoir et de l'amour, j'ai effectué de nombreuses recherches sur ce sujet. On a longtemps confondu l'hypersensibilité avec de la timidité, de l'introversion, voire des tendances névrotiques ; or elle n'est rien de tout cela. Les personnes hypersensibles constituent une minorité d'environ 20 % de la population[1]. Ce trait particulier concerne aussi bien les femmes que les hommes et a été observé chez les nourrissons et dans la plupart des espèces animales[2].

Si vous décelez davantage de nuances que les autres dans votre environnement, que vous possédez une vie intérieure très riche, que vous avez besoin de nombreux temps de repos, êtes très sensible à la caféine et à la douleur, ou êtes facilement perturbé par le bruit, le désordre, les délais à tenir ou le changement de manière générale, vous êtes probablement une personne hypersensible. En général, elles tendent à être plus créatives, consciencieuses, coopératives et conscientes des conséquences de leurs actes. Ce sont, par exemple, souvent des hypersensibles qui se préoccupent le plus du réchauffement climatique. N'aimant pas le risque, ces personnes repèrent le danger, préparent leur avenir et prennent soin de leur santé et de celle de leurs proches.

---

1. Aron E., *Ces gens qui ont peur d'avoir peur*, Éditions de l'Homme, 2000. Voir également Aron E. N. et Aron A., « Sensory-Processing Sensitivity and Its Relation to Introversion and Emotionality », *Journal of Personality and Social Psychology* 73, 1997. (« Fonctionnement de la sensibilité et ses relations avec l'introversion et l'émotivité », non traduit.)
2. Kagan J., *Galen's Prophecy: Temperament in Human Nature*, New York, Basic Books, 1994, non traduit. Kagan utilise le terme d'« inhibition ». Les études sur la « sensibilité » ou la « timidité » des animaux sont devenues trop nombreuses pour être citées. En ce qui concerne le point de vue des généticiens sur la timidité, on consultera avec profit J. Kagan, *Des idées reçues en psychologie*, Odile Jacob, 2000, ainsi que le site www.timidite.info.

Bien que ce trait de caractère puisse constituer un véritable atout, la plupart des hypersensibles voient leur condition comme un problème pour plusieurs raisons. Tout d'abord, bien que très peu de gens réussissent ou se sentent à l'aise dans un climat hypercompétitif, les hypersensibles en souffrent de façon plus vive que les autres, car ils ont conscience de plus de choses autour d'eux. Ainsi, lors d'un examen ou si on les observe, ils peuvent obtenir de mauvais résultats qui ne correspondent ni à leur valeur ni à leurs attentes. À moins de savoir qu'ils sont hypersensibles, ils risquent donc de se considérer comme des « ratés ».

Les hypersensibles sont très affectés par les retours des autres. Ils observent leurs erreurs et apprennent d'elles, car ils leur accordent plus d'importance que les personnes de sensibilité moyenne ou « normale ». Cela peut déboucher sur un amour-propre totalement dégradé.

En tant que minorité, les hypersensibles sont souvent en butte à une certaine forme de discrimination. On leur répète souvent : « Franchement, tu te noies dans un verre d'eau ! » À moins d'avoir appris à considérer leur sensibilité comme un don, ils intériorisent le point de vue négatif général de nos sociétés sur l'hypersensibilité.

Enfin, l'hypersensibilité accroît l'impact de tous les événements qui touchent l'affect, et en particulier les traumatismes enfantins. Être bouleversé « pour un rien » peut constituer une nouvelle source de honte. Or, on a beau leur répéter des phrases comme

« n'en fais pas une montagne et reprends-toi en main », les hypersensibles ont beaucoup de difficulté à y parvenir.

Si vous êtes vous-même hypersensible, reprenez les tableaux de vos traumatismes d'enfant et d'adulte, et une nouvelle fois ajoutez une croix sur les cases déjà cochées. Cela vous aidera à comprendre à quel point votre hypersensibilité influe sur l'impact de vos traumatismes.

Les effets de l'insécurité chez l'enfant

L'attachement au père et à la mère est le premier des liens. La sécurité de ce lien conditionne celle de tous ceux qui suivront[1]. Si, pour vous, ce premier lien n'était pas sécure, il y a de fortes chances que vous soyez aujourd'hui encore dans l'insécurité. 40 % des adultes ne se sentent pas en sécurité dans leurs relations intimes.

Les liens insécures constituent certainement les plus grands facteurs du manque d'estime de soi. Un lien sécurisé permet de voir la vie en termes de relation et de partage, le monde nous semble être un lieu plutôt sûr où l'on peut compter sur les autres. À l'opposé, un lien primaire insécure nous pousse à considérer l'existence en termes de rang et de comparaison : les autres, *a priori*, ne nous apprécient pas, nous nous sous-estimons et, face à un défi, ne pensons jamais obtenir de l'aide d'un allié.

---

1. Waters E., Merrick S., Treboux D., Crowell J. et Albershein L., « Attachment Security in Infancy and Early Adulthood: A Twenty-Year Longitudinal Study », *Child Development*, 71, 2000. (« Attachement sécure de l'enfance à l'âge adulte : une étude longitudinale sur vingt ans », non traduit.)

Les adultes sont supérieurs aux enfants car ils les contrôlent et organisent leur vie. Dans l'idéal, l'enfant sent que cette autorité s'exerce au service de l'amour. Cela fait toute la différence. Si le pouvoir du parent ne se double pas d'une véritable affection, s'il ne crée pas un lien sécure, l'enfant ne ressent que l'autorité de l'adulte, c'est-à-dire l'infériorité de son propre rang, une impression d'échec permanente. Un attachement insécure entraîne fréquemment un état dépressif chronique. Le sentiment de défaite que vit constamment l'enfant dont les besoins de base ne sont pas pourvus déclenche en lui une réponse automatique qui ne disparaîtra jamais entièrement.

Bien que vous puissiez ne pas vous souvenir de ce premier lien, vous pouvez vous faire une idée de ce qu'il était en observant votre comportement actuel. Gardez à l'esprit que vous ne cherchez pas à blâmer qui que ce soit, mais simplement à comprendre la raison pour laquelle vous vous sous-estimez, afin de guérir de votre bourreau intérieur. Si vous avez connu un lien défectueux, c'est peut-être que vos parents étaient trop stressés ou occupés par ailleurs, et sans doute parce qu'eux-mêmes avaient connu ce même type d'attachement dans leur enfance[1].

---

1. Plus précisément, certaines études montrent que les enfants sont en insécurité lorsque leur mère ne peut décrire sa propre enfance que d'une façon incohérente. De tels récits tronqués montrent d'ailleurs des similarités dans leurs incohérences, suggérant une désorganisation du « schéma personnel » de la relation d'attachement. Voir I. Bretherton et K. A. Munholland, « Internal Working Models in Attachment Relationships: A Construct Revisited », dans J. Cassidy et P. R. Shaver, *Handbook of Attachment: Theory, Research, and Clinical Applications*, New York Guilford, 1999. (« Schémas personnels de l'attachement : une construction revisitée », non traduit.)

Il existe deux types de personnalités insécures : les « anxieux » et les « évitants », comportements qui peuvent apparaître à différents moments chez une même personne. Si c'est votre cas, vous aurez tendance à vous sentir anxieux en situation de comparaison défavorable et dans l'évitement lors d'une comparaison qui penche en votre faveur. En général, une des deux attitudes est prédominante.

Les différents types d'attachement

* Sécure

Un adulte sécure parvient relativement facilement à se rapprocher des autres. Si c'est votre cas, vous savez que vous pouvez compter sur vos proches et réciproquement. La peur de l'abandon et la crainte d'être manipulé par ceux qui vous aiment ne vous taraudent guère. Vous n'utilisez en général pas les masques du reproche, de la fanfaronnade ou de la projection, qui peuvent être agressifs pour les autres.

* Insécure anxieux

Si vous faites partie des personnalités *insécures anxieuses*, vous tendez à idéaliser ceux avec qui vous formez des liens, et craignez de perdre leur intérêt. Enfant, l'amour de vos parents vous a certainement paru faible, ou soumis à conditions. Votre meilleur recours était alors de vous sous-évaluer, de choisir un rang inférieur au leur et à tout faire pour leur plaire. En tant qu'adulte, vous créez du rang même dans le lien, et vous pensez que l'avenir de la relation ne dépend que très peu de vous.

Il vous est extrêmement difficile de vous séparer de quelqu'un que vous aimez, même quand vous savez devoir le retrouver très vite (voire que vous pourriez rester avec lui ou elle si vous le souhaitiez). Consciemment ou non, vous pensez n'avoir aucun contrôle sur la séparation, comme si vous étiez impuissant à empêcher quelqu'un de vous quitter. Bien que les personnes insécures des deux catégories utilisent de nombreux masques protecteurs, vous préférez celui de l'effacement, car vous fuyez le rang et ses dangers, même si, dans votre inconscient, vous y avez recours en permanence.

* Insécure évitant

Si vous êtes un *insécure évitant*, il peut vous être plus difficile d'admettre votre insécurité, car l'essence de votre stratégie inconsciente est de nier le besoin de lien. La relation de partage et d'échange n'est sans doute pas celle qui vous intéresse le plus. Lorsque quelqu'un devient important pour vous, il se peut que vous fassiez de votre mieux pour contrôler unilatéralement la longueur de vos séparations. Si un ami vous appelle pour vous inviter à déjeuner, vous avez tendance à ne pas le ou la rappeler tout de suite, sans savoir au juste pourquoi. C'est simplement votre façon d'agir – ne pas donner l'impression d'accorder à votre lien autant d'importance que l'autre. Pourtant, vous savez que c'est faux, et que cette relation est importante pour vous, car si votre ami n'appelle pas pendant un certain temps, vous l'appellerez à nouveau... peut-être d'ailleurs pour remettre à plus tard un véritable rendez-vous. Tout ceci se déroule bien entendu de façon inconsciente, mais c'est une façon d'exercer davantage votre pouvoir.

En tant qu'insécure évitant, en sus d'éviter les liens et d'agir comme si vous n'aviez pas besoin des autres, vous faites souvent tout pour ressortir triomphant des comparaisons, pour obtenir un rang élevé. Vos parents étaient sans doute presque exclusivement sur le registre de la hiérarchisation, exerçant leur pouvoir sans beaucoup d'amour, et vous vous êtes senti négligé, sinon abusé physiquement ou émotionnellement. Vos masques favoris ? Le perfectionnisme et la fanfaronnade, qui vous permettent d'éviter votre honte d'avoir été ainsi traité. En vous concentrant sur votre rang, vous fuyez aussi le danger que représente pour vous le besoin des autres. Pour vous, ceux-ci ne sont pas fiables, et risqueraient de retourner contre vous l'expression du moindre de vos besoins pour vous manipuler.

Si vous sentez que vous avez un attachement insécure d'une catégorie ou l'autre, sachez que vous pouvez, à l'âge adulte, reconstruire une relation sécure, même si un tel changement passé l'adolescence est lent et difficile. L'objectif de ce livre est bel et bien de vous aider à devenir un adulte sécurisé.

Dans le cas où vous vous découvrez un style d'attachement insécure, reprenez les tableaux de vos traumatismes, et ajoutez une nouvelle croix à celles déjà inscrites. Il s'agit de représenter graphiquement l'importance des événements traumatisants que vous avez rencontrés.

L'insécure anxieux s'invite dans le couple

Christiana, vingt-neuf ans, m'est envoyée par le psychiatre qui traite aux psychotropes sa dépression chronique, mais pense qu'une psychothérapie peut présenter un intérêt médical. Le plus grand problème de Christiana est de persuader Denis, l'homme avec qui elle vit depuis neuf ans, de l'épouser enfin. S'il n'a jamais écarté cette possibilité, Denis ne l'a pas non plus demandée en mariage.

Depuis la maternelle, Christiana a toujours été amoureuse d'un garçon ou d'un autre. Elle avait souvent le béguin pour ses professeurs, ses moniteurs de sport, voire ses médecins quand ils se montraient gentils avec elle. Elle semblait rechercher avant tout la tendresse ; ces passions instantanées autant qu'impossibles entraînaient des heures de rêveries et d'anxiété, où elle ne cessait de s'imaginer que l'élu du moment la remarque et lui déclare sa flamme en retour.

Mais la vie de couple avec Denis est loin d'être aussi idyllique. Il s'est tout d'abord montré très tendre, mais aujourd'hui il la déçoit : il boit un peu trop et passe beaucoup de temps avec ses copains ou à des événements sportifs qui n'intéressent pas Christiana. Pour autant, elle n'envisage pas sérieusement de le quitter.

Elle pense, me confie-t-elle, avoir eu une enfance heureuse, et une relation privilégiée avec sa mère. Pourtant, elle admet que ses parents étaient au bord du divorce lorsque sa mère a découvert qu'elle était enceinte d'elle. Le mariage a duré deux ans de plus, mais les choses ne se sont pas vraiment arrangées ; en fait, sa mère restait avec son père le temps de finir son école d'infirmière, ce qui lui permettrait de prendre en charge sa fille financièrement. En attendant, celle-ci passait beaucoup de temps sous la garde de sa grand-mère. Tout cela aurait pu bien se dérouler ; mais, alors que Christiana avait à peine neuf mois, on a découvert un cancer à cette dernière.

Ses quatre tantes se sont proposées pour garder la petite fille à tour de rôle pendant que sa mère travaillait. Mais elles avaient bien d'autres obligations, familiales ou professionnelles, aussi cette garde aurait-elle été difficile à mettre en place si Christiana n'avait pas été « une enfant modèle, toujours calme et discrète ». Seuls ses cauchemars posaient problème.

Christiana se souvient que sa mère lui manquait, qu'elle aurait préféré être dans son appartement que dans la maison d'une tante. Malheureusement, de tels moments étaient rares, d'autant plus que, sans que la petite fille le sache, sa mère fréquentait un nouveau petit ami, avec qui elle a fini par se remarier quand Christiana avait cinq ans. À sept ans, celle-ci avait deux frères jumeaux.

Une telle naissance aurait pu être un bel événement pour une enfant solitaire, mais pour Christiana, il a constitué un traumatisme. Ses cauchemars ont redoublé d'intensité et de violence ; elle se souvient s'être sentie anxieuse, « vide » sans raison apparente. Pourtant, elle ne pouvait admettre ces sentiments, car elle devait se montrer « la grande fille » qui aidait sa mère dans toutes les tâches ménagères. C'est ainsi qu'elle la voyait vouer à ses jumeaux un amour inconditionnel... auquel elle-même n'avait jamais goûté. Car en me racontant son histoire, Christiana s'aperçoit peu à peu que ce qu'elle prenait pour une enfance heureuse ne l'était pas au fond tant que ça : sa mère et les femmes qui s'occupaient d'elle étaient la plupart du temps absentes ou distraites.

Ainsi, ces cinq premières années ont provoqué, chez Christiana, un sentiment d'insécurité dans la relation de proximité. La présence inconstante de sa mère l'a laissée assoiffée d'amour, et ses rêveries sur les hommes servaient à masquer ce manque ; en revanche, elles ne la préparaient pas à la réalité de la relation, ce qui expliquait pourquoi Denis la décevait tant.

En même temps, Christiana était terrifiée de n'avoir personne à qui confier ses sentiments. Pour elle, la relation avec Denis n'était plus de l'ordre du lien, mais du rang – une comparaison qui tournait à son désavantage. Le bourreau intérieur menait sa vie, exactement comme quand, toute petite, elle imaginait dans son cœur d'enfant que l'absence des adultes autour d'elle était sa faute.

Le bourreau ne se contentait pas de saper son estime de soi : il poussait Denis à la déconsidérer, et à se mettre sur la défensive. Pendant sa thérapie, heureusement, Christiana a appris à accueillir les besoins et les manques de la petite fille qu'elle était, à la plaindre de la souffrance dont elle n'était pas responsable. Elle a alors pu voir Denis différemment, et plus objectivement. D'abord décidée à le quitter s'il ne l'épousait pas, elle s'est rendu compte qu'il était prêt à bien des efforts pour le couple pourvu qu'elle se montre plus confiante et moins critique. Aujourd'hui, la dépression de Christiana est sous contrôle, et Denis et elle ont deux enfants. Comme elle le dit elle-même, « tout va bien ».

Traumatismes et schémas émotionnels

Comment toutes ces influences se conjuguent-elles ? Comment notre tendance innée à l'auto-dévaluation, notre passé traumatique, notre sensibilité, les discriminations dont nous avons pu être victimes et notre insécurité se manifestent-ils dans notre vie quotidienne ? Pour chaque traumatisme vécu, nous avons développé un schéma émotionnel[1], c'est-à-dire un maelström de pensées, de sentiments, de souvenirs, de sensations, d'émotions sociales, de mécanismes de défense et de tendances naturelles qui gravitent autour d'une situation donnée. Ainsi, lorsqu'il se produit un événement qui rappelle celui-ci, un souvenir, une situation, une conversation, c'est tout le schéma qui se déclenche.

Les schémas émotionnels servent à organiser, en cas d'urgence, tout ce qui a trait au traumatisme. Nous essayons toujours d'éviter la douleur physique et psychique que constituerait la répétition du traumatisme. Le schéma émotionnel est le mécanisme qui nous y aide, transformant toute similitude avec le trauma originel en signal de danger. C'est un formidable système de défense. Les souvenirs et les sentiments douloureux impliqués dans notre schéma émotionnel y demeurent dissimulés. Hors de vue, ils peuvent continuer à grandir et, comme un trou noir, assimiler de plus en plus la matière de votre vie sans que vous en soyez conscient. Les nouvelles expériences sont immédiatement passées au crible de ce que l'on connaît déjà. Tout ce qui peut ressembler de près ou de loin au traumatisme originel y est intégré, et la moindre étincelle peut déclencher une réponse défensive… ce qui serait compréhen-

---

1. Le terme de « schéma émotionnel » est aujourd'hui utilisé dans de nombreux contextes en psychologie pour décrire l'organisation cognitive par laquelle une pensée ou un événement de fort impact émotionnel active un haut niveau d'excitation lié à l'idée plus générale ou à la situation qui a créé cette émotion intense. Sur la théorie des schémas, on lira avec profit Behary W., *Face aux narcissiques : mieux les comprendre pour mieux les désarmer*, Eyrolles, 2010. L'usage du terme « schéma émotionnel » dans le présent livre renvoie essentiellement à la notion jungienne de « complexe » définie dans C.G. Jung *L'homme à la découverte de son âme*, Petite Bibliothèque Payot, 1972.

sible si nous étions en danger, mais ce n'est en général pas le cas. Comme la plupart des traumatismes ont impliqué des sentiments d'impuissance, de défaite, ou l'impression d'être victime d'abus de pouvoir de la part de « supérieurs », notre schéma émotionnel nous pousse à nous mettre instantanément en mode de comparaison, déclenchant le bourreau intérieur et ses masques, devenus une partie intégrante de notre schéma.

La nature de celui-ci dépend des traumatismes originels. La trahison mène à la jalousie, l'abus à une méfiance générale, l'impuissance devant une séparation conduit à la peur permanente de l'abandon, etc. Le contenu spécifique de vos schémas émotionnels détermine ce qui peut les déclencher et le type de protection que vous utiliserez dans ce cas. Vous pouvez par exemple, vous sentir impuissant face à toute forme de séparation du fait qu'enfant, on vous laissait souvent seul ; dans ce cas, vous avez certainement tendance à vous protéger *via* le perfectionnisme et la fanfaronnade. En outre, des liens insécures, l'expérience de la discrimination et l'hypersensibilité engendrent des schémas émotionnels propres.

Les schémas émotionnels sont trop complexes et profondément enracinés pour disparaître complètement. On peut seulement espérer qu'ils se déclenchent moins souvent, et pour des durées plus courtes. En fait, ils constituent les pierres d'angle de votre personnalité. Vous affectant puissamment, ils sont une partie de vous et de ce qui vous motive. Pourtant, ils peuvent être néfastes à la construction de liens. Les traumatismes impliquant en général des relations, les schémas émotionnels se déclenchent souvent dans le lien à l'autre, en particulier lorsqu'il se fait intime.

——— Schémas émotionnels courants ———

* Jalousie. Elle peut se déclencher dès que quelqu'un que vous aimez mentionne le fait qu'il apprécie une autre personne, ou qu'il passe du temps seul avec d'autres.

* Peur de la séparation. Elle peut naître d'un simple au revoir, ou quand vous voyez l'être aimé préparer ses valises.

* Peur de l'abus physique, sexuel ou verbal. Ce schéma émotionnel peut se déclencher quand quelqu'un hausse la voix, que l'on vous fait une proposition ou simplement que l'on a près de vous un mouvement brusque.

* Se sentir contrôlé ou exploité. Ce schéma apparaît quand on vous donne des instructions, qu'on vous emprunte quelque chose en oubliant de vous le rendre, ou qu'on vous vole vos bonnes idées sans en mentionner la provenance.

* Peur de ne pas être un « vrai homme » ou une « vraie femme ». Si vous êtes un homme, cette peur peut être engendrée par une remarque sur votre sensibilité ou par l'apparente indifférence d'une femme. Si vous êtes une femme, c'est un schéma qui peut apparaître quand on vous fait remarquer votre ambition, le fait que vous ne soyez pas mariée ou mère de famille.

* Peur qu'une autre personne vous empêche de réaliser vos rêves. C'est le cas par exemple lorsque, dans une relation amoureuse, l'autre envisage de dépenser de l'argent que vous pourriez économiser pour le mettre au service de votre but.

* La nécessité absolue de vous soumettre pour plaire aux autres. Ce schéma peut être déclenché dès que quelqu'un risque de se mettre en colère contre vous, ou qu'il exprime des besoins différents des vôtres.

Jusqu'où peuvent aller les schémas ? Et bien, je suis personnellement allée une fois jusqu'à dire à mon mari, qui m'aime énormément, qu'il était « la personnification du mal ». Bel exemple de confusion entre la situation réelle et un abus du passé ! J'ai eu beaucoup de chance que notre relation ne se termine pas ce jour-là.

Les effets du schéma

Lorsqu'un de vos schémas est déclenché, vous avez du mal à vous reconnaître. Provenant de nos traumatismes et non de la situation réelle, ils sont dissociés de nous et échappent à notre conscience habituelle... jusqu'à ce qu'ils apparaissent. Bien qu'ils fassent partie de vous, ils peuvent vous prendre par surprise. « Moi, jaloux ? Jamais ! », clamez-vous jusqu'au jour où vous faites à votre partenaire une scène terrible parce que, dans la rue, un ou une inconnue lui a lancé un regard appuyé. Il se peut qu'ensuite vous ayez honte de vos agissements, et que votre bourreau intérieur vous traite de fou, mais le fait est que vous vous êtes senti débordé par des sentiments puissants et disproportionnés par rapport à la situation.

Imaginons par exemple qu'enfant, vous ayez été victime de brutalités à l'école, traumatisme qui vous a laissé un sentiment d'impuissance et d'échec. Ce fut le germe d'un schéma émotionnel où se sont accumulées toutes les situations de rejet ultérieures – y compris quand il ne s'agissait que de crainte de votre part. À l'école, vous manquiez de confiance en vous, et n'aviez donc que peu d'amis. Votre famille a déménagé à plusieurs reprises et, bien que pour certains enfants, cela aurait pu ne pas être un problème, le fait de vous retrouver parmi des étrangers vous a beaucoup affecté, cela s'ajoutait à votre schéma émotionnel de rejet social.

Aujourd'hui, vous réussissez dans votre travail, êtes entouré d'amis et de proches et la vie, de façon générale, vous sourit. Pourtant, chaque fois que vous arrivez dans un groupe d'inconnus, la timidité vous paralyse, et vous ne savez pas quoi dire ; vous restez là, raide comme un piquet. Vous pourriez décider de ne plus vous rendre dans ce genre d'endroits, mais votre timidité vous prend par surprise chaque fois. Après tout, cela ne vous ressemble pas, et vous n'avez aucune raison de vous sentir mal à l'aise… Plus tard, vous avez honte de votre comportement « stupide ».

Comme le montre cet exemple, les schémas émotionnels peuvent engendrer des troubles en tout genre. Leur point commun, néanmoins, est de détruire, quand ils se déclenchent, toute possibilité de créer du lien. Vous n'êtes plus en contact avec la personne qui se tient auprès de vous, mais dans un monde différent, où le traumatisme se produit à nouveau, avec son cortège de conséquences. Cela vous rappelle les petites brutes de l'école, ainsi que toutes les craintes d'être maltraité, mis à l'écart ou rejeté, qui en ont découlé. Entrant dans la pièce, vous êtes à nouveau le petit nouveau de la cour de récréation, en but aux moqueries de ses camarades, et dont l'estime de soi s'effondre. « Personne ne veut être mon ami » : voilà le drame que vous vivez encore et encore. Vous suivez un scénario bien établi, où l'autre n'est qu'un figurant ; quel que soit le nombre de personnes dans la pièce avec qui vous pourriez vous lier ou qui souhaiteraient faire votre connaissance, vous ne voyez plus que le classement, la comparaison et le rang. Car dans la scène qui se rejoue inconsciemment, vous devez garder le silence même si l'on vous témoigne de l'amitié, et le rôle de l'autre, quels que soient ses vrais sentiments à votre égard, est de vous rejeter.

Non seulement les schémas émotionnels empêchent le lien, mais ils peuvent briser une amitié en l'espace de quelques secondes, parfois pour toujours, par exemple lorsque quelqu'un a développé un schéma de jalousie et ne peut s'empêcher de vouloir contrôler l'autre en permanence. Le schéma envahit toute la personnalité et guide le moindre de vos faits et gestes, ce qui est logique : il s'agit d'un mécanisme de protection destiné à vous assurer de ne plus jamais rencontrer un traumatisme identique.

À vous !

* Essayez de passer en revue tout ce que vous avez appris sur vous-même jusqu'à présent. Il vous faudra peut-être beaucoup de temps. Tout au long des tâches que je vous propose maintenant, ne vous pressez pas. Écrivez vos réponses dans votre journal de bord en examinant attentivement ce que vous exprimez.

* Reprenez vos réponses au test « À quel point vous sous-estimez-vous ? », au début de ce chapitre. Combien d'opportunités avez-vous ratées à cause de votre bourreau intérieur ? Comment vous fait-il souffrir ? Examinez soigneusement votre passé pour retrouver sa trace dans votre enfance. À l'école comme à la maison, à quel point vous poussait-il à vous sous-estimer ? Votre développement physique et social a-t-il été compromis par peur des contacts avec les autres ou par crainte de vous montrer ridicule sur un terrain de sport ? Votre éducation a-t-elle pâti du fait que vous n'osiez pas poser des questions quand vous ne compreniez pas ou que vous ratiez fréquemment les examens ? Étiez-vous timide, ou en colère contre les autres, au point de compromettre votre vie sociale ? Soyez aussi précis que possible. Puis, pensez à votre adolescence, au collège, au lycée et au-delà, ainsi qu'à vos premières amours, vos choix professionnels et à votre carrière. Y a-t-il des choses que vous auriez aimé faire et que vous avez laissé passer parce que vous vous sous-évaluiez ?

* Reprenez les listes concernant vos traumatismes d'enfant et d'adulte. Y figure-t-il beaucoup de croix ? Que signifient-elles pour vous et votre bourreau intérieur ? De façon générale, plus les listes sont « chargées », plus elles correspondent à des personnes qui se mésestiment en permanence.

Apprivoisez vos schémas émotionnels

Bien que ces schémas fassent partie intégrante de votre personnalité au point que vous ne pourrez jamais vous en débarrasser complètement, votre objectif est d'apprendre à les empêcher de se déclencher trop fréquemment et, lorsque cela se produit, à les identifier afin d'y mettre un terme le plus rapidement possible. Les schémas peuvent s'avérer difficiles à discerner, aussi je vous propose plusieurs façons d'apprendre à connaître les vôtres.

* Pour chacun des traumatismes de votre existence, observez le schéma émotionnel qui en a résulté. Si, par exemple, vous avez été soudainement licencié d'une entreprise qui, pensiez-vous, se portait bien, et ce à cause d'une direction qui n'accordait aucune attention à ses employés, vous vous montrerez probablement suspicieux dans votre emploi suivant, vous méfiant des détails les plus anodins. Ce schéma est certainement présent même si vous avez appris à éviter qu'un tel traumatisme se répète – par exemple en créant votre propre entreprise pour éviter de dépendre d'un patron.

* Pour chaque traumatisme, considérez quel type de situation il concerne et quel type de réaction, de schéma, il provoque en vous. Dans l'exemple précédent, vous pouvez avoir prévenu la répétition du traumatisme en devenant votre propre patron... mais continuer à craindre que vos plus gros clients vous « virent ». Le schéma émotionnel est encore à l'œuvre, mais il s'est élargi à toutes les situations similaires.

* Pensez aux occasions où vous vous êtes conduit comme si un schéma émotionnel s'était déclenché, les fois où vous n'étiez plus « vous-même », devenant soudain silencieux ou au contraire très péremptoire, avec une voix intense, qu'elle soit trop forte ou étrangement douce. Vous utilisiez des termes absolus (« jamais », « toujours »), voyiez tout de façon manichéenne, et ne compreniez pas que les autres n'aient pas la même vision de la situation que vous. Vous avez ressenti des vagues de colère, de peur, de chagrin ou de toute autre émotion forte qui semblait inadaptée à la situation. Vous vous êtes montré injuste envers les autres, ou effrayé par eux, ou encore l'impression de manque ou d'amour que vous ressentiez a pris une importance absurde.

* En explorant vos schémas, demandez de l'aide à ceux qui vous connaissent bien. Une fois que vous leur aurez expliqué le concept des schémas émotionnels, ils seront probablement capables de vous dire quels sont les vôtres et ce qui les déclenche. Avertissez-les toutefois de se montrer gentils, et faites de votre mieux pour conserver votre objectivité, comme un scientifique à la recherche de preuves, afin de ne pas déclencher un schéma dans ce processus.

* Lorsque vous sentez qu'un schéma émotionnel se déclenche, rappelez-vous que votre conscience et votre connaissance peuvent contrebalancer les forces de l'inconscient. Il peut parfois s'avérer utile de penser aux schémas comme à une personnalité distincte à l'intérieur de vous-même, que vous devez contacter et apaiser avant qu'elle ne dépasse les limites ; vous pouvez même l'enfermer à clé. Donnez-lui un nom, Monsieur Statue de Marbre ou Madame Dingue de Jalousie. Vous pouvez la raisonner, la corrompre, la séduire, la flatter, la supplier, négocier avec elle un compromis, ou faire tout le nécessaire pour qu'elle cesse de vous pousser à dire ou faire quelque chose que vous regretterez par la suite.

Si, par exemple, vous êtes un homme et que vous êtes certain que votre petite amie voit quelqu'un d'autre, dites à Monsieur Jaloux que vous en parlerez à votre fiancée et observerez l'expression de son visage avec soin... mais qu'en revanche, il est hors de question que vous fouilliez dans ses affaires ou sa boîte mail car ceci va à l'encontre de vos principes et, plus encore, lui donnerait une vraie raison de vous quitter.

Petite histoire du bourreau intérieur

Rédigez une ou deux pages sur votre histoire personnelle, en résumant ce que vous avez compris de votre bourreau intérieur ainsi que du type et de l'intensité des traumatismes que vous avez vécus, en y incluant le rôle des discriminations, de votre sensibilité ou des attachements insécures. Quels schémas émotionnels avez-vous développés en retour ? Ce récit vous servira de référence à travers les prochains chapitres, pendant que vous travaillerez en profondeur sur les sentiments qu'éveillent aujourd'hui en vous ces traumatismes.

Guérir le bourreau intérieur : faire du lien

4

Vous connaissez à présent davantage votre bourreau intérieur et pourquoi il parvient si souvent à vous remplir de honte, de sentiments de défaite et de dépression. Vous comprenez le fonctionnement des six masques protecteurs et vous avez identifié les traumatismes et les schémas émotionnels qui lui donnent encore plus de force et vous poussent à recourir plus fréquemment aux mécanismes de protection. Vous voilà donc prêt à partir en guerre contre ce petit « dictateur » qui vous pousse sans cesse à vous sous-estimer.

À première vue, la stratégie pourrait consister à améliorer votre estime de soi trop faible. Cependant, vous vous rendez à présent compte qu'une telle approche se fonde sur le rang et une comparaison entre votre amour-propre et celui des autres. Or, quand le bourreau intérieur entre en action et que vous vous sous-estimez, c'est que vous vous appuyez trop sur le rang pour mener votre vie. Opter pour celui-ci serait donc une erreur tactique.

La solution réside dans le lien, aussi ancré dans nos cerveaux que le rang ou le bourreau intérieur. C'est un antidote constamment à notre portée. Pour l'utiliser, il faut apprendre à passer sur commande de la comparaison à la compassion, du rang au lien. Bien sûr, cela ne sera pas toujours facile ; mais il ne s'agit que de faire le premier pas.

Le rang a son importance, y compris dans le processus de guérison du bourreau intérieur. C'est lui qui vous pousse à entrer en compétition si nécessaire, à vous rebeller en cas de conflit et à imposer vos limites, autant de qualités importantes si vous avez tendance à vous sous-estimer. Mais si le rang est fondamental, il ne peut « guérir » le bourreau intérieur. Pour la guérison, la règle est simple : remplacer le rang par le lien.

Le lien comme meilleur remède

Passer du rang au lien fait taire le bourreau intérieur de façon immédiate ; en effet, il n'y a qu'en situation de comparaison que notre amour-propre se mesure à celui des autres – et en particulier en notre défaveur. Lorsque nous entrons dans le lien, ce qui nous importe est de créer une relation de partage et d'égalité, où chacun des deux peut prendre soin de l'autre et non s'évaluer par rapport à lui.

Il est parfois impossible de cesser les comparaisons ; d'ailleurs, nous ne le souhaitons pas toujours. Mais même dans des situations propres au rang, on peut toujours accroître sa capacité à créer du lien. On peut par exemple discuter avec son adversaire au tennis ou faire connaissance avec les autres participants à une audition. Cette création de lien a un effet remarquable sur le bourreau intérieur. En général, quand on s'y décide, la peur de l'échec passe au deuxième plan. En effet, vous êtes en connexion, pas en comparaison ; vous ne vous sentez pas jugé. Puisque les questions de victoire et de défaite vous semblent hors de propos pour le moment, vous ne vous abandonnez pas à la réponse innée à la défaite, et au cortège de honte et de sentiments dépressifs qui altèrent votre amour-propre et minent votre estime de soi.

Effets du passage du rang au lien

* Augmentation de l'estime de soi[1].

* Plus grande ouverture d'esprit[2].

* Réduction des discriminations. Dans les expériences, lorsqu'on pousse les sujets à se sentir inférieurs ou supérieurs (c'est-à-dire concentrés sur le rang), leurs préjugés semblent s'exacerber, tandis que quand ils se préoccupent du lien, ils semblent moins enclins que la moyenne aux réactions racistes en tout genre[3].

---

1. M. W. Baldwin, « Priming Relational Schemas as a Source of Self-Evaluative Reactions », *Journal of Social and Clinical Psychology* 13, 1994. (« Déclenchement des schémas relationnels comme source de réactions d'auto-évaluation », non traduit.)
2. M. Mikulincer et D. Arad, « Attachment, Working Models, and Cognitive Openness in Close Relationships: A Test of Chronic and Temporary Accessibility Effects », *Journal of Personality and Social Psychology* 77, 1999. ("Attachement, modèles actifs et ouverture cognitive dans les relations de proximité », non traduit.)
3. M. Mikulincer et P. R. Shaver, « Attachment Theory and Intergroup Bias: Evidence That Priming the Secure Base Schema Attenuates Negative Reactions to Out-Groups », *Journal of Personality and Social Psychology* 81, 2001. (« Théorie de l'attachement et discrimination entre groupes : preuves que le déclenchement d'un schéma de sécurité atténue les réactions négatives envers les groupes extérieurs », non traduit.)

* Tendance des personnes stressées à rechercher de l'aide auprès des autres plutôt que se reprocher la situation où ils se trouvent[1].

* Tendance à aider des personnes que l'on ne connaît pas, sans se laisser enfermer par la crainte des implications émotionnelles que cela pourrait avoir sur nous[2].

Le lien : une question d'introversion/extraversion ?

On croit souvent que les personnes à tendances extraverties sont plus douées pour le lien et qu'elles y recourent plus facilement ; mais en réalité, le lien est plus important encore pour les introvertis qui attachent plus d'importance à la qualité qu'à la quantité des liens qu'ils créent[3]. Ceux-ci préfèrent souvent avoir des discussions profondes et ouvertes avec un interlocuteur connu que se lancer dans des rencontres à tous crins, de fréquenter des groupes étendus

1. T. Pierce et J. Lydon, « Priming Relational Schemas : Effects of Contextually Acti-vated and Chronically Accessible Interpersonal Expectations on Responses to a Stressful Event », *Journal of Personality and Social Psychology* 75, 1998. (« Déclenchement des schémas relationnels : effets sur les réponses à un événement stressant », non traduit.)

2. M. Mikulincer, O. Gillath, V. Halevy, N. Avihou, S. Avidan, et N. Eshkoli, « Attachment Theory and Reactions to Others' Needs: Evidence That Activation of a Sense of Attachment Security Promotes Empathic Responses », *Journal of Persona-lity and Social Psychology* 81, 2001. (« Théorie de l'attachement et réactions aux besoins des autres : preuves que l'activation d'un sens de l'attachement sécure ouvre à des réponses d'empathie », non traduit.)

3. A. Thorne, « The Press of Personality: A Study of Conversations between Introverts and Extraverts », *Journal of Personality and Social Psychology* 53, 1987. (« Importance des personnalités : étude de conversations entre introvertis et extravertis », non tra-duit.)

ou d'avoir de nombreux amis avec qui les relations restent superficielles.

Cette préférence place toutefois les plus introvertis devant le risque
de se sentir inadaptés au groupe ou face à des inconnus. Dans ces
situations, plutôt que de créer de nouveaux liens comme le feraient
les extravertis, ils restent silencieux, à l'écart. Si ce choix est tout à
fait respectable, il peut néanmoins les amener à se sentir à leur désavantage, voire rejetés. Leur capacité à vivre en société peut s'affaiblir, et ils se sentent souvent dévalués en groupe ou lors des
premières rencontres ; le bourreau intérieur, les tient alors sous sa
coupe. Même les personnalités introverties doivent apprendre à se
sentir compétentes dans le domaine du lien, y compris dans des
situations sociales qu'ils n'apprécient pas forcément, s'ils veulent
éviter de se sous-estimer, et se faire de nouveaux amis – ce qui est
nécessaire dans la mesure où, pour toutes sortes de raisons, nos
amitiés changent pour disparaître parfois.

Vous pouvez également être un extraverti qui se sous-estime. Dans
ce cas, établir un lien avec l'autre peut vous être facile tant que cela
reste dans la superficialité ; toutefois, dans votre for intérieur, le
« bourreau » ne cessera de sévir, et vous vous sentirez inférieur aux
autres, y compris à ces silencieux introvertis qui n'en pensent visiblement pas moins… Nous le savons, l'apparente confiance en soi
d'une personne n'est bien souvent qu'un leurre destiné à masquer
ses sentiments d'imperfection. Ainsi, on peut vous voir discuter à
bâtons rompus avec un tel ou une telle, comme si le lien vous était
facile, alors qu'au fond de vous vous craignez d'en dire, d'en faire
ou d'en montrer trop. Dans ces moments-là, sous l'apparence du

lien, vous vivez dans le rang, la comparaison. Il vous appartient pourtant d'apprendre à faire confiance à vos capacités.

L'art d'entrer en relation

La création de lien peut être innée, mais quand vous ne vous sentez pas sûr de vous, certains éléments peuvent vous aider. Qu'il s'agisse d'une rencontre avec un inconnu, du rapprochement avec une personne ou du partage d'intérêts nouveaux avec un ami de longue date, on peut diviser le processus en deux étapes : la création du lien, et son renforcement. Chaque étape a ses caractéristiques spécifiques.

Une des façons les plus universelles de créer le lien est de passer par le don – nourriture, boissons, cadeaux. Ceci peut également servir à maintenir la relation.

Le toucher – dans des situations appropriées bien sûr – est également une façon instantanée de créer du lien. Lorsque vous rencontrez quelqu'un, une poignée de main ferme et douce, ainsi qu'un « ravi de vous rencontrer » ou « ça me fait plaisir de vous revoir » fonctionnent à merveille. Lorsqu'une personne que vous appréciez traverse un moment difficile, pensez à quel point, à sa place, vous apprécieriez une main sur l'épaule ou sur le bras. Pourquoi ne pas oser à votre tour ?

De nos jours, c'est par les mots que nous créons le plus spontanément du lien. Les compliments ont leur utilité, mais une invite au partage est également très appréciée. Imaginez qu'un de vos collègues vous a déjà parlé de ses soucis concernant son grand fils. Vous pouvez ouvrir le lien ou le renforcer en demandant simplement : « Alors, comment ça se passe avec ton fils ? Est-il toujours aussi compliqué ? »

Soyez à l'écoute des questions que l'on vous pose, et n'hésitez pas à donner une réponse réellement personnelle lorsque c'est souhaitable. Si vous étiez à la place de ce collègue et que l'on vous pose la même question, vous pourriez répondre : « Je crois que ça s'améliore un peu, mais pour tout te dire, il va bientôt avoir dix-sept ans, et mon souhait le plus cher serait qu'il en ait trente à la place. » Plus vous échangez de détails personnels dans ce type de conversation, plus le lien s'approfondit ; vous devenez de plus en plus proche de cette personne.

Savoir trouver la bonne distance fait également partie du lien. Cela veut dire que, dans vos conversations, vous êtes réellement à l'écoute de l'autre et de ses besoins. Ne vous ouvrez pas systématiquement s'il ou elle n'a pas le temps ou l'envie de vous écouter. N'insistez pas pour offrir quelque chose, qu'il s'agisse d'un petit cadeau, d'un service, d'un avis, d'un déjeuner… si on décline votre offre, restez-en là. Après tout, dans la situation inverse, l'insistance pourrait vous déplaire. Cette écoute constitue un don en elle-même ; elle montre que vous êtes attentif à l'autre, et que vous le respectez. Aussi paradoxal que cela puisse paraître, le fait de se mêler systématiquement des affaires de vos amis n'améliore pas le lien, pas plus que le fait de vouloir être toujours d'accord et de ne pas supporter que vos avis divergent. « Incroyable ! Comment peux-tu ne pas aimer ça ? Moi, j'adore ! » La relation peut souffrir de telles phrases, tout comme elle peut s'étioler si vous vous effacez systématiquement : « On fait ce que tu veux, ça m'est égal. » Si deux personnes ne peuvent pas se considérer comme des individualités distinctes, elles sont incapables d'établir entre elles un véritable lien.

Comportements de lien

* Offrir de la nourriture.

* Inviter à la confidence et écouter attentivement.

* Rendre service, proposer de l'aide.

* Complimenter.

* Demander de l'aide, sans paraître toutefois aux abois.

* Faire un cadeau.

* Toucher de façon amicale.

* Serrer la main.

* Montrer un intérêt sincère.

* Avoir une parole attentionnée.

* Révéler un détail personnel.

* Reconnaître le lien ; dire par exemple « Je suis heureux que l'on soit amis. »

* Respecter les opinions de l'autre quand elles divergent plutôt que de tenter de se mettre d'accord à tout prix.

Initier le lien

Lorsque vous vous sous-estimez, que le bourreau intérieur est puissant, ce premier pas vers le lien est souvent le plus difficile, car vous craignez naturellement d'être rejeté. Mais, en vérité, dans la plupart des situations, l'autre est prêt à créer du lien avec vous. Voici quatre attitudes que vous pouvez conserver en mémoire pour les moments où vous vous sentez coincé, en infériorité, dans le registre de la comparaison. Je les réunis sous l'appellation « méthode SAGE » : *Souriez, Admirez, faites preuve de Gentillesse et d'Empathie.*

Le sourire est une expression universelle qui permet d'initier le contact. Puis, vous pouvez montrer de l'admiration, au sens étymologique du terme, c'est-à-dire de « regarder vers », un contact visuel qui ne fuit ni ne fixe, marque l'égalité entre les personnes. L'équivalent au téléphone, serait d'adopter d'abord une voix chaleureuse avant de s'adapter aux intonations de l'autre. Ces deux premiers pas peuvent paraître évidents, mais on les oublie très facilement lorsqu'on se trouve en situation de comparaison et qu'on se sent dévalué à un rang inférieur.

Dans la conversation, montrez de la gentillesse, de la volonté d'aider. Souvenez-vous qu'une part du lien consiste à prendre conscience des demandes de l'autre pour y répondre. Il vous faut donc anticiper les besoins de votre interlocuteur ou vous en enquérir. Attention toutefois, à ne pas lui imposer ceux que vous pensez sentir en lui, au risque d'avoir un comportement inapproprié, voire dominateur, ce qui vous renverrait dans une situation de rang.

Cette gentillesse demande au préalable une véritable écoute, de l'empathie pour les sentiments de l'autre. S'il dit, par exemple, « Je meurs de chaud », vous pouvez répondre, avant même de chercher des solutions au problème : « Je te comprends, oui. Tu as dû faire la queue en plein soleil, c'est ça ? »

Surtout, ne dites pas : « Moi aussi » ou « Et si tu enlevais ton manteau, alors ? » Ces remarques ne montrent pas d'empathie. La première attire l'attention sur vous, la seconde renvoie votre interlocuteur à son problème. Le mieux est de demander « Est-ce que je peux t'aider ? » Alors, la gentillesse vous amènera à proposer un verre d'eau. Encore une fois, tout cela peut sembler évident, mais on néglige souvent ces possibilités de se montrer prévenant.

Initier le lien « SAGE »

Sourire. Évident, mais on l'oublie si facilement…

Admirer, au sens de « regarder ». Éviter le regard de l'autre montre une attitude de soumission ; on se trouve dans le rang, pas dans le lien.

Être Gentil. Faire quelque chose qui aide ou soulage l'autre.

Montrer de l'Empathie. Tenter de comprendre pleinement l'autre et manifester cette compréhension.

Pour créer un véritable lien, plutôt que de vous contenter de saluer quelqu'un, poursuivez la conversation. Tout sujet qui évite la question du rang est envisageable, mais certains fonctionnent mieux que d'autres. En général, les gens aiment qu'on leur pose des questions sur leurs enfants, leur compagnon, leur métier ou leur enfance, en particulier s'ils ont déjà mentionné un de ces points. Écoutez la réponse avec attention, sans hésiter à poser d'autres questions. En effet, si vous ne montrez que de l'indifférence aux réponses de votre interlocuteur, il peut s'imaginer que vous ne lui parlez que dans l'intérêt du rang.

───── Quelques questions utiles... ─────

* Je vois que vous êtes marié (si vous remarquez une alliance). Comment vous êtes-vous rencontrés ? Comment avez-vous su que c'était « le bon » ?

* Vous avez grandi dans la région ? Comment s'est passée votre enfance par ici ?

* J'ai entendu dire que vous aimiez les voyages ? Où êtes-vous allé récemment ? Y retourneriez-vous avec plaisir ?

* On m'a dit que vous aviez un chien, chat, etc. Comment s'appelle-t-il ? Cette race fait-elle de bons animaux de compagnie ?

* Que faites-vous quand vous n'êtes pas dans cette réunion (ou cette fête, etc.) ? Évitez les questions trop poussées sur le métier, au cas où la personne en question serait en recherche d'emploi.

Le don au cœur du lien

Dans tout lien, il existe deux moments : celui où l'on donne et celui où l'on reçoit. L'un parle, l'autre l'écoute ; l'un offre un repas, l'autre mange ; l'un complimente, l'autre est heureux. Ces deux rôles ne font pas partie du rang, même si, à première vue, le fait de recevoir peut sembler plus important. Le don est partagé en fonction du moment ou des besoins immédiats de chacun, et non selon un ordre d'importance.

L'essence du lien est de donner quelque chose dont l'autre a un besoin spécifique ou qui lui fera plaisir. Parfois, on donne pour des raisons liées au rang : nous faisons plaisir aux autres pour acquérir un meilleur statut à leurs yeux, ou parce que nous les considérons comme au-dessus de nous. Mais le don qui a lieu dans le cadre du lien est différent.

Imaginons qu'une collègue et vous, vous trouviez obligés de travailler un samedi. Vous ouvrez le lien en vous montrant « SAGE » : vous lui souriez et la regardez dans les yeux. Vous remarquez qu'elle semble un peu soucieuse et lui en demandez la raison. Elle explique qu'elle est en train de manquer le match de foot de son fils, et vous compatissez. Gentiment, vous lui apportez un café comme elle aime.

Après avoir entamé ce lien avec votre collègue, si vous souhaitez approfondir votre relation, il vous faudra recourir à l'« IDEE » : *Impliquez-vous personnellement, Décryptez la situation, Exprimez-vous et montrez votre Empathie.*

Dans ce cas, le premier pas, celui de l'implication personnelle, serait de prendre quelques instants pour réfléchir à ce que vous ressentez sur la situation de votre collègue. Vous pouvez penser « La pauvre ! Elle doit être triste. Assister à ce match avait l'air important pour elle. Je sais ce que c'est, combien de matchs de mes enfants ai-je dû rater à cause de mes déplacements ! ». Puis vous passez à la compréhension en détail de la situation : « Sans doute a-t-elle envie de parler de son fils et de son match de foot. »

Tout ceci se déroule dans votre tête. Il est temps à présent de verbaliser, de mettre les mots sur sa situation : « Tu dois te sentir mal de ne pas être avec lui. Depuis combien de temps joue-t-il ? Quels sont les résultats de son équipe ? » Ainsi, vous montrez que vous avez senti combien elle a envie d'en parler. C'est un pas très important. Il est très fréquent que l'on se sente en empathie et que l'on comprenne une situation, mais on oublie trop facilement de l'exprimer, en particulier pour les personnes plutôt introverties. Le lien risque alors de s'étioler et de disparaître.

Le don ne fonctionne pas sans une véritable empathie, présente lorsqu'on se met à la place de l'autre, que l'on comprend ce qu'il peut penser ou ressentir, sans pour autant tourner son attention vers soi. Fort heureusement, c'est facile, cela fait partie de nos gènes, comme le besoin d'aider. Dans le cas de votre collègue, vous pouvez montrer que vous partagez ces sentiments en disant : « Je te comprends. C'est toujours triste de rater un événement pour nos enfants. Ça doit te faire de la peine de penser au moment où il commencera le match sans toi. »

—— Renforcer le lien « IDEE » ————————

* **S'impliquer** émotionnellement. Pensez d'abord à ce qui arrive à l'autre et à ce qu'il vous fait ressentir.

* **Décrypter** la situation. Réfléchir aux besoins ou aux désirs de l'autre.

* **Exprimer** ses émotions. Les mots deviennent une forme de don, soulignant le lien. Exprimez ce que vous ressentez, en quoi vous vous impliquez émotionnellement. Quand c'est approprié, dites à l'autre ce que vous aimeriez faire pour lui ou pour elle, et demandez-lui s'il est d'accord.

* **Montrer** son **empathie**. Tout au long de la conversation, essayez de concevoir votre interaction du point de vue de l'autre.

Accepter de recevoir

Le fait de créer du lien est souvent considéré comme une démarche active. Vous devez apprécier l'autre, vouloir le connaître et l'aider. Mais pour réellement apprécier la qualité du lien, vous devez à votre tour savoir vous laisser approcher, comprendre et aider ; vous devez apprendre à trouver agréable que l'autre réponde à vos besoins. Cela peut sembler facile, mais quand le bourreau intérieur est à l'œuvre, vous vous dites facilement que vous ne méritez pas ce type d'attention et cette gentillesse. Et dans une civilisation qui met l'accent sur le rang, savoir recevoir dans le lien peut souvent être vu comme une forme de faiblesse, de dépendance quasi enfantine. Beaucoup de mots désignent le fait de donner à l'autre : être gentil, altruiste, généreux, aimant, à l'écoute… Mais seuls les Japonais ont un mot pour le fait de recevoir : *amae*[1]. Il signifie plus ou moins l'état de celui qui peut « dépendre de l'amour de l'autre en toutes circonstances », « jouir de l'indulgence de l'autre » ou « se sentir aimé ».

Lorsque vous doutez de votre propre valeur, recevoir cet *amae* peut sembler encore plus complexe que de donner ; de façon paradoxale, vous devez faire un effort actif pour recevoir passivement. Certes, on peut légitimement se méfier de la dépendance et se tenir à l'écart ; mais administrées au bon moment, les plus petites doses de ce sentiment d'amour inconditionnel peuvent faire des miracles sur le « bourreau intérieur ».

---

1. Takeo Doi, *Le jeu de l'indulgence : Étude de psychologie fondée sur le concept japonais d'amae*, L'Asiathèque, 1991.

Il est plus aisé de recevoir lorsqu'on vous montre simplement une attention affectueuse. Mais parfois, celui ou celle qui vous offre son aide a besoin de savoir ce qui vous fait défaut en cet instant précis.

À vous !

Devez-vous demander de l'aide ?

* Vous offre-t-on ce dont vous avez besoin ? Est-ce le bon moment, le bon lieu et la bonne personne pour qu'on vous aide ? Votre frère aîné, par exemple, est peut-être la meilleure personne pour vous aider à déménager votre appartement, mais pas forcément celui qui saura le mieux apaiser vos émotions.

* L'autre peut-il vraiment vous aider en ce moment ? N'a-t-il ou n'a-t-elle pas autre chose en tête, une demande qui lui est propre ?

* Est-ce votre tour ? Bien que dans une relation de partage, il soit interdit de tenir les comptes, il existe toutefois un rythme des échanges ; vous poser cette question vous permet de vous rendre compte lorsque vous avez suffisamment donné pour vous permettre de recevoir à votre tour.

Imaginez que vous retrouvez un ami pour dîner dans un restaurant. En approchant de la table, vous l'entendez chantonner, guilleret. Il est toujours si enjoué, gentil et plein d'entrain… « Pas comme moi ! » s'exclame votre bourreau intérieur. Et effectivement, ce soir en particulier, vous êtes grognon, irritable et fatigué. Vous vous dites que vous allez gâcher sa soirée. Pourtant, dans cette situation, vous devez apprendre à accepter votre humeur du moment ; vous n'avez pas à en changer dans le seul but de vous faire accepter.

S'il vous lance : « Salut ! Tu vas bien ? » Au lieu de ne répliquer que par un vague « très bien et toi ? », vous vous décidez à entrer dans un lien plus intime en exprimant vos véritables sentiments : « Je suis épuisé. »

Votre ami esquisse une moue compatissante, vous permettant ainsi d'en dire davantage.

« Ça fait un ou deux jours que je me sens comme ça. Je me demande si je n'ai pas attrapé quelque chose. »

Mais soudain, vous vous rendez compte qu'il y a autre chose : « Je ne sais pas si ça n'est pas en rapport avec mon père. »

Votre ami vous invite à vous asseoir et à continuer en disant : « Il y a un problème ? »

Vous répondez : « Il m'a appelée mercredi. D'habitude, il ne se plaint jamais de rien, mais cette fois, il m'a parlé de cette toux qui ne passe pas. Il doit faire des examens. C'est juste une mauvaise toux, tu comprends ? Mais il n'a pas pris froid avant, et il avait l'air inquiet. »

Votre ami a maintenant le choix entre continuer à compatir avec vous ou à mettre un terme au partage. Il vous invite à recevoir encore son écoute : « Je comprends que tu aies un peu peur. Si tu veux, nous pouvons commander, et nous continuerons à en parler. »

Vous acquiescez. Tout en lisant le menu, vous constatez que vous vous sentez déjà un peu ragaillardi.

Voilà ce que vous venez de faire :

* Vous avez accepté vos sentiments.

* Vous les avez partagés.

* Vous avez remarqué que votre ami était la bonne personne à qui vous confier (sans douter de lui comme aurait pu vous y pousser le bourreau intérieur).

* Vous avez continué à parler de vous et à recevoir de l'empathie jusqu'à ce que vous alliez mieux.

Quand une situation déclenche le bourreau intérieur, une autre façon de revenir vers le lien grâce au don de l'autre, est de demander leur avis à des proches ou des collègues qui, vous le savez, se montreront francs, mais ont suffisamment d'affection envers vous pour vous aider à voir les choses du côté positif. Honnêtement, comment perçoivent-ils votre situation ? Imaginons : vous êtes préparatrice en pharmacie, et à l'officine aujourd'hui, tout est allé de travers. N'êtes-vous pas la pire pharmacienne que la terre ait portée ? Vous acceptez votre humeur et la mettez en mots en vous ouvrant à une collègue avec qui vous faites du covoiturage. Elle vous répond que, d'après elle, votre travail est très satisfaisant. Précédemment, elle vous a donné de bons conseils qui vous ont aidée à vous améliorer ; aussi, quand elle dit que les deux clients qui vous ont posé problème auraient fait tourner n'importe qui en bourrique, et que le représentant qui a été si désagréable avec vous devait simplement s'être levé du pied gauche, vous la croyez, sans aller chercher plus loin.

Parfois, vous pouvez faire connaître vos besoins à travers un tiers.

Le bourreau intérieur et la crainte de ne pas être apprécié

Philippine, par exemple, qui est souvent en butte à son bourreau intérieur, s'est rendu compte que ses sentiments d'insécurité grandissaient démesurément dans son environnement professionnel. Sa plus grande crainte ? Que David, son patron, ne l'aime pas. Elle sait que son sentiment est irrationnel, mais il n'en reste pas moins virulent. Quelques jours avant l'anniversaire de Philippine, Jean, un ami de David, s'arrête au bureau de la jeune femme. Elle s'entend bien avec lui. Sachant que son anniversaire approche, il suppose que David va l'inviter à déjeuner.

Philippine prend son courage à deux mains et avoue la vérité, consciente que cela peut revenir aux oreilles de David. Sur le ton de la plaisanterie, elle dit : « Non, David et moi n'avons pas ce genre de relations. Je ne crois pas qu'il ait envie de déjeuner avec moi. Au contraire, je pense qu'il me voit bien assez comme ça. »

Jean tombe des nues : « Ça n'est pas mon impression. Il dit le plus grand bien de toi. »

Cet après-midi-là, non seulement David invite Philippine à déjeuner, mais il la convie même à assister à une petite fête chez lui le week-end suivant. Depuis, ils passent de très bons moments ensemble.

Dans une relation, en particulier si elle est récente, il est capital d'alterner la source du don. Si l'équilibre n'est pas établi, on risque fort de tomber à nouveau dans la comparaison, dans le rang : l'un donne en permanence et sans retour. Pour des liens mieux établis, le don et la réception s'organisent en fonction des besoins des deux partenaires. Ne vous empressez donc pas de rendre ce que vous avez reçu au point de ne pas profiter des moments où c'est à vous que l'on donne. Ainsi, quand l'autre vous lance « on dirait que tu as une journée horrible », pas besoin de lui rétorquer du tac au tac « oui, et je devine qu'il t'est arrivé la même chose ». Et si vous êtes en position de donner, ne vous hâtez pas non plus d'annoncer que vous avez eu le même problème, ce qui semble plus indiquer une demande qu'une envie de don. Trop de précipitation à équilibrer les rôles nuit à l'approfondissement du lien : on reste superficiel. Quand l'autre dit « je suis inquiet pour ma mère, elle attend les résultats de sa biopsie aujourd'hui », ne montrez pas votre empathie en disant « je sais comment c'est, ma tante a connu la même chose l'année dernière ». Préférez plutôt une phrase comme « tu dois être sur des charbons ardents… » Vous pourrez partager votre expérience plus tard, si cela paraît encore pertinent… ce qui est rarement le cas.

Échec du lien : comment tenir le bourreau intérieur à distance

Il est toujours risqué d'entrer en lien avec une personne que vous ne connaissez pas, en particulier quand il s'agit de révéler vos propres besoins. Le simple fait d'essayer, et de rencontrer un échec, peut faire naître en vous un vif sentiment de honte. Imaginez qu'au restaurant, quand vous avez avoué à votre ami vos inquiétudes au sujet de votre père, il vous ait simplement répondu « un bon dîner te remettra d'aplomb », ou pire encore, « de toute façon, tu es toujours fatigué », et que, malgré sa promesse de vous retrouver bientôt, il ne vous ait plus donné de nouvelles par la suite. Il faut faire un gros effort pour essayer d'imaginer les raisons légitimes qui peuvent se trouver derrière un refus d'empathie ou un rejet pur et simple. Parfois, bien entendu, le problème est d'ordre pratique : votre ami a peut-être lui-même de vrais problèmes en ce moment. Dans ce cas, faites de votre mieux pour rester dans le lien ; tentez de l'écouter et de lui montrer votre empathie.

Parfois également, vous ne trouvez aucune excuse à l'autre. Si vous avez un schéma émotionnel lié au rejet, il peut s'avérer très dur d'empêcher le bourreau intérieur de prendre le dessus dans ces moments. Vous devez passer expert dans l'art de comprendre ce que pensent les autres quand ils blessent vos sentiments ou vous font vous sentir honteux. Il existe au moins quatre éventualités : vous vous trouvez dans une situation de concurrence ; l'autre utilise un des six masques protecteurs ; il manifeste un type d'attachement évitant ; ou bien, vous avez déclenché en lui un schéma émotionnel.

Ne pas se laisser déstabiliser par un environnement compétitif

Vous avez tenté de créer du lien, et on vous a rejeté, témoigné de la froideur ou de la méfiance, ou bien jugé uniquement sur vos capacités de travail. N'est-ce pas que vous vous trouvez dans un environnement axé uniquement sur la compétition ? Autour de vous, les autres se préoccupent peut-être tellement du rang qu'ils ne parviennent pas à voir la possibilité du lien. Dans certaines cultures, la comparaison est encouragée. Par « cultures », j'entends aussi bien celles de pays que celles constituées par les familles, les marchés, les entreprises ou les écoles. Ainsi, certaines valorisent essentiellement les instincts sociaux de rang, comme la compétition, l'efficacité, la fierté et la victoire. D'autres véhiculent l'idée selon laquelle, on doit surtout son succès à ses capacités à créer du lien : la gentillesse, la volonté de coopérer, la capacité à travailler en équipe et à gérer les conflits ainsi qu'à partager ses connaissances. D'autres enfin, tentent de créer un juste équilibre.

Dans une culture où le rang prédomine, l'autre peut réagir froidement à vos tentatives de créer du lien parce qu'il doute de vos motivations. Dans une fête, vous pouvez croire que vous êtes en train de vous faire des amis, mais apprendre plus tard que les autres vous ont évalué comme une « personne très sociable » ou ayant « un vrai sens des relations publiques ». Ils peuvent aussi accepter de créer un lien avec vous dans un simple objectif de rang : ils acceptent de former une alliance temporaire pour vous laisser tomber ensuite. Encore une fois, être rejeté ou vous laisser manipuler peut réveiller en vous le bourreau intérieur.

Le pire, sans doute, reste que vos tentatives d'ouvrir un lien – en offrant un cadeau ou un compliment – risquent d'être interprétées comme des signes de soumission, d'appartenance à un rang inférieur, en particulier si votre manque d'estime de soi transparaît dans votre attitude ou votre voix. Si, dans une situation donnée, vous vous rendez compte que vos efforts relationnels vous font systématiquement vous sentir en position d'infériorité, il est temps de vous arrêter et de reconsidérer votre valeur propre par rapport à ceux qui vous entourent. Le désir de lien ne vous rend inférieur en rien ; mais vous devez cesser d'offrir votre amitié. « L'amour l'emporte toujours »... sauf quand les autres menacent de l'emporter sur vous.

Dans une culture du rang, vous devez vous efforcer d'évaluer ce à quoi vous vous trouvez confronté et cesser de vous autocritiquer ; car c'est exactement le comportement auquel ce type de culture veut pousser. Ayez confiance : le lien véritable existe bel et bien, et pas seulement dans un monde idéal. Votre meilleure solution : chercher le lien ailleurs.

Repérer les masques de l'autre

Vous avez vainement tenté de créer un lien, et vous sentez en vous le retour du bourreau intérieur : sans doute venez-vous de vous heurter à la honte de l'autre et à ses masques protecteurs.

La « balle de la honte »

Imaginons la situation suivante : vous êtes une jeune femme et, sans que ce soit votre faute, vous arrivez en retard à un rendez-vous avec une amie.

Vous étiez censées faire du shopping ensemble. Vous lui présentez des excuses sincères, mais elle continue de croire, peut-être inconsciemment, que votre retard est dû à votre sentiment de supériorité, comme si votre temps était plus précieux que le sien. Elle se trouve donc sur le registre du rang, mais, à moins de s'en rendre compte, elle risque de le relativiser « Ça n'a aucune importance... » ou de jouer l'effacement : « Je ne m'agace jamais de ce genre de choses. » Cependant, tout le reste de la journée, elle se montre froide et distante à votre égard ; à votre tour de vous sentir rejetée et honteuse. Il se peut également que, dans un accès de colère, elle vous lance : « Je n'arrive pas à croire que tu sois tellement en retard ! Tu as gâché toute notre après-midi ! » Elle utilise alors le masque du reproche... pour vous mettre en accusation.

C'est peut-être à elle de gérer son sentiment que vous ne lui accordez pas suffisamment d'importance, mais quoi qu'il en soit, la « balle de honte » est entre vos mains. La solution, comme c'est toujours le cas dans un lien solide, est de gérer cela sans vous laisser emporter. Même si votre amie est pour l'instant incapable de réagir de cette façon, vous vous sentirez mieux en restant dans l'affectif ; vous devez donc partir du principe qu'elle se protège du sentiment que vous la traitez de façon condescendante. Donc, après avoir subi son silence outragé pendant dix minutes, vous pouvez dire : « Je commence à me demander si tu n'es pas un peu en colère contre moi à cause de mon retard. À ta place, je pense que j'aurais été vexée. Mais je crois que nous sommes assez amies pour que tu puisses te fâcher contre moi sans que cela ne nous remette en cause toutes les deux. »

Les six masques de défense apparaissent souvent de façon subtile et détournée, et se remarquent à peine dans la conversation ; néanmoins, vous notez peut-être un léger changement qui vous fait vous sentir coupable, idiot ou impoli. Imaginons que vous félici-

© Groupe Eyrolles

tiez un proche : « Bravo pour ton prix ! » Désireux de dissimuler sa honte à l'idée de paraître vaniteux, il enfile le masque de l'effacement : « Il fallait bien qu'ils le donnent à quelqu'un, c'est tombé sur moi… » Ou bien une autre situation : avec un ami, vous choisissez un restaurant pour dîner ; en entrant, vous remarquez : « C'est vraiment bruyant, ici ! » Lui, pensant que vous lui faites un reproche : « Ce n'est pas toi qui as dit que tu aimais l'ambiance ? » Vous ne réagissez pas, mais vous comprenez ce que révèle le ton de reproche dans sa voix.

Quand vous vous adressez à quelqu'un, la meilleure approche consiste non seulement à entrer dans l'affectif, mais à traiter en même temps la honte sous-jacente. Faites savoir à l'autre que vous ne jugez pas : vous avez ressenti les mêmes choses. Montrez que vous l'appréciez toujours autant, par exemple en mentionnant un trait de sa personnalité que vous appréciez particulièrement ou en faisant référence à votre relation et votre passé commun. « Nous nous sommes déjà fâchés, nous allons nous en sortir. »

Ainsi, quand votre ami vous dit « Il fallait bien qu'ils le donnent à quelqu'un, c'est tombé sur moi », vous pouvez répondre : « Ne t'inquiète pas, je ne vais pas te trouver arrogant si tu manifestes un peu de fierté bien placée. Tu mérites vraiment ce prix. À ta place, je serais aux anges. »

Lorsque vous remarquez que le restaurant est bruyant et que votre ami vous reproche ce choix, n'acceptez pas le reproche, mais ne le retournez pas non plus : « Ni toi ni moi ne pouvions savoir que ce serait aussi bruyant, mais je crois que nous sommes d'accord sur le fait que nous n'avons pas envie de dîner ici. »

Il peut arriver que vous tentiez d'établir un lien avec une personne dont la vie entière est fondée sur l'un des six mécanismes de défense. Ces types d'individualités sont tellement pris dans le rang, et mènent contre leur bourreau intérieur une lutte si acharnée, qu'elles ont tendance à raviver celui de leur interlocuteur. La meilleure défense dans cette situation consiste à identifier ce qui se passe et à rester dans l'état d'esprit du lien, à vous sentir en empathie avec le « blocage » de l'autre plutôt que rejeté et inférieur.

Les six masques en action

Imaginons : vous êtes une jeune femme, et vous partez en randonnée avec votre petit ami et un autre couple, Patrick et sa nouvelle fiancée Isabelle. Votre compagnon connaît Patrick depuis des années, ils jouent ensemble au rugby. L'un et l'autre, en grande conversation sportive, se sont laissés distancer sur le sentier. Vous le savez, ils espèrent que vous vous entendrez bien avec Isabelle, ce qui vous permettrait de passer davantage de temps tous les quatre.

Vous êtes au courant qu'Isabelle a traversé récemment une période difficile : sa mère est décédée de façon soudaine cette année, et Isabelle elle-même vient d'apprendre qu'elle avait un problème cardiaque qui nécessitera peut-être une opération. Comme c'est une grande sportive, fan de triathlon, vous imaginez que c'est un coup dur pour elle. Vous ne voulez pas l'attrister en mettant ces sujets sur le tapis, mais vous avez envie de recourir à l'« IDEE » si elle accepte de recevoir votre attention. Vous espérez comprendre la situation, et pensez le lui dire pour qu'elle sache que c'est important pour vous. Plus encore, vous être prête à lui offrir votre empathie. Ce que vous ignorez, en revanche, c'est qu'Isabelle détestait sa mère, et que sa participation à des compétitions de triathlon est largement motivée par une attitude de perfectionnisme. Du coup, son problème cardiaque est pour elle source d'une honte intense. Dans la conversation qui suit, vous retrouvez les six masques protecteurs.

Innocemment, vous dites :

– J'ai l'impression que tu as eu une année particulièrement difficile.

– Oh, ce n'était pas si terrible. (*Masque de la relativisation*)

Vous êtes un peu désarçonnée, mais vous cherchez à la comprendre : peut-être minimise-t-elle l'événement pour ne pas vous charger de ses problèmes. Devez-vous mettre en mots une partie de ce qu'elle relativise ? Ce ne sera peut-être pas de son goût, aussi vous montrez-vous une grande délicatesse :

– Patrick m'a parlé de ton problème cardiaque. Ça doit être dur de se faire à cette idée.

– Tout le monde me dit ça. Comme si on pouvait s'habituer à l'idée de subir une opération à cœur ouvert... Je déteste faire pitié (*Elle vous reproche de montrer de la pitié comme « tout le monde »*).

– Bien sûr, répondez-vous. Personne n'aime ça.

Puis, pour continuer à créer du lien, vous poursuivez :

– Je sais aussi que tu as gagné deux triathlons. Qu'est-ce que tu as ressenti ?

– Je ne cours pas pour gagner. (*Masque de l'effacement*)

Vous aimeriez montrer votre empathie, lui signifier que vous comprenez les sentiments que peut cacher cette réplique froide.

– On dirait que tu en es plutôt fière. Alors, le triathlon, pour toi, c'est une question d'entretien du corps ?

– Pas vraiment. Disons que j'aime bien aller au bout de tout ce que je commence. (*Masque du perfectionnisme*)

– Tu es fière d'aller au bout de toi-même, c'est ça ?

– En fait, la fierté m'ennuie plutôt. (*Masque de la fanfaronnade : comme elle croit que la fierté vous intéresse, elle se montre supérieure à vous en faisant mine de l'ignorer.*)

Vous êtes un peu à court d'idées, vous décidez de tenter le tout pour le tout.

– Nous avons un point commun, tu sais. J'ai perdu ma mère quand j'étais à l'université. Il m'a fallu trois ans pour dépasser ça.

– Mes condoléances. De mon côté, ça va plutôt bien, mais on dirait que ça t'a énormément peinée. (*Masque de la projection*)

Il y a toutes les chances qu'en ce moment vous vous sentiez au plus bas devant cette femme de fer. Les masques étaient subtils, et vous ne les avez reconnus que par les sentiments qu'ils vous inspiraient : vous vous êtes sentie idiote d'accorder de l'importance à ce qu'elle relativisait, coupable à cause de votre « pitié », grossière quand vous avez parlé de compétition à une personne qui se situe au-delà de cette notion, impressionnée quand elle a affirmé son perfectionnisme dans tous les domaines, inférieure quand elle vous a dit que la fierté l'ennuyait, et bouleversée quand elle vous a renvoyé à la douleur d'avoir perdu votre mère. Elle vous a lancé une énorme « balle de honte »... que vous avez saisie au vol.

À vous !

Voici quelques suggestions de réponses qui restent dans le lien et peuvent empêcher la honte de s'installer entre vous. Elles peuvent ne pas vous venir spontanément, il faudra vous entraîner, et malgré cela, avec des personnes comme Isabelle, cas extrême s'il en est, il se peut que vous rencontriez des masques protecteurs plus puissants encore. Mais au moins demeurerez-vous dans l'affect tout au long de votre conversation, la meilleure protection contre la honte.

* *Quand Isabelle prétend que son année n'a pas été « si terrible »*, vous pouvez dire : « Ce serait compréhensible qu'elle l'ait été, non ? » Ainsi, vous montrez par vos paroles qu'être bouleversé par les événements récents ne serait pas honteux, mais parfaitement normal.

* *Quand elle annonce : « Tout le monde me dit ça. Comme si on pouvait s'habituer à l'idée de subir une opération à cœur ouvert... Je déteste faire pitié »*, vous pouvez également « normaliser » la situation : « Personne n'aime ça » tout en poursuivant, avec une douce ironie : « Ça te gêne que les gens puissent penser que tu as peur ? »

* *À son commentaire : « Je ne cours pas pour gagner »*, vous pouvez répliquer : « C'est une façon très intéressante d'aborder le triathlon. L'avantage, c'est que si tu craques pendant l'épreuve, tu ne t'en veux pas de ne pas avoir gagné malgré tes efforts. »

* *Quand elle dit qu'elle « aime aller au bout de tout ce qu'elle commence »*, vous pouvez opposer à son perfectionnisme un reflet de l'affection qui l'attend dans un nouveau type de relation : « C'est une belle façon de prendre la vie, même si je suis sûre que Patrick t'aimerait, que tu réussisses ou non. »

* *Quand elle fanfaronne en lançant « la fierté m'ennuie un peu »*, vous pouvez dire (pour autant que vous n'en ayez pas déjà par-dessus la tête de ses grands airs !) « Et moi, je pense qu'elle t'irait très bien ; tu dois être encore plus charmante quand tu es fière de toi. »

* *Et pour finir, quand elle suggère qu'elle va bien, mais que le décès de votre mère vous a abattue*, vous pouvez refuser sa projection et l'inviter à se sentir comme tout le monde, ni meilleure ni pire : « Certains jours, je suis comme toi, j'ai l'impression que tout va bien ; mais parfois, je suis comme tout le monde, inconsolable d'avoir perdu ma mère. »

S'adapter à l'attachement évitant de l'autre

Comme nous l'avons vu dans le chapitre 3, les personnes insécures évitantes font tout pour montrer qu'elles n'ont pas besoin des autres. Blessées de n'avoir pas reçu d'amour pendant leur enfance, elles le recherchent à présent inconsciemment ; plus que tout, elles doivent se protéger de la honte d'avoir à en demander, au risque d'être rejetées à nouveau. Mieux vaut pour elles se montrer indifférentes ou en position d'autorité, et dissimuler ce qu'elles ressentent quand les autres leur témoignent leur affection ; elles agissent donc comme si elles n'en avaient pas besoin. En vous rapprochant de ces personnes pour établir un lien, vous éveillez à la fois leur pire crainte et leur plus fol espoir. Pour toute réponse, leur attitude vous signifie : « Je vois à quel point tu as besoin d'amour, mais de mon côté je ne suis pas désespéré à ce point. » En d'autres termes, elles projettent leurs sentiments sur vous.

Si votre bourreau intérieur est facilement activé, il se peut que vous cessiez toute tentative de rapprochement dès lors que vous vous trouvez en présence d'une personnalité évitante car les résistances que vous rencontrez ressemblent beaucoup trop à un rejet.

Un « évitant » vraiment charmant

Imaginons : vous êtes une jeune femme et vous rencontrez un homme charmant... jusqu'au moment où il comprend que vous l'appréciez, il devient alors lointain, voire cassant. Vous l'appelez deux ou trois fois, mais il ne prend pas vos messages et ne vous rappelle pas. Vous vous sentez repoussée et décidez de passer à autre chose ; mais c'est justement ce jour-là qu'il vous rappelle et vous parle au téléphone comme si vous étiez les meilleurs amis du monde. Prendre un café avec lui ? Pourquoi pas ? Vous acceptez... et il oublie le rendez-vous. Vous lui téléphonez, furieuse ; il s'excuse et finit par arriver, essoufflé et en retard. Victoire ? Non, car dans le café, il croise

© Groupe Eyrolles

une autre amie, à qui il parle longuement en vous ignorant superbement. Fin de l'histoire, vous ne sortirez plus jamais avec lui ! Sauf qu'à la fin de la soirée, il redevient charmeur, et vous craquez de nouveau. Aussi, quand il vous invite à dîner le vendredi suivant – il vous appellera, c'est promis ! – vous croyez à sa promesse. Et, bien entendu, le vendredi suivant, vous passez la soirée à attendre ne serait-ce qu'un mot de lui. Ce n'est que le lendemain que vous recevez un mail : il n'a pas pu se libérer, car il était débordé... et il le reste pendant des mois. N'importe qui s'agacerait de ce comportement ; mais pour vous, il s'agit d'une vraie relation toxique.

Il arrive qu'une personnalité évitante soit « en cours de guérison » et qu'elle recherche le lien, ou au moins le souhaiterait. Si elle a des qualités qui vous attirent, vous pouvez tenter de vous lier à elle, en vous considérant comme une partie de l'équipe de soins qui cherche à reconstruire sa sécurité. Vous n'avez pas le pouvoir de rassurer une personne insécure avec seulement quelques conversations, mais vous pouvez lui offrir votre attention sincère, comme à toute autre personne. Cela constituera pour elle une expérience nouvelle. Prenez toutefois garde de ne pas vous laisser emporter par votre désir de l'aider, il peut vous pousser à lui promettre davantage que vous ne pouvez donner : si plus tard vous deviez faire machine arrière, vous ne feriez qu'accroître les peurs de l'autre. Souvenez-vous qu'au plus profond d'elle-même, cette personne recherche un amour inconditionnel, solide et sûr... ce qui ne l'empêchera pas de tester l'affection que vous lui montrez en vous repoussant de temps à autre.

Vous protéger des schémas de l'autre

Vous est-il déjà arrivé, au début d'une relation qui semblait bien démarrer, de vous retrouver soudain en conflit avec l'autre ? De vous sentir agressé ou tout simplement en tort, stupide, sans défense et honteux ?

Chicorée, le chien de la honte

Imaginons par exemple que, jeune femme célibataire, vous participez à un congrès en province ; le soir, vous sortez avec quelques spécialistes de votre domaine d'activités. Vous vous trouvez peut-être déjà sur le registre de la comparaison et vous vous inquiétez de ce que les autres peuvent penser de vous ; toutefois, vous êtes décidée à passer outre et à créer du lien avec l'homme assis à côté de vous. Au début, tout se passe bien. Il vous raconte qu'il est marié et qu'il a deux enfants. Vous lui posez des questions sur ces derniers ; quand il vous dit qu'ils lui manquent, vous compatissez. Il vous demande à son tour si vous avez des enfants. À vous de recevoir son attention, aussi vous révélez un peu de vous-même : non, vous n'avez pas d'enfants, mais votre chien vous manque. C'était de votre part presque une plaisanterie ; mais il vous répond, hautain : « On dirait que votre chien est un peu comme votre bébé ! »

Vous repensez au dressage de votre chien ; non, vous ne traitez pas Chicorée comme vous le feriez d'un enfant. Serait-ce anormal de penser à son animal de compagnie quand on est loin de lui ? Vous tentez de vous expliquer sans tomber dans un mécanisme de défense ; vous répondez simplement : « Non, je ne crois pas. Je ne vois pas mon chien comme mon enfant. »

Votre interlocuteur ignore votre réponse : « C'est bien les femmes, ça. Il leur faut toujours qu'elles se plaignent de quelque chose. Quand ce n'est pas de leurs enfants, c'est de leur chien. Si vous saviez comme ça m'exaspère, ces gens qui accordent tant d'importance à leur animal de compagnie ! »

Vous voilà déconcertée : vous tentiez de vous montrer amicale, et vous vous retrouvez embarquée dans un débat idiot. Vous vous sentez gênée : que penseront les autres convives s'ils entendent votre discussion ? La honte plane au-dessus de vous. Et, *franchement,* votre golden retriever est-il si important à vos yeux ? Ça y est : le bourreau intérieur est en action.

Les signes d'un schéma émotionnel vous sont déjà familiers. La voix de votre interlocuteur semble se remplir d'émotion, elle monte en volume et déraille, ou au contraire devient basse et glacée. D'étranges ombres menaçantes planent sur la conversation ; les mots « toujours » et « jamais » apparaissent. Vous allez être blâmé, étiqueté, classé et jugé insuffisant. Avec certaines personnes très « rationnelles », chaque discussion devient un débat, qui tourne lui-même rapidement au monologue destiné à vous montrer à quel point vous avez tort. Parfois, également, les signes sont plus subtils, et vous vous rendez seulement compte que vous vous sentez coupable ou idiot, à moins que votre cœur se mette à battre la chamade et que votre estomac se noue. Si vous ne prenez pas conscience de ce qui se passe en vous, le bourreau intérieur prend le dessus.

Lorsqu'un schéma émotionnel est déclenché, le lien est interrompu, au moins momentanément. Vous ne connaîtrez peut-être jamais les traumatismes qui se cachent sous les schémas de votre interlocuteur ; aussi, toute discussion rationnelle est inutile. Si vous ne devez jamais revoir cette personne, le mieux est sans doute d'en dire le moins possible et de vous éloigner à la première occasion. Une fois seul, à présent que vous comprenez son fonctionnement, vous pourrez plus facilement calmer le bourreau intérieur. Peut-être même trouverez-vous un ami avec qui en parler.

Si, au contraire, malgré son comportement et ses propos sur certains sujets, vous appréciez toujours la personne en face de vous, il existe certains comportements grâce auxquels vous pourrez minimiser les dommages pour vous et votre relation. À long terme, si vous parvenez à gérer intelligemment les schémas émotionnels de l'autre, cela peut déboucher sur une amitié plus solide.

Outils pour minimiser les dommages

* N'entrez pas dans le débat. Ne vous laissez pas aspirer. Continuez à parler, si possible en vous observant « de l'extérieur ». Si vous le pouvez, changez de sujet de façon douce et délicate.

* Continuez à créer du lien. Gardez en mémoire ce qui vous plaît chez cette personne. Son schéma émotionnel n'est qu'une partie d'elle. Ce que vous voyez est simplement une perte de contrôle due à un traumatisme passé. Vous pouvez apprendre sur elle des éléments qui peuvent renforcer votre relation. Au cours de cet épisode, notez tout ce qui peut vous rapprocher, et profitez-en pour le dire : « Là-dessus, nous sommes d'accord », ou « J'ai eu le même problème. »

* Ne cherchez pas à protéger votre amitié en vous montrant systématiquement d'accord. Une partie de votre interlocuteur désire que vous restiez solidement campé sur vos positions plutôt que de vous laisser entraîner dans les abysses de son schéma émotionnel. Évitez surtout d'être d'accord avec des phrases du genre : « Je suis nul, je ne vaux rien. Dites : « Je t'entends, mais je ne suis pas d'accord. »

* Ne restez pas silencieux. Votre silence serait interprété en fonction des projections du schéma émotionnel. Votre interlocuteur pourrait croire que vous êtes d'accord, ou le contraire, que vous le détestez ou l'adorez, que vous cherchez à le tromper, etc. Dites-en assez pour ne pas le laisser s'enfoncer dans ce qu'il imagine être vos pensées. Montrez un intérêt tempéré et amical.

* Soyez attentif aux mécanismes de défense, et répondez-y (chez lui comme chez vous). Acceptez votre peur de la honte, et celle de l'autre, faites de votre mieux pour la réduire. *« Je sais que tu me reproches ceci, apparemment, l'un de nous deux se trompe. Mais peut-être n'est-il pas obligatoire de décider qui a tort et doit porter la responsabilité. Tout ce que nous avons à faire, c'est comprendre ce qui se passe pour éviter que ça se reproduise. »*

* Gardez en mémoire l'existence de la « balle de honte » entre vous. La honte est au cœur de tous les schémas émotionnels. Comme vous, l'autre se sent en danger et honteux.

* Reparlez-en plus tard. Attendez votre prochaine rencontre. Discuter de ce qui s'est passé est essentiel si le schéma émotionnel se déclenche à nouveau. Ce sera sans doute à vous de remettre le sujet sur le tapis, avec délicatesse pour ne pas culpabiliser l'autre : *« C'est étrange, ce qui nous est arrivé hier soir, non ? »*

* Sondez l'autre en douceur si vous ignorez totalement d'où peut provenir son schéma émotionnel. Mettre en mots le traumatisme originel sous-jacent à un schéma est la seule façon de réduire son intensité à long terme.

Se protéger du schéma de ses amis

Jean et Paul sont collègues et amis depuis deux ans. Sur les questions de travail comme sur celles concernant le mariage, ils sont toujours d'accord. Jean pense donc que leur amitié grandit ; mais un jour, il se heurte à un mur.

JEAN : Ça va ?

PAUL : Couci-couça. Juste un peu mal au dos.

JEAN : Désolé pour toi. Je peux faire quelque chose ?

PAUL : Non.

JEAN : Tu sais quoi ? Tu n'as qu'à t'occuper des papiers, je me charge de transporter les colis.

PAUL : Non, non, ça ira.

JEAN : Comme tu veux. Mais tu me laisses les plus lourds, alors.

PAUL : Ça ira, je t'ai dit ! Fiche-moi la paix !

JEAN : D'accord, j'ai compris. Je ne voulais pas t'énerver.

PAUL : Tu ne m'as pas énervé.

JEAN : Tu avais l'air, pourtant. Excuse-moi, je voulais juste te rendre service.

PAUL : Je n'ai pas besoin que tu me rendes service ! Tu es insupportable ! On dirait ma mère, nom d'un chien !

Au cours de ce dialogue, Jean se sent de plus en plus blessé. Paul développe un schéma émotionnel dès qu'il se sent faible. Celui-ci s'est déclenché au moment où il a admis avoir mal au dos, et que Jean lui a proposé son aide. Il a d'abord utilisé le masque de la relativisation (« Ça ira » et « Tu ne m'as pas énervé »), et Jean s'est senti repoussé, comme s'il était mal de proposer son aide. Il est alors entré dans le débat, et Paul lui reproche de s'occuper de ce qui ne le regarde pas, comme une « mère » qu'il semble ne pas porter dans son cœur. Après cet échange, les deux hommes se mettent au travail, n'échangeant pas un mot de la journée, sauf si claquer les portes est un moyen de communication !

Jean ne parvient pas à dépasser l'incident. Il est blessé dans son amour-propre ; son bourreau intérieur le pousse à douter de sa valeur aux yeux de Paul et de façon générale. Pourtant, il refuse de demeurer dans ce sentiment, tout comme il refuse de devoir prendre son collègue avec des pincettes. Aussi, le lendemain soir, il revient sur ce qui s'est passé.

Jean (*sur le ton de la plaisanterie*) : Dis donc, qu'est-ce qui s'est passé hier, quand je t'ai proposé de m'occuper des colis ? On est monté sur nos grands chevaux, non ?

PAUL : *(un peu honteux)* Ouais...

JEAN : Je crois qu'on est pareils toi et moi, on ne baisse jamais les bras. « Bats-toi, tu peux le faire. »

PAUL : C'est vrai. Je trouve ça très bien, d'ailleurs. J'en suis fier.

JEAN : Comme nos pères, c'est ça ? Des hommes, des vrais. Toujours sur le pont. Morts tous les deux à force de ne pas regarder leurs problèmes en face. Si je me souviens bien, le tien refusait qu'on lui examine la prostate ?

PAUL : C'est ça. Comme le tien, qui s'est tué à force de boire.

JEAN : Il était incapable de demander de l'aide. Des hommes, des vrais... Ça ne fait pas vivre vieux, remarque.

PAUL : Tu as raison, mais je ne supporte pas qu'on me traite comme un malade.

JEAN : Un malade ? C'est le type qui me bat à chaque fois au tennis qui me dit ça ? Je vais te dire : la prochaine fois que tu as mal au dos et que je peux t'aider un petit moment, qu'est-ce que je dois faire ?

PAUL : Je pense que je pourrai te laisser t'occuper des colis... un petit moment.

Ce que Jean a fait cette fois-ci :

* Il évite le débat.

* Il prête davantage d'attention au masque de la relativisation chez Paul en parlant de la honte sous-jacente.

* Il s'en tient aux points sur lesquels il pense que Paul et lui sont d'accord ; ainsi, il reste dans la relation.

* Il ne prétend pas savoir ce qui se passe dans la tête de son ami, en disant par exemple qu'il doit avoir peur de ce que son père penserait de lui. À la place, il laisse Paul s'exprimer librement.

* Il admet qu'ils ont tous les deux un problème pour recevoir de l'aide, ce qui réduit d'autant plus les sentiments de honte de Paul.

* Il mentionne le traumatisme dont il a connaissance et qu'il suppose être à l'origine du schéma émotionnel de Paul.

Remarquez que Jean ne va pas plus loin. À lui seul, il ne peut pas guérir le traumatisme, ni même l'affecter de façon importante. Il ne peut pas débarrasser son ami de son schéma émotionnel. Tout ce qu'il cherche à faire, c'est mettre un terme à la situation de rang en faisant valoir à Paul que lui, Jean, ne se sent pas supérieur ni en position de juger son problème de dos ou sa susceptibilité à ce sujet. Au lieu de cela, il cherche à lui montrer qu'ils ont beaucoup en commun. Durant toute cette conversation, Jean se sent proche de Paul, même si celui-ci se montre d'abord plutôt distant.

Pour finir, Jean demande à Paul comment il est censé gérer son schéma émotionnel à l'avenir. C'est toujours une bonne stratégie. Pendant la conversation, Jean cherche à créer avec Paul un lien utile, une relation d'aide, tout en empêchant son propre bourreau intérieur de faire des siennes.

À vous !

Vous avez peut-être commencé à utiliser les acronymes « SAGE » et « IDEE » dans vos rapports avec les autres. Voici quelques exercices pour améliorer ces nouvelles capacités.

Essayez d'établir ce type de relation avec deux personnes différentes : un ami proche et un inconnu. Pour chaque exemple, vous devrez repenser d'abord à une situation connue, puis écrire un dialogue ou scénario imaginaire dans lequel vous gérez différemment la situation en restant dans le lien et en vous protégeant de la honte liée à votre bourreau intérieur.

* Souvenez-vous que pour débuter un lien, vous voulez être « SAGE » : Souriez, Admirez, Écoutez et montrez de la Gentillesse.

* Quand vous avez établi ce premier contact et que la conversation se poursuit, passez à « IDEE » : Impliquez-vous, Décryptez la situation, Exprimez ce que vous sentez ou ce que vous aimeriez faire des désirs et des besoins de l'autre, et montrez votre Empathie.

* Quand vous vous sentez prêt, positionnez-vous en « récepteur » avec deux personnes issues d'environnements différents, par exemple un membre de votre famille et un collègue.

* Repensez à des occasions où vous avez tenté en vain de créer un lien, qui vous ont laissé un sentiment négatif sur vous-même. En distinguez-vous certaines où l'autre utilisait un ou plusieurs masques de défense, et où vous avez eu honte ? Si vous n'en retrouvez pas, imaginez-en une. À présent, écrivez votre scénario imaginaire dans votre journal de bord.

* Essayez de penser à un ami ou à un partenaire amoureux, présent ou passé, qui présentait un type d'attachement évitant ; rappelez-vous comment il s'est d'abord montré chaleureux, puis glacial, réveillant ainsi votre bourreau intérieur et vous mettant de plus en plus mal à l'aise. Si personne ne vous vient à l'esprit, imaginez une situation. Écrivez votre scénario imaginaire en faisant de votre mieux pour rassurer sa part évitante en lui offrant de la sécurité dans le lien sans accepter pour autant de tenir le rôle dévalorisant de celui qui quémande de l'amour.

* Repensez à un épisode où, au cours d'une conversation avec une personne avec qui vous pensiez entretenir un lien solide, l'autre s'est soudain retrouvée pris dans un schéma émotionnel, vous plongeant dans des sentiments négatifs. Cette personne vous parlait sur un ton véhément, vous empêchant de vous défendre, ou elle vous accusait de quelque chose que vous n'aviez pas fait ; quoi qu'il en soit, vous avez senti le bourreau intérieur prendre le dessus. Si aucune scène réelle ne vous revient à l'esprit, imaginez-en une. De nouveau, rédigez votre scénario.

Se lier à sa part innocente

Passer du rang au lien est un outil précieux pour alléger vos sentiments d'insuffisance, mais tout en sachant que c'est nécessaire, vous n'y parviendrez pas. Peut-être vous sentirez-vous trop en infériorité ou trop effrayé pour courir ce risque, ou bien ne verrez-vous simplement pas quoi y faire pour y remédier. Dans ce chapitre, nous allons travailler sur les obstacles profonds et inconscients au lien. Il s'agit de dénouer les effets des traumatismes qui ont poussé votre inconscient à se méfier du lien et à craindre le jugement et la honte.

Les pensées inconscientes peuvent émerger à la conscience si l'on prête attention aux émotions et aux sensations physiques, en utilisant rêves et exercices d'imagination guidée appelés « imagination active ». Comme l'inconscient cherche à dissimuler ses secrets, on a besoin d'un tiers pour le pousser dans ses retranchements, d'où bien souvent le recours à une thérapie. Toutefois, une part prédominante de l'inconscient souhaite communiquer avec vous. Nous possédons tous une force destinée à guérir de nos blessures psychologiques, tout comme notre corps sait cicatriser ses blessures. Il faut simplement apprendre le langage de l'inconscient, qui communique *via* les images et histoires de nos rêves. Il se peut que vous trouviez ces méthodes peu orthodoxes, mais croyez-moi, elles fonctionnent, et bien mieux que les avis ou les suggestions. Une des plus importantes voies d'accès à notre inconscient est le recours à l'imagination active pour contacter notre « part innocente ».

La part innocente traumatisée

Nous venons au monde avec l'attente du lien à l'autre, et le désir de prendre notre place et notre rang dans le groupe. Dans l'idéal, ce besoin de rang est comblé par des personnes avec qui nous sommes dans le lien, en premier lieu nos parents. Dès la naissance, vous avez été préparé à connaître des défaites dans votre groupe, mais aussi à recevoir protection et sécurité, de la part des adultes tant que vous êtes enfant, et de la part de vos pairs par la suite. Quand ces attentes ne trouvent pas de réponse, vous êtes sous le choc, vaincu, et souvent honteux. Quelle part de vous encaisse ce choc ? La part innocente et confiante.

La part innocente peut être vous enfant, ou celui que vous êtes aujourd'hui. Vous pouvez décider qu'elle a l'âge que vous aviez lors de votre premier traumatisme lié à un pouvoir abusif. En général, ces premiers traumatismes ont lieu dans l'enfance, mais pour certains, ils se produisent seulement à l'âge adulte, par exemple : « J'ai perdu mon innocence le jour où j'ai découvert que ma femme me trompait. » Parfois, nous perdons notre innocence car nous ne sommes pas préparés au fait que le monde n'est pas toujours juste et doux, que la nature a ses dangers, qu'on peut être licencié de son travail du jour au lendemain, que la santé n'est pas un droit mais un privilège, et que la perte et la mort sont inévitables. Le jour où nous sommes confrontés à ces réalités, une peur et une tristesse insupportables nous envahissent, signes du traumatisme.

Que le traumatisme se soit produit dans l'enfance ou à l'âge adulte, il nous faut avancer, même si les sentiments nous dépassent. On ne peut se permettre de ruminer sans fin les événements passés, ou cesser de vivre à cause de notre malaise. Nous cachons alors nos sentiments, aux autres comme à nous-mêmes. La part innocente est cette partie de nous qui souffre encore du traumatisme et ne peut s'en éloigner tant que nous ne prenons pas conscience de son existence.

La part innocente est un élément clivé de notre personnalité, mais elle existe bel et bien, et quiconque cherche à guérir de son bourreau intérieur doit apprendre à la contacter car lorsqu'elle pense risquer un nouveau traumatisme, elle utilise une parade instinctive à base de culpabilité, voire d'autoculpabilisation, et de honte. Cette parade met à mal votre amour-propre et active la réponse à la défaite, avec son lot de sentiments négatifs et de dépression, afin de vous éviter de défier ceux ou celles qui, aux yeux de la part innocente, semblent trop puissants pour vous. Votre objectif est donc d'utiliser l'imagination active pour expérimenter le traumatisme originel dans toute sa réalité, afin qu'il ne soit plus écarté, puis de travailler en douceur avec votre part innocente pour vous décharger de ses réponses et défenses instinctives… et désormais inadaptées.

L'imagination active, un remède au traumatisme

L'imagination active fut initialement découverte par le psychiatre suisse Carl Jung, puis reprise par d'autres pour aider leurs patients à atteindre des parts de leur psyché clivées à cause d'un traumatisme et menant une sorte d'« existence indépendante[1] ». L'imagination active n'est ni une rêverie, ni de l'imagination au sens habituel du terme, mais un dialogue entre votre conscient et la partie de votre inconscient avec laquelle vous souhaitez entrer en contact, ici la part innocente. Aussi étrange que cela puisse paraître, il est préférable que vous parveniez à considérer la part innocente comme une personnalité différente qui vivrait en vous. Dès que vous aurez appris à mieux la connaître, vous pourrez commencer à intégrer ce qu'elle représente dans votre vie consciente, où il sera plus simple de négocier avec elle. La première étape avant de l'aider consiste à la convier et à lui demander ce qu'elle a envie de dire ou de faire. Au fond, vous cherchez à créer du lien avec elle.

---

1. C. G. Jung, *L'Âme et le soi, renaissance et individuation*, Albin Michel, Le livre de poche, 1990. R. A. Johnson, *Inner Work : Using Dreams and Active Imagination for Personal Growth*, New York HarperOne, 1986, non traduit. Hal Stone and Sydra Stone, *Le dialogue intérieur, connaître et intégrer nos subpersonnalités*, Souffle d'Or, 1997.

Si, par exemple, un groupe d'enfants vous a ostracisé quand vous étiez petit, il se peut qu'aujourd'hui, lorsque des collègues partent déjeuner ensemble sans vous prévenir, votre part innocente en déduise hâtivement qu'ils vous excluent de façon volontaire, et en conclue que vous n'avez aucune valeur. En conséquence, vous prenez votre pause déjeuner avant tout le monde, avant que l'on vous rejette… mais aussi avant qu'on ait le temps de vous inviter. Cette réponse « de rang », issue du traumatisme ancien, est totalement disproportionnée par rapport à la situation, et vous prive de l'opportunité de vous lier aux autres. Grâce à l'imagination active, vous pouvez contacter cette partie de vous et changer ses réponses en profondeur et de façon durable. Le principe est de comprendre les sentiments de la part innocente et de les rendre moins puissants et envahissants en les acceptant, ce qui vous épargnera à l'avenir de fuir les situations susceptibles de les déclencher à nouveau. Ainsi, vous n'aurez plus à vous sous-estimer ni à utiliser les masques qui protègent du sentiment de honte, le schéma émotionnel de la part innocente sera moins souvent déclenché. Percevant moins de rang et davantage de lien autour de vous, vous serez enfin libre de choisir le lien.

Aider la part innocente

L'imagination active consiste à parler à votre part innocente en souhaitant *vraiment* qu'elle réponde. Il s'agit d'un dialogue entre deux « personnes » : vous et une partie autonome de votre personnalité. Il faudra d'abord faire preuve d'attention et de patience, comme si vous attendiez l'apparition d'un orateur sur scène.

Quand la part innocente apparaîtra, il se peut qu'elle ne parle pas immédiatement, vous la verrez peut-être juchée sur la petite bicyclette de vos quatre ans, ou comme cet enfant de deux ans qui pleure seul dans son coin, ou encore comme cette jeune femme de vingt ans qui tombe amoureuse. Que cet « innocent » parle ou se contente d'agir, vous répondrez en montrant vos sentiments. S'il vous demande comment vous allez, soyez très honnête. S'il est en train d'apprendre à nager, vous pouvez lui dire : « Cela a l'air difficile et frustrant – est-ce que je pourrais t'aider ? ». Imaginez de quelle façon vous pouvez lui venir en aide.

Ensuite, attendez et écoutez. La part innocente peut vous répondre : « Tout le monde a essayé de m'apprendre à nager. Tu n'y arriveras pas plus que les autres. Je ne sais pas mettre ma tête sous l'eau, je ne peux pas. » Vous poursuivrez le dialogue. La clé est de rester concentré sur la scène où apparaît la part innocente, de la laisser parler et agir comme elle le souhaite, en totale autonomie.

Si vous pratiquez l'imagination active dans le but de guérir de votre traumatisme, votre part innocente et vous finirez toujours par revenir à cette blessure originelle et aux sentiments qui en ont résulté. Que feriez-vous si une personne que vous aimez avait été victime d'abus ou de maltraitance ? Vous la ramèneriez chez vous, la réconforteriez, l'écouteriez quand elle serait prête à parler pour l'aider à faire sens sur son expérience. Cette forme d'amour, qui évoque celle d'un parent pour son enfant, est nécessaire pour reconstruire son sentiment de sécurité, qui seul peut aider à rejeter les sentiments de honte et de dépression, à reconstruire son amour-propre et à éviter de se placer systématiquement en position de rang, de classement. Même si votre part innocente est adulte, il lui faudra régresser et « retourner voir Maman » un moment. Elle a besoin, vous avez besoin, de soins avant de repartir à l'assaut du monde.

Malheureusement, si vos propres parents ne savaient pas comment vous réconforter et vous aider à reconstruire votre sentiment de sécurité, vous ne pouvez l'avoir appris par vous-même. On peut devenir un bon parent malgré cela. Les victimes de traumatismes doivent apprendre à parler de ce qui leur est arrivé, sans se sentir impuissantes ni indignes pour retrouver un sentiment de sécurité et d'amour-propre. Cela ne peut se faire qu'en présence d'un tiers capable de les rassurer et, au besoin, de les aider à interpréter différemment les événements qu'elles ont vécus. C'est ce rôle que vous remplirez auprès de votre part innocente.

Devenir son propre parent : une solution discutable ?

Cette idée de se « reparentaliser » soi-même n'est pas toujours la meilleure. Vous n'êtes pas forcément la personne la mieux placée pour offrir à votre part innocente un nouveau parent, en particulier si votre bourreau intérieur est particulièrement puissant. Dans ce cas, vouloir reparentaliser la part innocente revient à demander à un enfant bouleversé de s'occuper seul de lui-même, ce dont il est incapable. La part innocente désire plus que tout avoir à ses côtés quelqu'un qui puisse l'aider et lui offrir son amour. Par ailleurs, il se peut que vous n'ayez tout simplement pas en vous un parent adéquat, et que, sans vraiment pouvoir vous l'expliquer, vous soyez furieux contre votre part innocente. Quand elle convoque sa part innocente, une de mes patientes imagine qu'elle la roue de coups, elle la déteste d'être si faible et de lui causer tant de tracas. C'est pour cela qu'elle a besoin d'une thérapeute : ensemble, nous cherchons à comprendre la raison de ces accès de colère afin de les résoudre.

Peut-être avez-vous aussi besoin de travailler avec un bon psycho-thérapeute[1]. D'autres parviennent à affaiblir leur bourreau inté-rieur avec l'aide d'une personne avec qui elles ont un lien profond, durable et plein d'amour. Ce livre peut vous aider dans ce proces-sus, mais il s'agit d'abord de faire vous-même des progrès.

Votre objectif pour la part innocente

Vous désirez que la part innocente cesse de se voir comme indigne et insuffisante. Il faut d'abord la présenter à votre conscience et lui permettre de s'exprimer en toute franchise. Ceci posé, vous devrez créer un lien avec elle. Pour vous lier à votre part innocente, vous devez l'aimer, l'accepter telle qu'elle est, avec ses sentiments. Cela implique que vous vous intéressiez sincèrement à elle, que vous vous montriez désireux de tout savoir sur elle et, le cas échéant, de combler ses manques et besoins. Cette acceptation incondition-nelle sera de loin préférable à des sermons destinés à la faire penser autrement. Vous éviterez d'agir comme si la part innocente était imparfaite, car c'est ce qu'elle craint déjà le plus. Lorsqu'elle se sen-

---

1. Cf. Annexe 1.

tira en sécurité et acceptée comme telle, le processus de guérison naturelle pourra se mettre en place.

Vous êtes à la recherche d'émotions qu'à un moment donné de votre vie, et pour de bonnes raisons, vous avez cherché à enfouir. Aussi, vous risquez de découvrir chez votre part innocente des sentiments qui vous mettent mal à l'aise, voire dont vous avez honte. Peut-être vous dira-t-elle que vous êtes devenu timide parce qu'elle se trouvait indigne d'amour et voulait seulement disparaître ou s'enfouir dans les bras d'une personne qui l'aurait aimée sans qu'elle ait besoin de dire ou faire quoi que ce soit. Ces sentiments vous paraissent témoigner d'une insupportable faiblesse, d'une dépendance condamnable ? Ne les refoulez pas, ce serait punir de nouveau la part innocente en vous. Au contraire, accepter ses sentiments lui permettra de comprendre qu'elle compte à vos yeux, exactement comme l'amour d'un parent construit l'amour-propre d'un enfant pour sa vie à venir.

Répondre aux besoins de votre part innocente

Avant de pouvoir ouvrir un dialogue avec votre part innocente, vous devez apprendre quelques principes utilisés dans l'éducation des enfants, ou pour aider les adultes à dépasser un traumatisme, sans déclencher leur bourreau intérieur. En appliquant ces principes, pensez que vous êtes la personne raisonnable qui a à cœur l'intérêt de la part innocente. Tenez ce rôle jusqu'au bout, en vous séparant bien d'elle. Même si, avant de commencer une séance d'imagination active, vous ne vous sentez pas particulièrement sensé et sage, vous découvrirez vite que vous pouvez le devenir.

Vous trouverez les mots que formulerait une personne avisée. Comment faire ?

S'ajuster à l'autre et le comprendre

S'ajuster à l'autre, c'est entrer en résonance avec ses émotions. C'est une écoute bien plus profonde que celle qui provient de la déduction logique. Au contraire, l'ajustement à l'autre se produit dans l'hémisphère droit, le côté intuitif et émotionnel du cerveau, qui fonctionne de manière quasi automatique. Quand nous sommes réellement ajustés à l'autre, nous percevons directement ses sentiments, même de façon furtive, intuitivement, nous comprenons les raisons de sa colère, et la partageons souvent.

Une bonne mère fait de son mieux pour s'ajuster en permanence à son enfant. C'est un procédé aussi simple que naturel : quand le bébé sourit, sa mère sourit également ; si l'enfant pleure, la mère est anxieuse. Mais la plupart du temps, une mère n'est pas parfaitement ajustée à son enfant. L'important est qu'elle corrige son comportement pour le (re)devenir.

L'absence de cette capacité d'ajustement chez la mère est anxiogène pour l'enfant. Il arrive que certaines mères soient en permanence non ajustées, par exemple celles qui refusent que leur enfant soit craintif, et ignorent donc systématiquement l'expression de ses peurs, valorisant à l'opposé toutes les manifestations de courage et d'assurance. Cela dit, ce manque d'ajustement ne pose pas seulement problème pour les enfants. Dans la vie courante, nous recevons sans cesse des signes montrant que certains sentiments sont impropres. Au travail, il se peut que Jacques Grandegueule vous agace, ou que votre part innocente le déteste, mais le directeur annonce : « Jacques a fait ces derniers mois un travail remarquable, et je suis certain que vous ne verrez pas d'inconvénient à le seconder un peu dans ses tâches administratives. » De façon délibérée, votre patron ne s'ajuste pas à vos sentiments, qu'il connaît pourtant certainement. Toutefois, pour atténuer le déplaisir que vous cause cette annonce, vous pouvez contacter votre part innocente et lui demander d'exprimer ce qu'elle pense vraiment de Jacques Grandegueule, même si vous n'avez pas d'autre choix que de continuer à travailler avec lui, voire *pour* lui…

Cette capacité à comprendre et s'ajuster aux sentiments de l'autre est l'une des bases de l'« intelligence émotionnelle ». Un sentiment compris et partagé devient réel. Pour vous ajuster à votre part innocente, vous devez identifier ses sentiments et leur faire écho, en lui faisant savoir que vous les connaissez et les comprenez. Votre tâche est donc de vous réajuster à la part innocente chaque fois que vous sentez chez elle une émotion nouvelle. Chaque sentiment aura son importance. Surveillez attentivement les changements, en particulier les plus subtils car un sentiment qui reçoit un ajustement se modifie. La haine se mue peu à peu en compréhension, voire en pardon, la honte devient une acceptation conditionnelle de soi, la peur disparaît… Dans l'attente de ces changements, nous devons nous montrer patients, le contraire signifierait que nous n'acceptons pas pleinement les sentiments existants.

Au cours d'une séance d'imagination active, si votre part innocente, face à un événement qui vous semble important, ne montre pas autant d'émotion que vous l'attendiez – par exemple elle parle comme d'un fait accompli et banal du décès de votre mère quand vous aviez sept ans – ajustez votre écoute aux sentiments que vous attendiez chez elle. Demandez-vous : « Un tel événement ne bouleverserait-il pas n'importe qui ? » Si la réponse est positive, tentez de poser indirectement la question à votre part innocente : « Quand tu me racontes ça, je me demande si tu es triste ou en colère. »

Écoutez et, si nécessaire, posez des questions, mais en montrant que vous êtes réellement intéressé et curieux, et non en plaquant sur votre part innocente des idées toutes faites. Partez du principe que ses sentiments, ses récriminations et autres, ont de bonnes raisons d'être. Au besoin, demandez-lui quelles sont ces raisons avant d'y réfléchir sérieusement. Alors, vous ajouterez la compréhension à votre ajustement émotionnel. Par exemple : « Ainsi, tu es souvent angoissée. Ce qui te fait le plus peur, c'est que quelqu'un pénètre dans la maison, c'est bien ça ? »

Cette dernière question commence à établir une connexion vers la racine du sentiment. Plus encore, elle montre votre compréhension de la situation et nous aimons tous être compris, en particulier pour nous sentir davantage en contact avec nous-mêmes et avancer. Notre confiance en l'autre s'accroît, et c'est bien ce que vous recherchez : obtenir la confiance de votre part innocente.

Se connecter à la cause présente

L'étape suivante consiste à découvrir les racines émotionnelles des sentiments de votre part innocente. Vous pouvez par exemple imaginer un dialogue qui commence par ces mots : « Je sens à quel point tu es triste. Ce qui t'arrive est terrible. » Vous montrez ainsi votre ajustement.

Exprimez ensuite votre compréhension de ses sentiments : « Dans ce projet, on ne t'a pas reconnue à ta juste valeur, quelqu'un d'autre s'est attribué tout le mérite de ta réussite. Pourtant, tu te sens plus triste qu'en colère. C'est logique d'être déprimée. Tu te sens impuissante, en échec. Au fond, tu te demandes si ce n'est pas ce que tu mérites, parce que tu ne parviens jamais à obtenir ce qui te revient. »

Puis, connectez-vous à la cause présente. Si votre part innocente vous en a déjà révélé la teneur, contentez-vous de la reformuler. Parfois, elle-même l'ignore, ou n'y a pas pensé. « Ce qui te fait vraiment peur, c'est ce qui se passera si tu dis quelque chose. Ta collègue Liliane t'a toujours effrayée. Si tu disais à tout le monde que tu es l'auteur de ce projet, elle pourrait s'en prendre à toi – et pas seulement elle, mais toutes ses collègues aussi. »

Se connecter à la cause ancienne

Retrouvez ensuite la cause initiale du traumatisme en demandant : « As-tu déjà senti cela auparavant ? » Il est important de demander à votre part innocente comment elle se sent. Ne partez pas du principe que vous le savez déjà. Souvenez-vous que, même si elle fait partie de vous, c'est une personnalité autonome. Même concernant ce que vous savez déjà d'elle, elle peut avoir des nouveaux éléments à ajouter, un peu à l'instar des rêves qui donnent une nouvelle perspective sur la réalité. Quand elle relie ses sentiments actuels au passé, restez avec elle : elle va se connecter à des sentiments qui vous sont communs.

Dans le cas qui nous concerne, il se peut que votre part innocente évoque un événement que vous connaissez, mais auquel vous n'attachez pas d'importance : cette fois où, à l'école, où on lui avait volé son dessin du Père Noël. C'était un très beau dessin, et elle avait été punie pour l'avoir « perdu » avant de l'avoir montré à la maîtresse. En réalité, un autre enfant avait rendu son dessin à sa place, et il était si réussi que la maîtresse l'avait accroché au mur. Elle n'a jamais voulu la croire quand elle a dit que c'était son œuvre : en général, les dessins de la petite fille n'étaient pas extraordinaires. Toute la classe s'est moquée d'elle. Malgré ses explications, la maîtresse n'a rien voulu savoir. Elle « n'aimait pas les menteuses », et elle a appelé les parents, qui eux non plus n'ont pas cru sa version de votre part innocente. Il est donc tout naturel, des années plus tard, que celle-ci craigne de demander à être reconnue pour un travail que Liliane prétend être le sien.

Il est crucial d'encourager votre part innocente à ressentir et exprimer toute l'horreur du traumatisme originel. En effet, elle est en train de parler de vos sentiments partagés. Pour ne pas rompre le fil de la discussion, vous pouvez répondre : « C'est très triste. Tu as dû vraiment en souffrir. » Continuez à la faire parler.

Un lien pour réparer

Il s'agit maintenant de créer un « lien émotionnel correcteur ». Le terme peut sembler barbare, mais le procédé reste simple. Vous devez fournir à votre part innocente la réponse qu'elle aurait dû avoir dans le passé, celle qui aurait pu l'empêcher d'être la proie de sentiments de honte et de défaite. Si, par exemple, elle décrit un moment où elle était effrayée, dites-lui combien vous auriez voulu être là pour la protéger. Pour notre exemple de dessin volé, vous pourriez dire : « Je sais que c'était ton dessin à toi, et ça me met très en colère que personne ne t'ait crue. Si je pouvais, j'irais parler au directeur de l'école, et ta maîtresse serait renvoyée. » Votre réponse montre votre amour pour la part innocente, le lien corrige et remplace la douleur de l'expérience passée.

Parfois, le seul lien émotionnel correcteur nécessaire est cette écoute attentive, où l'on ajuste ses sentiments, où on les accepte et les comprend. Parfois, aussi, ce lien nécessite des images plus concrètes de ce que vous auriez pu faire pour la part innocente. Peut-être ses parents sont-ils allés trouver le directeur, mais en vain, peut-être en a-t-elle ressenti de la honte pour eux. Le lien correcteur consiste à imaginer ce qui se serait passé si vous aviez été là. Ne vous hâtez pas de fournir un tel scénario à votre part innocente : vous devez d'abord vous ajuster à ses sentiments, la comprendre, et vous connecter à la cause présente aussi bien qu'à la cause originelle. N'oubliez pas non plus de considérer ses sentiments du moment, par exemple qu'elle mérite ce qui lui arrive parce qu'elle est faible, imparfaite, et que les autres enfants l'ont vu. Au contraire, acceptez pleinement ces sentiments, mais proposez aussi votre point de vue, plus juste et compréhensif.

Tout ce que vous dites à la part innocente doit être marqué du sceau de l'honnêteté. Il lui est facile de détecter vos motivations.

Si vous exagérez vos marques de sympathie dans le seul but de la faire changer plus rapidement, elle le saura, et vous perdrez sa confiance.

Être en désaccord, si nécessaire

Vous êtes dans un dialogue. Les émotions ne sont jamais « mauvaises », elles existent, comme la météo. En revanche, il se peut qu'elles soient fondées sur une perception erronée des événements. Aussi devez-vous rester vigilant et proposer vos idées. Si toutefois vous ne parvenez pas à accepter le point de vue de la part innocente, essayez de comprendre en quoi vous la désapprouvez. Est-ce car cela vous met mal à l'aise ? Avez-vous honte d'elle ? Utilise-t-elle un masque protecteur alors que vous tentez de lui fournir des informations plus précises pour comprendre différemment la situation ? Elle peut, par exemple, rejeter la responsabilité sur les autres, pourtant, vous savez que ce schéma doit cesser. Ainsi votre part innocente, dans un accès de colère, peut-elle lancer : « Je m'en fiche de tout ça. Tout ce que je veux, c'est quitter ce travail et ne plus jamais voir ces gens. »

Vous savez que c'est irréaliste, aussi suggérez-vous : « Tu as tellement peur d'attirer l'attention sur toi que ton patron pense que Liliane, qui sait mieux se mettre en avant, a fait ce travail. Peut-être peux-tu montrer davantage ta vraie valeur. En réalité, tu travailles très bien, mais tu te sous-estimes tellement que tu acceptes souvent qu'on te marche sur les pieds : tu te places de toi-même en situation d'infériorité. »

Remercier la part innocente

Pensez à toujours remercier votre part innocente quand elle se montre à vous et s'exprime. Dites-lui que grâce à elle, vous en apprenez beaucoup. Quand vous êtes trop occupé pour ouvrir ou poursuivre le dialogue, expliquez-lui pourquoi et présentez-lui vos excuses, par exemple au début de votre séance suivante d'imagination active.

Remercier une partie de vous-même ? Évidemment, cela peut sembler un peu idiot. Mais encore une fois, garder ainsi votre part innocente séparée de vous présente de nombreux avantages. Si vous entretenez ce dialogue avec elle, elle continuera à vous confier ses sentiments, aussi surprenants et désuets. En retour, vous vous sentirez de moins en moins honteux de certains de *ses* sentiments. En apprenant à les accepter chez elle, vous parviendrez peu à peu à les accepter en vous.

Faire preuve de gentillesse

La part innocente éprouve toute sorte de sentiments dont vous vous êtes dissocié à la suite du traumatisme. Parmi ceux-ci figurent très certainement les reproches qu'elle s'adresse à elle-même (auto-culpabilisation). Même si c'est elle qui vous a poussé à développer le masque du reproche, elle a très certainement commencé par se culpabiliser elle-même. Prenez donc soin de ne pas lui faire de reproches.

Par-dessus tout, évitez de lui faire la morale, de lui donner des conseils (qu'elle ne peut évidemment pas suivre), de la critiquer, de l'insulter ou de blesser ses sentiments. Cela reviendrait à vous positionner à un rang supérieur au sien, à répéter le traumatisme et à renforcer ses sentiments d'insuffisance, d'échec et de honte. Fondamentalement, vous devez l'accepter telle qu'elle est. Souvenez-vous qu'accepter ne signifie pas toujours être d'accord. Vous pouvez dire : « Moi, je ne le vois pas de cette façon, mais je comprends que tu le fasses. » Ainsi, la part innocente apprend peu à peu que ses sentiments ne déclenchent pas votre colère, ne lui aliènent pas votre amour, pas plus que vous ne les réprouvez ou ne vous sentez supérieure à elle.

Une séance d'imagination active : ce que l'on doit offrir à sa part innocente

* **Ajustez-vous.** Indiquez-lui que vous connaissez ses sentiments et ne lui imposez pas les vôtres : « C'est terrible, ce qui t'est arrivé. »

* **Soyez dans la compréhension** : Informez-la que vous saisissez les raisons de ses sentiments dans la situation donnée : « Quand il t'a dit ça, cela t'a fait beaucoup de mal. » Si elle répond que vous vous trompez, laissez-la vous corriger.

* **Connectez-vous à la cause présente** : Tentez de comprendre ce qui a provoqué sa réaction. « Cela t'a fait beaucoup de mal parce que tu attaches beaucoup d'importance à ce qu'il dit ? »

* **Connectez-vous à la cause passée** : Demandez à votre part innocente ce que la situation lui rappelle, ou tentez de deviner ce qui, dans le passé, peut avoir intensifié sa réaction présente. « Cela t'a rappelé les moments où ton père te critiquait méchamment. »

* **Créez un lien émotionnel correcteur** : Réagissez à l'événement passé comme aurait dû le faire une personne aimante. Vous lui montrez ainsi comment elle-même peut réagir, et l'aidez à reconstruire son amour-propre. « Je peux comprendre tes sentiments. Mais ça me met en colère qu'on t'ait

traitée de la sorte, parce que tu ne méritais pas ces critiques. Ceux qui t'ont fait ça n'ont pas d'excuses. »

* Soyez en désaccord, si nécessaire : Contredisez-la avec délicatesse si elle voit la situation de façon erronée, si elle utilise un masque protecteur ou une réponse automatique et dépassée, ou bien encore si elle exige de vous un comportement dont vous savez qu'il ne fonctionnera pas. « Je comprends très bien ce que tu ressens, mais je ne te laisserai pas tout abandonner parce que tu te sens insuffisante. »

* N'oubliez pas les remerciements : Montrez-lui votre attention et votre affection dans les petits détails. « Merci de m'avoir parlé. Cela m'aide beaucoup. »

* Faites preuve de gentillesse : Souvenez-vous que la part innocente est dévorée de honte ; offrez-lui votre amour et votre respect, même si vous devez corriger ses défauts.

À vous !

Préparer sa séance d'imagination active

Bien que certaines séances d'imagination active puissent se dérouler de façon spontanée, elles sont plus efficaces lorsqu'on les prépare à l'avance. Voici quelques conseils.

* Programmez votre séance. L'objectif minimum devrait être d'une séance par semaine, trois ou quatre séances hebdomadaires vous permettront d'avancer plus vite. Choisissez un moment où vous serez certain de ne pas être dérangé.

* Soyez flexible. Il n'y a pas de règles en ce qui concerne la durée de ces séances, mais au début, elles peuvent prendre du temps, et il vaut mieux éviter de se sentir sous pression. Vous pouvez vous contenter de quelques minutes à chaque fois, mais une fois le dialogue engagé, il n'est pas rare que la séance atteigne la demi-heure.

* Choisissez un lieu calme. Coupez vos téléphones. Si vous en avez envie, entourez-vous d'objets qui peuvent vous aider à créer un sentiment de sécurité, voire de sacré.

* Préparez-vous à écrire ce qui se passe. Si, pendant vos séances, ce sont plutôt des actions que des dialogues qui se déroulent, prenez des notes une fois la séance terminée. Mais dans le cas du dialogue, en particulier s'il est long, il est préférable de noter ce qui se dit au fur et à mesure. Distinguez soigneusement qui parle, vous-même ou la part innocente.

* Si vous vous sentez très en colère ou bouleversé, recourez à une aide professionnelle. Il est plutôt rare qu'une séance d'imagination active vous mette dans des états émotionnels puissants. Toutefois, il s'agit de contacter son inconscient, et l'on ne peut donc être tout à fait certain de ce qui est susceptible d'arriver. N'hésitez pas à interrompre la séance et à contacter un thérapeute si nécessaire.

Votre première séance d'imagination active

* Installez-vous confortablement. Mettez-vous dans un état d'esprit détendu, et concentrez-vous sur vous-même. Vous pouvez utiliser la méditation, la respiration profonde, ou toute autre technique pour « entrer » plus profondément en vous.

* Au niveau de votre cœur, imaginez un endroit propice au dialogue, par exemple une scène vide. Invitez votre part innocente.

* Souvent, elle viendra très vite et vous parlera. Si ce n'est pas le cas, demandez-lui si elle a une question à vous poser.

* Si un dialogue s'instaure, respectez les règles de la conversation ; quand vous avez fini de parler, laissez-la s'exprimer spontanément. N'hésitez pas à lui répondre quand elle a terminé.

* Si elle ne parle pas mais se consacre à une activité quelconque, essayez de la rejoindre et de faire comme elle, sans parler. Observez ses réactions. Si, par exemple, vous la voyez se cacher sous une table, asseyez-vous à quelque distance d'elle et attendez qu'elle trouve le courage de s'approcher de vous. Ne parlez que quand votre sens de l'ajustement émotionnel vous suggère qu'elle le souhaite ou en a besoin.

* Quand votre esprit s'éloigne – ce qui arrivera presque à coup sûr – revenez simplement où vous en étiez auparavant. Parfois, le vagabondage des pensées signale qu'un sujet extrêmement sensible et important est prêt à être abordé, alors ne laissez pas tout tomber simplement parce que vous avez été distrait un instant.

* Vous apprendrez peu à peu à savoir quand il est temps de mettre fin à la séance, par exemple quand la part innocente se retire, que le dialogue n'avance plus ou paraît forcé. Ne dévalorisez pas ce qui s'est passé pendant la séance simplement parce qu'elle tourne court. Remerciez votre part innocente pour le temps qu'elle vous a accordé, et fixez-lui un autre rendez-vous pour plus tard.

À l'écoute de sa part innocente

Patricia a connu récemment un épisode dépressif assez marqué. Elle est consciente de s'être laissé dominer par son bourreau intérieur. Aussi décide-t-elle de faire le point avec son innocente, Belle, le surnom que lui donnait sa mère. Le dialogue suivant a été mis en page afin que vous puissiez voir comment Patricia fournit un à un les éléments nécessaires à Belle, dans la réalité, la conversation entre la jeune femme et sa part innocente était bien plus embrouillé, comme le seront les vôtres à coup sûr.

Pour commencer, Patricia s'assied devant son ordinateur, sa méthode préférée pour les séances d'imagination active (si vous faites de même bien que votre carnet de bord soit rédigé à la main, n'hésitez pas à imprimer le dialogue pour le coller dans votre journal). Elle garde près d'elle la liste des éléments à fournir, ce qu'elle appelle son « antisèche », car ce processus est encore nouveau pour elle. Fermant les yeux, elle utilise la respiration profonde pour relaxer son corps, et retrouve au niveau de son cœur cet endroit qui ressemble à une scène de théâtre. Ensuite, elle invite Belle à la rejoindre. Celle-ci apparaît et lance : « Je ne suis pas déprimée comme toi. J'ai juste peur. Terriblement peur. » Patricia se met donc au travail.

Ajustement émotionnel

PATRICIA : Tu as peur ? Je l'ignorais. Je suis désolée pour toi. Qu'est-ce qui te fait peur ?

BELLE : Je n'aime pas ton nouveau travail. Là-bas, j'ai peur tout le temps. Tout le temps !

Compréhension

PATRICIA : Eh bien, je suis heureuse que tu m'en parles. Je comprends. Ça doit être difficile pour toi d'aller chaque jour dans un endroit qui te fait peur. Qu'est-ce qui se passe quand tu t'y trouves ?

BELLE : Je n'aime pas ton patron, M. Bertrand. Quand je le vois, j'ai l'impression d'être bête et nulle.

Connexion à la cause présente

PATRICIA : Il critique souvent, c'est vrai. Est-ce que tu as peur de lui parce tu crains de te sentir très bête ?

BELLE : Je me sens très bête. Rien de ce que je fais ne va bien. Il me déteste. Il pense que je suis idiote. Mais il a peut-être raison. Je suis une grosse nulle.

Encore de l'ajustement (car les émotions évoquées sont fortes)

PATRICIA : C'est désespérant. Tu te sens très mal, tu te crois bête et nulle. C'est très désagréable de vivre ça tous les jours.

BELLE : Il sait que je le déteste. Mais c'est lui qui a commencé. Et il devient de plus en plus méchant.

Connexion à la cause passée

PATRICIA : Est-ce que M. Bertrand te rappelle quelqu'un, Belle ?

BELLE : Papa. Et M. Méchant, le prof de maths. Et ton premier patron, M. Lidiot. Papa me faisait monter sur une chaise pour faire la vaisselle. Il regardait tout le temps ce que je faisais. Quand je ratais une tache, il me criait dessus. Plus il criait, plus je tremblais. Parfois, je laissais tomber des assiettes, et alors il criait très, très fort. Et quand il disait qu'il allait m'aider à faire mes devoirs... chaque fois, il disait que j'étais bête. Il me faisait tellement peur... Même quand j'avais de très bonnes notes, il me donnait des fessées et m'enfermait dans ma chambre parce que ce n'était pas parfait.

Lien émotionnel correcteur

PATRICIA : J'aurais voulu être là pour dire à Papa de te traiter mieux. Ça aurait été tellement plus facile pour toi d'apprendre les choses si on t'avait félicitée pour tes réussites. Tu veux que je te dise ? Moi, je suis fière de toi parce que tu travailles très bien, même si tu as peur dans notre nouvel emploi.

BELLE : C'est vrai ? Tu es fière de moi ? C'est la première fois que tu me le dis. Mais en vrai, je fais plein de bêtises. Si je continue, on va perdre ce travail. Je suis trop idiote.

Désaccord nécessaire

PATRICIA : Je t'entends. Je comprends que ça doit être très difficile, de se sentir idiote. Mais je ne peux pas être d'accord avec toi. Tu n'es pas idiote du tout. Tu as cette impression à cause de Papa, et aussi de Méchant et de M. Lidiot. Mais surtout à cause de Papa. Il ne savait pas du tout comment élever une petite fille sensible. Tu as toujours fait de ton mieux. Toujours.

BELLE : Je veux qu'on démissionne. Je déteste ce travail. Je déteste ce que je sens quand j'y suis.

PATRICIA : Mais j'ai besoin de ce poste. Et je crois que, toi et moi, nous devrions réfléchir à une solution pour ne plus se sentir aussi mal devant des hommes comme Papa. Sinon, ça recommencera toujours...

BELLE : Mais qu'est-ce qu'on peut y faire ? C'est sans espoir.

PATRICIA : À mon avis, on pourrait commencer par se demander si M. Bertrand me déteste vraiment, ou si c'est moi qui vois du rang là où il n'est pas.

Peut-être que je peux essayer de me montrer plus amicale ? Peut-être que lui aussi croit que je ne l'aime pas.

Belle : J'espère que tu sais ce que tu fais.

Patricia : Je ferai très attention à toi. Et si je me rends compte que c'est juste une méchante personne, comme Papa, je m'occuperai de toi en démissionnant.

Belle : Je crois que je pourrais te laisser essayer ça... mais n'oublie pas à quel point j'ai peur. Espionne-le bien, pour être sûre que ce n'est pas un méchant monsieur.

Remerciement

Patricia : J'y penserai, parce que tu comptes beaucoup pour moi. Tu sais, tu m'as aidée à comprendre beaucoup de choses aujourd'hui. (À ce point du dialogue, Patricia « voit » Belle se mettre à sourire.)

Gentillesse

Patricia : Je suis contente de voir que tu vas mieux, mais tu te sens bien, vraiment ? Il y a quelques instants, tu avais l'air tellement triste...

Belle : C'est vrai. Je ne m'aime toujours pas. Je te pose beaucoup de problèmes, non ? Je suis tellement trouillarde, et je n'ai pas d'amour-propre ni de confiance en moi...

Patricia : Je suis tellement désolée que tu ressentes ça. Je t'aime vraiment très fort. Je sais que c'est affreux de se croire nulle et stupide. Mais s'il te plaît, il ne faut pas que tu te sentes coupable si tu es triste. C'est comme ça, tu n'y peux rien. Pourtant, tu n'es pas née comme ça, et tu fais tout ton possible pour changer. Tu continueras à me parler, dis ? Tu te sentiras mieux après. D'accord ?

Dans ce dialogue, Patricia a accompli plusieurs choses :

* Elle est restée sur le mode du dialogue.

* Elle a montré qu'elle s'ajustait aux sentiments de Belle chaque fois qu'elle les exprimait.

* Comme lien émotionnel correcteur, elle s'est déclarée fière là où Belle se sentait honteuse. Il ne s'agit pas d'une simple déclaration, mais de son véritable sentiment. Elle aurait également pu rappeler à Belle ses bonnes notes à l'école et tous les professeurs qui l'aimaient bien, ainsi que ses anciens patrons et collègues qui l'ont félicitée pour son travail.

* Elle a continué à offrir ce lien correcteur en expliquant à Belle comment elle aurait dû être traitée, aimée et protégée, et a déclaré son intention de s'en charger dorénavant.

* Elle a accepté les sentiments d'auto-dévaluation de Belle mais a refusé de considérer son jugement comme factuel.

* Elle est restée dans son rôle de personne raisonnable qui se préoccupe de Belle. Patricia parvient à s'imaginer dans cette position quand elle parle à Belle, et à la conserver quand elle se sent émotionnellement trop proche d'elle, quand à son tour elle est triste et en colère contre elle-même. Ainsi, elle progresse dans la compréhension et le vécu des sentiments qui étaient trop puissants pour elle quand elle était une enfant innocente.

* Enfin, elle a continué à travailler en douceur sur le problème du « bourreau intérieur », et a donné à Belle l'espoir que la situation change.

En créant ce lien avec Belle, Patricia s'est reconnectée avec des sentiments, des souvenirs et des modes de défense qui, d'une certaine façon, avaient été clivés et rejetés dans l'inconscient. Non seulement elle est à présent davantage consciente de ceux-ci, mais son point de vue sur eux a changé grâce au lien émotionnel correctif qu'elle a offert à Belle (et que personne ne lui avait fourni auparavant). Comment est-elle parvenue à faire tout cela pour elle-même ? En jouant le rôle d'une personne avisée qui aime Belle. Puisqu'elle a réussi à tenir ce rôle pour d'autres, pourquoi ne le ferait-elle pas pour elle ? C'est comme si une partie de son cerveau aidait l'autre.

À la suite de ce dialogue, Patricia comprend mieux sa situation au travail. D'une certaine façon, elle se sentirait presque désolée pour M. Bertrand. De toute évidence, il est débordé de travail, tout comme l'était le père de Patricia. Dans la mesure où l'entreprise est en pleine restructuration, il doit lui aussi s'inquiéter de sa place et de son rang.

La jeune femme décide donc d'entrer dans le lien avec son patron. Elle utilise l'« IDEE » et voit l'homme s'illuminer comme un enfant. Elle réalise alors qu'il devait se sentir seul face à ses problèmes, recevoir de l'empathie le comble. Non seulement il prend l'habitude de se tourner vers elle pour lui parler de ses problèmes de temps à autre, mais il parvient très vite à déchiffrer les appels à l'aide de la jeune femme, auxquels il répond. La dépression de Patricia disparaît. Elle sait à présent que son emploi est stabilisé, et s'y rend même souvent avec grand plaisir. Plus important, elle cesse de se dévaluer systématiquement – elle se débarrasse en grande partie de son « bourreau intérieur ».

Pour les réfractaires à l'imagination active

Pour soigner les traumatismes anciens, il vous faut recourir à l'imagination active au moins une fois par semaine, et davantage si votre bourreau intérieur est puissant : les schémas du cerveau ne se changent pas en une nuit. Mais il peut arriver que vous n'ayez pas envie de le faire, en particulier si ces séances d'imagination active vous laissent frustré. Les représentations dues à l'imagination active peuvent apparaître avec une surprenante facilité, comme si votre part innocente attendait depuis toujours cette occasion de parler. Dans d'autres occasions, il vous faudra vous montrer très patient. Parfois, le rêve pourra vous y aider.

Prêter attention à vos rêves est primordial dans le traitement de votre bourreau intérieur, car les rêves nous mettent en contact avec les parties de l'inconscient normalement fermées, en particulier les zones touchées par un traumatisme. La nuit, des vagues d'activation traversent notre cerveau, comme des ondes radar, à la recherche des points faibles qui nécessitent notre attention. Dans un rêve, un personnage en difficulté peut représenter la part innocente. Il peut être également très intéressant de partir de la fin d'un rêve pour commencer une séance d'imagination active, comme si on le poursuivait.

Même quand une séance d'imagination active se déroule bien, vous pouvez rencontrer des résistances.

Les résistances sont naturelles. Après les séances, le cerveau a de bonnes raisons de stocker les souvenirs et les émotions liées au traumatisme dans un compartiment fermé : il cherche à vous éviter d'être envahi de sentiments négatifs. Pourquoi y retourner, effectivement… sinon parce que vous voulez guérir ?

Si vous parvenez à démarrer une séance, mais que votre esprit semble vagabonder ailleurs, ramenez-le à la situation. Si malgré votre envie, vous oubliez constamment de vous lancer dans de telles séances, notez-les sur votre agenda.

Outils pour vaincre les résistances

* Représentez-vous à un âge où vous étiez particulièrement vulnérable ou troublé.

* Reprenez votre liste des traumatismes d'enfance du chapitre 3 et imaginez la part innocente dans une des situations décrites, tout particulièrement un moment où vous avez « perdu votre innocence » et votre capacité à faire confiance aux autres. Ceci peut pousser la part innocente à vous parler de ses sentiments dans cette situation.

* Supposez que votre part innocente se tait pour une bonne raison. Laquelle ? A-t-elle peur de quelque chose ? Est-elle en colère, ou désespérée ?

* Si, malgré tout, vous vous heurtez à un vide, ne vous acharnez pas, mais lisez le reste de ce chapitre et passez au chapitre 6 qui vous aidera à comprendre ce qui se passe.

Même ceux qui pensent s'engager très loin dans ce processus d'imagination active rencontrent un jour ou l'autre des résistances. Si c'est votre cas, n'abandonnez pas. Surtout, ne le prenez pas pour un échec. Tout le monde rencontre des résistances.

Ne pas oublier le corps

L'apparence physique et les actions de la part innocente revêtent une grande signification. Vous pouvez par exemple vous la représenter comme une petite fille de neuf ans… avant de vous souvenir que c'est à cet âge que vos parents se sont séparés pendant quelques mois. Cela vous a tellement inquiété que vos résultats à l'école ont spectaculairement baissé ; aujourd'hui, vous voyez la même corrélation entre vos soucis du moment et des résultats moins bons au travail. Si votre part innocente présente une particularité physique quelconque, par exemple si c'est une jeune femme à la jambe cassée ou un adolescent couvert d'acné, demandez-vous ce que cela signifie pour vous.

Alternativement au dialogue avec votre part innocente, vous pouvez tenter de l'imaginer se livrant à une activité. Si elle se met à pleurer, prenez-la tout simplement dans vos bras. Vous la voyez debout dans un champ ? Dansant au bal de fin d'année ? Enfermée dans une pièce obscure avec un chien sur les genoux ? Chevauchant un poney sur la lande, ou encore avec un enfant dans les bras ? Demandez-lui si vous pouvez vous joindre à elle ou l'aider.

Imaginer se trouver en présence physique de votre part innocente n'est pas seulement une autre façon de communiquer avec elle. Les émotions naissent dans le corps, et peuvent y être conservées sous forme de sensations. Certaines de vos expériences les plus importantes, de rang comme de lien, peuvent avoir eu lieu avant que vous n'appreniez à parler ; au cours de traumatismes ultérieurs, pendant l'enfance ou à l'âge adulte, vous pouvez avoir connu des réactions physiques inédites. Ce genre d'informations se révèle sous la forme d'états corporels, voire de symptômes, comme des migraines qui se déclenchent quand vous allez chez le médecin ou des larmes inexpliquées quand vous entendez une certaine chanson. Dans le rêve, les images corporelles, comme l'envol ou la perte de dents, ont également une grande importance. Cela va au-delà des mots, et pourtant c'est bien réel. Pendant que vous vous adressez à votre part innocente, vous pouvez ressentir une réaction physique importante à ce qu'elle dit ; quand, par exemple, elle vous raconte que sa meilleure amie l'a repoussée, il se peut que vous vous mettiez à trembler. Ceci vous indique à quel point cet événement vous a touché. Accordez donc une grande importance à vos réactions physiques, car elles peuvent être une voie intéressante vers certaines expériences du passé.

La part innocente et les six masques

La plupart du temps, la part innocente ne propose que ses sentiments – ceux que vous avez réprimés – en particulier l'insuffisance et la honte de soi. Mais dans certains cas, elle peut également avoir recours aux masques protecteurs, et ce de façon farouche. En l'observant, vous remarquerez peut-être des masques que vous n'avez pas conscience d'utiliser, car ils étaient clivés tant que vous vous teniez à l'écart de votre part innocente. Dans l'exemple de Patricia en particulier, Belle s'en prend un moment à M. Bertrand : « C'est sa faute, c'est lui qui a commencé. » Il s'agit du masque du reproche, qui permet à Patricia de comprendre à quel point elle en veut à son patron, y compris pour des choses dont il n'est pas responsable.

Patricia découvre également que Belle invoque souvent sa tendance à la relativisation et à l'effacement. En adressant à son employeur des phrases comme « Ça m'est égal, ne vous donnez pas cette peine », ou bien quand elle se répète « De toute façon, je me fiche de ce qu'il dit », Patricia pense simplement se montrer de bonne composition. Mais plus elle en apprend sur les craintes de Belle – peur de la critique et peur de fâcher les autres – plus elle comprend que la partie innocente de sa personnalité cherche à tout prix à éviter la honte de la défaite en ne formulant pas ses envies et en s'effaçant lorsqu'on se montre injuste avec elle.

Pour la part innocente, l'effacement peut devenir un masque très précieux, car il revient à rétablir la situation telle qu'elle était avant le traumatisme lié à l'abus de pouvoir. Le rang n'existe pas, prétend-elle, ainsi, elle peut tout oublier. Vous pouvez l'aider à comprendre que la tendance à la comparaison est normale, qu'elle ne peut y échapper, y compris en elle-même, et qu'elle peut éventuellement tirer un certain plaisir d'arriver première en certaines occasions. Grâce au lien émotionnel correcteur, donnez-lui ce qu'elle aurait dû avoir dès le début, un sens réaliste de ses capacités dans les domaines où elle peut se monter compétitive, ainsi qu'un sens de ses droits dans divers groupes.

Un autre des masques favoris de la part innocente est le perfectionnisme. Elle se sent si inférieure qu'elle n'est jamais satisfaite d'elle-même et imagine que les autres non plus. Sa solution ? Rechercher la perfection. Mais vous pouvez lui dire, comme aurait dû le faire une personne aimante, que vous l'appréciez pour ce qu'elle est, et non pour ses réalisations. Vous pouvez l'amener à admettre que ses efforts sont épuisants. Montrez-lui que vous la respectez même quand elle se plaint, et demandez-lui de le faire plus souvent. Quand vous travaillez trop, elle pourra vous aider à trouver un équilibre dans votre vie en insistant pour prendre du temps de loisir.

La part innocente utilise moins fréquemment le reproche. Quand elle le fait, demandez-vous si elle a une vraie raison de se plaindre. Peut-être est-elle en train de vous révéler une vérité qui vous a toujours échappée. Dans le cas contraire, une réponse efficace serait : « Je comprends que tu sois en colère contre Sandrine, mais je crois que tu peux te montrer encore plus dure avec toi-même qu'avec elle. »

Le masque de la fanfaronnade est rarement celui de la part innocente, mais elle peut décider, pour éviter de futures blessures, qu'elle n'a besoin de personne, ou bien vous bercer d'illusions de grandeur qui contredisent ses sentiments d'impuissance et de honte. Il vous faudra alors vous pencher non seulement sur cette impression d'insuffisance, mais également sur son besoin refoulé d'amour et de reconnaissance. Si elle a honte de se montrer trop faible ou dans le besoin, expliquez-lui que ces sentiments sont normaux pour une personne dans sa situation, et que vous appréciez sa capacité à les admettre.

Il peut s'avérer difficile de comprendre à quel moment vous êtes dans la projection, mais vous le percevrez mieux quand la part innocente le fera à votre place. Vous l'entendrez tenir sur les autres des propos souvent absurdes. Une séance d'imagination active pourra vous rappeler un épisode où votre part innocente a été vaincue par un autre enfant, s'est sentie honteuse, et a raflé tous les jouets avant de s'enfuir. Dans votre imagination active, vous l'entendez lancer en claquant la porte : « Je ne veux plus jouer avec toi, tu veux toujours être le chef et tout garder pour toi ! » Cette accusation n'apparaît-elle pas juste au moment où elle-même agit de la sorte ? La peur de la défaite et de l'humiliation peut pousser n'importe lequel d'entre nous à des actes similaires. Vous percevrez ses projections lorsque ce qu'elle condamne si fort chez les autres est un trait majeur de sa propre personnalité. Quel que soit ce défaut, vous devez l'aider à l'accepter et à se sentir moins honteuse. Vous pouvez dire « Tout le monde est possessif de temps à autre et voudrait tout garder pour lui », ou bien « On a souvent envie d'être le chef, non ? Est-ce si grave ? » Il peut s'avérer très utile de vous reconnecter aux souvenirs de figures du passé qui jugeaient certains sentiments condamnables, ou bien qui se montraient excessivement critiques, au point que la part innocente devait nier toute faute pour échapper à leur jugement.

Pour aider la part innocente, et donc vous-même, à quitter ces masques, il faut plonger jusqu'aux racines des sentiments sousjacents d'insuffisance et accepter tout ce qu'elle ressent afin qu'elle cesse d'en avoir honte. Si elle parvient à sentir cette absence de jugement chez vous, elle cessera sans doute d'utiliser les mécanismes de défense, au moins pendant vos conversations.

Récapituler une séance d'imagination active

Après l'une de ces séances, il est fondamental de garder en mémoire ce qui s'est passé. Réfléchissez à ce qu'a dit la part innocente et préparez vos actions en conséquence. Oublier ou ignorer ce qui s'est passé peut constituer une autre façon pour vos vieilles défenses de fuir par avance un nouveau « traumatisme » comme se lier à quelqu'un ou prendre la parole en public.

Il est possible que vous vous sentiez agité, voire en colère après une séance d'imagination active, peut-être car vous vous identifiez de plus en plus avec votre part innocente. Ce sentiment peut résulter temporairement de l'intégration d'une partie de vous jusque-là clivée ; s'il perdure, envisagez de voir un thérapeute qui pratique l'imagination active.

Il se peut également que vous ne soyez pas satisfait du dialogue : « C'est une perte de temps ! » ou « Ce ne sont que des histoires que je m'invente. » Cette réponse vient de votre résistance face aux sentiments refoulés du passé qui risqueraient de vous envahir comme autrefois. Aucune séance d'imagination active n'est une perte de temps. Oui, vous inventez des parties de l'histoire… tout comme certains aspects de vous engendrent des rêves. Ils vous appartiennent en propre, même vos « inventions » en disent beaucoup sur votre vie intérieure.

Ce sera à vous de gérer vos propres résistances, mais comprendre ce qui se trame peut vous aider à combattre vos sentiments négatifs.

À vous !

Vous avez peut-être déjà commencé à établir un lien avec votre part innocente. Si ce n'est pas le cas, commencez maintenant. Donnez-lui un nom s'il vous en vient un à l'esprit, sinon, attendez que cela se produise.

Imaginez une situation où se déclenche votre bourreau intérieur, et invitez votre part innocente à parler de son expérience. Si elle préfère raconter autre chose, occupez-vous plutôt de ce qu'elle a à vous dire : souvenez-vous que vous devez lui apporter ce dont elle a besoin, réconfort ou apaisement, quel que soit son âge.

Durant les sept jours qui viennent, contactez quotidiennement votre part innocente. Pas besoin de faire à chaque fois une séance d'imagination active complète, mais prenez soin de communiquer avec elle si vous vous sentez triste ou anxieux, si vous sentez votre bourreau intérieur à l'œuvre. Demandez à la part innocente ce qui se passe. La réponse peut vous surprendre. Souvenez-vous qu'en tant que partie autonome de vous-même, elle a souvent des perspectives différentes. Il se peut qu'elle soit capable de vous expliquer simplement des sentiments qui vous ont toujours paru infondés ou mystérieux.

Faire face au critique intérieur et au protecteur-persécuteur

Chacun de nous porte en lui un critique intérieur, et la plupart d'entre nous également un « protecteur-persécuteur ». Le critique intérieur est cette partie de vous qui ne cesse de commenter votre apparence, vos performances et votre bien-être en général. Il (j'utilise le prénom masculin, mais il peut tout à fait être une femme) intensifie les actions du bourreau intérieur. Pire encore, il consacre toute son attention au rang. Toutefois, en trois millions d'années d'évolution, le critique intérieur a développé un certain nombre d'instincts efficaces pour vous permettre de conserver votre place dans le groupe, et cette fonction est loin d'être négligeable. Au fond, il ne cherche qu'à vous aider ; de plus, il peut être rééduqué.

En revanche, le protecteur-persécuteur ne cherche jamais à améliorer votre sort. Si vous avez connu des traumatismes sérieux ou répétés pendant le début de votre vie, il peut chercher à vous faire disparaître, à rester passif en permanence. Son but est bien sûr de vous protéger, mais ce faisant, il vous tient à l'écart de la vie et si nécessaire, vous persécutera pour que vous ne viviez pas un nouveau traumatisme.

Rééduquer le critique intérieur

Le critique intérieur se développe durant l'enfance. Vous étiez alors moins compétent que les adultes, et il en allait de même pour votre critique intérieur, qui pourtant ne cessait de vous harceler pour que vous vous amélioriez et deveniez aussi fort qu'eux. Le critique intérieur vérifiait également que vous ne brisiez pas les règles établies par les adultes. Mais il y a peu de chances qu'il ait grandi en même temps que vous. Il est bien trop conservateur pour l'adulte que vous êtes devenu, qui nécessite davantage de liberté dans ses décisions.

Ainsi, votre critique intérieur doit être reprogrammé pour reconnaître votre rang actuel et se montrer moins virulent. Il n'est désormais plus utile qu'il vous lance des quolibets ou des phrases comme « Tu ne vaux rien. Il faudrait que tu changes. Tu ne travailles pas assez, idiot ! »

À vous !

Utilisez la liste ci-dessous pour apprendre à reconnaître la voix de ce critique qui vous harcèle sans jamais vous aider. Faites une croix en face de chacune des phrases qu'il peut utiliser dans son dialogue avec votre moi intérieur.

* Ton travail est mal fait.

* Tu ne te tiens jamais assez bien.

* Fais plus attention, tu commets toujours des erreurs.

* Si tu faisais ce que tu as envie de faire, tu aurais l'air idiot.

* Tu ne t'habilles pas assez bien.

* C'est ta faute si ton enfant (ou ton compagnon, ami, ou la personne qui dépend professionnellement de toi) se comporte mal.

* Tu n'es pas assez gentil ni généreux.

* Si tu n'appelles pas plus souvent ta famille, ils finiront par ne plus t'aimer.

* Si tu fais cela, quelqu'un va t'en vouloir.

* Tu devrais travailler bien plus que tu ne le fais.

* Tu es paresseux.

* Tu n'es pas assez intelligent pour ça.

* Tu abandonnes toujours tout.

Si votre critique intérieur formule au moins l'une des phrases ci-dessus, on peut, d'ores et déjà, l'accuser de se montrer un mauvais coach. Plus vous avez coché de phrases, plus votre critique intérieur peut être considéré comme une entrave.

Apprenez à communiquer avec votre critique intérieur

Une fois que vous avez reconnu la voix de votre critique intérieur, vous pouvez commencer à dialoguer avec lui, exactement comme vous l'avez fait avec votre part innocente. Dans ce cas, il ne s'agit pas d'intégrer une partie clivée de vous-même, mais d'en modifier une dont vous n'êtes que trop conscient. Vous pouvez accepter les bonnes intentions de votre critique intérieur, tout en insistant pour qu'il change ses méthodes. Dans ce but, vous devez réfléchir à ce que vous demanderiez à un bon coach, quelqu'un qui soit à vos côtés, un véritable entraîneur et non un tyran.

En particulier, vous voulez qu'il apprenne à formuler une remarque ou une critique sans qu'elle sonne comme un reproche ou une accusation (ce qu'au fond, nous aimerions de tout le monde) :

* Utilisez des phrases à la première personne, comme : « Si tu ne chantes pas cette chanson parfaitement, j'ai peur que tu t'en veuilles. Je veux te protéger de ça » au lieu de « Tu vas faire un bide total ce soir ».

* Émettez des suggestions spécifiques : « Je me sentirais plus en confiance si tu répétais encore deux ou trois fois ce morceau » et non « Tu chantes très mal, comme d'habitude, et tu n'y arriveras sans doute jamais ».

* Interdisez-vous les phrases générales, les quolibets et les insultes. « Tu as chanté comme une débutante. Tu es une vraie névrosée, plus tu répètes, plus tu crains » n'est pas une critique acceptable.

* Cherchez à évaluer votre rang de façon précise : « Je suis meilleur que beaucoup d'amateurs, mais pas encore tout à fait aussi professionnel que François (et c'est normal : vous n'avez ni sa voix, ni le temps dont il dispose pour ses répétitions). »

* Accompagnez chaque critique par quatre commentaires touchant à ce qui était positif. « Tu as bien chanté la première et la troisième chanson. Ta voix était très belle à entendre. Tu as écrit de belles paroles. Ton nouveau style me plaît. Simplement, pour ce qui est de la deuxième chanson, elle m'a paru plutôt étrange. »

Quand votre critique intérieur ne veut pas se taire

Si le comportement de votre critique intérieur ne s'améliore pas, ne baissez pas les bras. En général, une seule conversation ne suffit pas. Persistez, efforcez-vous de le prendre sur le fait et de le corriger. Il vous sera sans doute utile d'en apprendre plus sur son « passé » : « Depuis quand t'inquiètes-tu autant de ce que je fais ? » Identifiez sa voix, et demandez-vous qui elle vous évoque – votre père ou votre mère, votre institutrice de CM1, votre premier patron, votre ex-fiancé ? Si votre critique semble vraiment inquiet pour vous, remerciez-le de son attention. Mais montrez-vous ferme : vous avez changé, et vous comptez qu'il fasse de même.

FAIRE FACE AU CRITIQUE INTÉRIEUR ET AU PROTECTEUR-PERSÉCUTEUR

Dialoguer avec son critique intérieur

Myriam apprend à utiliser un nouveau tableur, mais son critique intérieur la distrait en permanence. Elle ne s'en rend pas compte au début, mais un sentiment de malaise la gagne insidieusement pendant qu'elle travaille, et ne fait qu'empirer. Comme sa confiance en elle disparaît peu à peu, elle se rend compte que son critique intérieur considère son apprentissage de façon négative. Alors, elle s'arrête un instant pour entreprendre le dialogue qui suit :

MYRIAM : Te revoilà, toi ? Toujours à me dire que je suis incapable d'apprendre quelque chose ?

CRITIQUE INTÉRIEUR : Mais c'est bien le cas, non ? Ça fait des heures que tu es là, plantée sur ta chaise, et tu n'as toujours rien compris. Tu es trop vieille pour ça, ça te dépasse. De toute façon, l'informatique, ça n'a jamais été ton truc. Ça va se voir, tu sais. Ils ont déjà noté dans ton bilan annuel que, côté nouvelles technologies, tu n'avais pas le niveau... et ça n'a aucune raison de changer.

MYRIAM : Un moment. Tu ne m'aides pas, là. Qu'est-ce qui t'ennuie ? S'il te plaît, répond à la première personne.

CRITIQUE INTÉRIEUR : Encore ce truc ? D'accord. Eh bien, quand tu travailles comme ça pendant des heures sans résultat, ça me fait peur.

MYRIAM : Tu as peur pour moi. Tu te dis que j'ai eu les yeux plus grands que le ventre, et que je ne comprendrai jamais tout ça. Je comprends que tu veuilles m'aider, et je t'en remercie. Mais ce n'est pas parce que j'ai du mal que je ne vais pas y arriver. Tu trouves vraiment qu'il n'y a rien de bien dans ce que je fais ?

CRITIQUE INTÉRIEUR : Eh bien... si, on dirait que tu as compris quelques petits trucs. Et au moins, tu t'y tiens. De toute façon, tu n'as pas promis de maîtriser le logiciel demain matin. Tu semblais confiante quand tu t'y es mise, même si c'était peut-être une erreur.

© Groupe Eyrolles

213

MYRIAM : Ce que tu dis m'aide... à part la dernière partie. Alors, que devrais-je faire ? Sois précis, je te prie. (*Elle laisse au critique intérieur un peu de temps pour réfléchir.*)

CRITIQUE INTÉRIEUR : Pourquoi n'appellerais-tu pas la *hotline* que le logiciel indique en cas de problème ?

MYRIAM : Ça, c'est une bonne idée. Merci, tu m'as vraiment aidée.

Remarquez que Myriam s'est adressée à son critique intérieur sur le registre du lien et du partage, le remerciant pour ses avis et restant à l'écoute de ses sentiments, sans pour autant se laisser déstabiliser par lui, en lui montrant qu'elle avait le dessus dans cette affaire.

Si Myriam peut aujourd'hui converser avec son critique intérieur de façon aussi directe, cela ne s'est pas fait en un jour. Elle a d'abord dû apprendre à reconnaître sa voix et ses particularités, qui la faisaient s'inquiéter à outrance de ses erreurs et mettre en doute ses capacités et son intelligence. Quand elle a commencé à dialoguer avec lui, il l'a également critiquée : « Tu essaies tous les nouveaux trucs de psycho. C'est débile. Et même si ça marche pour les autres, je suis certain que tu n'y arriveras pas. » Ainsi, Myriam a dû très vite tenir avec lui ce dialogue :

MYRIAM : Tu me fatigues. Va-t'en ! Tu me gâches la vie.

CRITIQUE INTÉRIEUR : Je crois que tu n'as pas besoin de moi pour ça...

MYRIAM : Pourquoi passes-tu ton temps à me critiquer, juste comme tu viens de le faire ?

CRITIQUE INTÉRIEUR : J'essaie simplement de t'aider.

MYRIAM : Ah oui ? Eh bien, ça ne marche pas.

CRITIQUE INTÉRIEUR : En fait, je m'inquiète pour toi.

MYRIAM : Tu t'inquiètes, vraiment ? Depuis quand ?

CRITIQUE INTÉRIEUR : Je crois que ça vient de Maman. Elle avait toujours peur que tu n'arrives pas à t'en sortir toute seule. D'un autre côté, elle s'inquiétait toujours et pour tout...

Myriam : Et elle t'a transmis ça, c'est ça ? Pourtant, elle m'aimait beaucoup et me donnait confiance en moi.

Critique intérieur : Pour ce qu'elle y pouvait... Tu as appris à écrire très tard, et tu étais la dernière en maths. Au lycée, tu n'as pas pu choisir la filière que tu voulais.

Myriam : Ça fait beaucoup, non ? Et du coup, tu as décidé qu'il valait mieux me traîner dans la boue plutôt que de m'aider ? Écoute, si tu pouvais simplement être précis quand tu évalues mes actions...

Critique intérieur : Hum... Pourquoi pas ? Après tout, je veux que tu sois précise toi aussi.

Myriam : Exactement, et ça me rendrait bien service si nous partagions ce sens de la précision. Tu sais, je te remercie de ton aide, vraiment. Mais je préférerais que tu me soutiennes, tu comprends ? Tu ferais un très bon coach.

Critique intérieur : Tu crois vraiment ?

Ce que Myriam a fait :
* Elle a montré sa colère pour attirer l'attention de son critique intérieur.
* Elle a fait appel au raisonnement, ce que le critique apprécie.
* Elle s'est connectée au passé – l'inquiétude maternelle.
* Elle a terminé sur le registre du lien en le remerciant et en le complimentant.

Reconnaître le protecteur-persécuteur

Dans l'exemple de Myriam, le critique intérieur réagit à sa fermeté et répond à sa demande de lien. Mais s'il ne l'avait pas fait ? Que se serait-il passé s'il s'était entêté à mener le jeu en se moquant d'elle, en la dévalorisant de façon à ce qu'elle doute de plus en plus d'elle-même ? Myriam serait alors confrontée non plus à son critique intérieur, mais à ce que j'appelle son protecteur-persécuteur. C'est une part de vous-même dont vous n'êtes peut-être pas conscient mais qui, si elle est existante et fonctionnelle, constitue le meilleur allié de votre bourreau intérieur.

Dans le chapitre 3, vous avez retrouvé les traumatismes de votre passé ainsi qu'éventuellement, le poids des discriminations, de l'hypersensibilité et de l'attachement insécure. Ceci peut jouer un rôle dans le déclenchement d'un mécanisme de défense particulier, le protecteur-persécuteur, qui peut soit vous enfermer dans un sanctuaire fantasmatique ou addictif, soit, si vous tentez d'y échapper, vous persécuter jusqu'à ce que vous cédiez. Comme son nom l'indique, le protecteur-persécuteur a deux visages, mais un seul but. C'est un système de défense ancien, profondément ancré, et de nombreux psychologues considèrent aujourd'hui qu'il est la plus grande entrave à la guérison du bourreau intérieur, y compris pour des patients qui suivent une thérapie depuis des années avec les meilleurs professionnels[1]. Cette perspective nouvelle fait partie des recherches les plus récentes sur la résolution des effets issus de traumatismes.

Chacun possède un critique intérieur, mais il n'en va pas de même pour le protecteur-persécuteur. Là où le critique veut simplement

---

1. D. Kalsched, *The Inner World of Trauma: Archetypal Defenses of the Personal Spirit*, New York, Routledge, 1996, non traduit. On consultera à ce sujet avec profit le site des *Cahiers Jungiens*, et en particulier http://www.cahiers-jungiens.com/Numeros/Sommaires/CJP119-120.htm.

que vous réussissiez, le protecteur-persécuteur vous en empêche. Vous pouvez dialoguer avec le premier, mais il faut éviter de le faire avec le deuxième tant que vous n'avez pas constaté chez lui de véritables changements. Un critique intérieur reprogrammé peut vous aider à cesser de vous sous-estimer, vous apprendre à poser un regard réaliste sur vos réalisations dans un cadre compétitif, à cesser de voir le rang là où il n'est pas et, plus encore, à créer du lien de façon plus satisfaisante. Le protecteur-persécuteur refuse que vous vous risquiez à tout cela, aussi pousse-t-il le bourreau intérieur à agir. Lorsque celui-ci prend le contrôle, vous vous mettez à douter de votre capacité à réaliser ce que le protecteur-persécuteur considère comme dangereux. Les ordres de celui-ci vous parvenant depuis votre inconscient, vous ne les entendrez qu'indirectement.

| À vous !

Pour vous aider à savoir si un tel personnage existe dans votre psyché, posez-vous les questions suivantes :

* Pensez-vous souffrir de timidité chronique et maladive ? Êtes-vous toujours certain que les autres vont vous rejeter ?

* Vivez-vous de façon répétée des relations ou des rapports professionnels fondés sur l'abus ?

* Considérez-vous que rien ne vaut la peine d'être tenté ?

* Manquez-vous fréquemment des opportunités importantes parce que vous avez oublié un rendez-vous, êtes arrivé en retard, êtes tombé malade ou vous êtes blessé ?

* Vous sentez-vous souvent trop fatigué pour faire quoi que ce soit, même si vous êtes bien reposé ?

* Souffrez-vous de cauchemars récurrents avec des scénarios bien pires que la répétition d'un traumatisme ?

* Avez-vous des cauchemars terribles après avoir progressé dans une tâche ou vous être rapproché d'une personne ?

* Vivez-vous une vie intérieure si riche qu'elle vous absorbe la plupart du temps ?

* Souffrez-vous d'addictions ou de compulsions qui vous tiennent à l'écart d'une vie sociale normale ?

* Vous trouvez-vous souvent « vide » de sentiments dans des situations qui pourtant semblent aptes à en créer ?

Si vous avez connu un traumatisme sévère ou précoce, ainsi qu'un attachement insécure dans l'enfance ou avez été victime de discrimination pendant une longue partie de votre vie, il est probable que ce système de défense soit opérationnel en vous. Si, en outre, vous êtes hypersensible, il est très plausible que vous possédiez un tel protecteur-persécuteur, car vous êtes davantage affecté par les traumatismes[1].

Les solutions instinctives pour sortir du tunnel

Protecteur-persécuteur et part innocente traumatisée forment un couple indissoluble. Le protecteur-persécuteur surgit des ténèbres de l'inconscient lorsque la part innocente a vécu un traumatisme si puissant que les mécanismes de protection habituels ne suffisaient

---

1. Dans le livre précédemment cité, D. Kalsched remarque que les patients montrant cette défense de type protecteur-persécuteur sont fréquemment « des personnes très brillantes et sensibles qui ont souffert, à cause de leur sensibilité, de traumatismes émotionnels aigus ou cumulés dans leur enfance ».

pas à l'endiguer – soit qu'enfant, elle ait été trop jeune pour les invoquer ou, adulte, qu'elle n'ait simplement pas été en mesure de réagir. Dans des situations extrêmes, ni l'espoir ni le recours aux six masques protecteurs ne sont possibles, on se sent totalement impuissant et dépassé, un gouffre s'ouvre sous nos pieds, et nous tombons dans les abîmes sans fin pendant que les lambeaux de notre amour-propre disparaissent inexorablement.

Si quelqu'un nous vient en aide au moment opportun, l'abîme se referme. Sans cela, il n'y a littéralement pas de mots pour décrire cette expérience du désespoir, car elle reste en partie hors d'atteinte de notre conscient, et non verbalisable. Le cerveau a tout simplement été trop stimulé et mis à l'épreuve. Si le souvenir du traumatisme reste présent, c'est sous la forme de fragments séparés, dont certains demeurent inaccessibles, d'autres demeurent à portée de main mais sont exempts des sentiments qui les accompagnaient. Cette fragmentation a pour but d'éviter une nouvelle stimulation. Sans que vous le sachiez, le mécanisme de défense du protecteur-persécuteur se met en place, prenant le contrôle pour éviter qu'un traumatisme similaire puisse se répéter dans l'avenir.

Le protecteur

Le protecteur agit comme un ange gardien, tissant un cocon de fantasmes pour vous garder à l'abri des réalités du monde. Nous le voyons en action, chez ces enfants malheureux qui passent leur vie dans les livres, les ordinateurs ou les histoires imaginaires, ou encore chez ces adultes tout entiers consacrés au « Grand Roman » qu'ils doivent écrire, ou s'entraînant toute la journée au foot dans l'attente que leur talent soit enfin découvert… De l'extérieur, nous pressentons que la personne est trop absorbée, trop centrée sur elle-même et coupée de la réalité – le livre ne sera jamais publié, et l'amateur ne deviendra jamais professionnel. On voit également le protecteur à l'œuvre quand une personne fantasme sur telle ou telle célébrité, ou tel partenaire potentiel qui serait l'Homme ou la Femme idéal(e)… et qui ne l'aimera jamais en retour. L'amoureux transi peut d'ailleurs n'avoir jamais rencontré la personne en ques-tion, cela convient parfaitement au « protecteur » qui refuse en bloc de s'investir dans une relation.

Tel un petit diable, le protecteur peut également utiliser l'arme de l'addiction pour séduire celle ou celui dont il s'empare : « Tu veux vraiment t'amuser ? Je peux t'aider. Il suffirait d'un tout petit peu de cette glace, vodka, ou cigarette, pour passer un très bon moment. » J'ai vu plus d'une patiente se libérer d'une relation toxique ou avancer suffisamment dans sa thérapie pour être prête à se lier avec quelqu'un… et prendre d'un seul coup tant de poids qu'elle ne parvenait plus à envisager la moindre rencontre amou-reuse. Le protecteur la tenait sous sa coupe.

La différence entre la créativité fructueuse et le fantasme de pro-tection réside dans le fait que ce dernier nous coupe du monde plutôt que de nous aider à y accéder. Le monde imaginaire du pro-tecteur peut s'étendre à l'infini, mais il ne mène nulle part et ne peut être partagé avec les autres, car cela impliquerait le risque d'un nouveau rejet traumatisant, ou d'autres événements que vous cherchez à éviter.

Le persécuteur

Si, enfermé dans votre cocon, vous êtes impatient d'en sortir, le persécuteur prend le dessus. Vous vous rendez compte que quelque chose ne va pas. Vous prenez conscience de votre tendance à la procrastination, du fait que vous ne parvenez pas à cesser de boire par exemple, ou à vous sortir d'une relation toxique. Votre cocon devient une prison, et vous vous détestez. Le persécuteur tue l'espérance, la volonté, l'amour-propre et tout ce qui pourrait pousser votre part innocente à se révéler au grand jour et à courir le risque d'un nouveau traumatisme. Si, néanmoins, vous tentez un premier pas, le persécuteur frappe immédiatement et fait le nécessaire pour que vous perdiez énergie, confiance et courage, rendant votre objectif dénué de tout intérêt. Aucun dialogue avec le critique intérieur, aucune action, ne semblent pouvoir entamer la carapace du persécuteur qui vous tient sous sa coupe et vous interdit de changer.

Quand le persécuteur coupe court à vos relations

Vous avez une excellente amie et pourtant, elle vous blesse en oubliant, malgré sa promesse, de vous rendre un service, ce qui vous crée de véritables problèmes. Pour le bien de votre relation, vous savez que vous devez lui en parler, mais vous ne parvenez pas à aborder le sujet. Une voix intérieure vous pousse pourtant à le faire. Il peut s'agir de votre critique intérieur, qui vous accuse de lâcheté. Mais vous vous sentez tout simplement incapable de parler : vous ouvrez la bouche et aucun son n'en sort.

Si vous poursuivez vos efforts pour discuter avec votre amie de ce qui vous préoccupe, il se peut que vous entendiez la voix du persécuteur, qui clame : « Ce n'est pas le bon moment ! » Vous insistez ? Alors, il vous annonce qu'au fond, « cela n'a pas tant d'importance ». Et quand votre amie vous demande si vous lui en voulez de son oubli, vous vous entendez répondre : « Non, pas de problème. Ça ne me dérange pas. » Très vite, vous vous lassez de cette amitié, qui se distend peu à peu.

Un autre exemple : vous êtes une femme et vous aspirez à une véritable rencontre amoureuse. Vous vous motivez, fréquentez les soirées de *speed-dating* et parlez d'amour en permanence, avec vos amis comme en thérapie. Pourtant, lorsqu'un homme vous invite à dîner, vous vous entendez répondre : « Pour ce soir, je ne sais pas trop, j'ai vraiment beaucoup de travail. » De la même façon, après plusieurs rendez-vous, vous décidez subitement que ce garçon n'est pas fait pour vous... comme cela vous arrive si souvent. Ainsi, le « persécuteur » contrecarre vos plans.

Paradoxalement, le persécuteur a tendance à vous maintenir dans des relations toxiques, qu'elles soient amoureuses ou professionnelles. Il fait preuve d'une stupéfiante adresse pour reproduire les situations d'abus du passé. Certains prétendent que nous restons dans ce type de relations parce que nous commettons toujours les mêmes erreurs, mais quelle en est la cause ? En général, nous sommes capables d'apprendre de nos erreurs. La raison principale pour laquelle nous ne parvenons pas à sortir d'un cercle vicieux est que notre protecteur-persécuteur considère que le fait de se dévaluer est plus sûr, et qu'il serait trop dangereux de se lancer dans une nouveauté qui pourrait faire naître des espoirs... qui se solderaient inévitablement par une perte ou une trahison plus fortes encore que celles que vous avez connues. La dernière fois était insupportable, aussi, plus jamais ça !

Le persécuteur peut aussi être à l'origine de sentiments dépressifs majeurs et de comportements autodestructeurs. Dans les cas extrêmes, il propose souvent le suicide comme une « solution », préférant la mort à un nouveau traumatisme. J'ai connu de nombreux patients qui ignoraient porter en eux une telle puissance destructrice, jusqu'à ce qu'ils rencontrent dans mon cabinet leur protecteur-persécuteur au cours d'une séance d'imagination active. Soudain, une partie d'eux disait : « Il vaudrait mieux que tu sois mort » ou « Tu ne vaux rien, le mieux que tu puisses faire serait de te ficher en l'air ».

Le protecteur-persécuteur s'attaque à vos liens

Le protecteur-persécuteur ou l'un de ses deux visages, s'efforce de briser tous les liens que vous pouvez créer, avec des personnes extérieures, des amis, ou avec vous-même et des parties clivées de votre personnalité. Effacer ce clivage le mettrait en danger, il fait tout pour le maintenir. Ainsi, vos tentatives de dialogue avec la part innocente peuvent se heurter à de mystérieuses résistances.

Les émotions, souvenirs, pensées, comportements, ou états physiques liés à un traumatisme, peuvent être dissociés. Ainsi, les souvenirs sont effacés, ou plus exactement « déconnectés » de votre mémoire. De la même façon, vos émotions peuvent ne pas être reliées aux événements présents. Vous vous sentez soudain engourdi, dépourvu de sentiments, ou au contraire éprouvez des bouleversements dont vous ignorez la raison. Votre corps lui aussi peut être déconnecté de vos souvenirs : vous vous rappelez le traumatisme, mais ignorez ce qui vous est arrivé physiquement. Le lien entre corps et pensée peut être défait, avec pour conséquence, l'impossibilité de satisfaire les besoins du premier. Enfin, le corps peut être coupé des actions, et tout au long de la journée, vous vous sentez complètement détaché, irréel.

Ce type de dissociation peut affecter vos actes. Vous faites des choses qui n'ont pas de sens, voire se révèlent autodestructrices, car votre comportement n'est plus dans un rapport de cause à effet. Vous pouvez souffrir d'un syndrome de stress chronique à cause de souvenirs, de sentiments ou de pensées que l'esprit repousse et qui réapparaissent dans le corps. Vous pouvez aussi être sujet à des cauchemars qui semblent sans lien avec ce qui se passe dans votre vie.

En ce qui concerne les liens avec l'extérieur, le protecteur-persécuteur vous pousse à voir toute situation de partage comme une compétition, un conflit de rang – où vous vous retrouvez en général en infériorité, même si c'est parfois le contraire (« Il n'est pas assez bien pour moi ») – et vous tient à l'écart d'une relation profonde, sincère et durable. Il se peut qu'il vous permette de vous lier à l'autre de façon très limitée, en vous permettant de créer une fausse personnalité qui s'adapte au monde, mais à laquelle manque tout sentiment d'authenticité et de connexion à l'autre.

Un de mes patients, dont le protecteur-persécuteur s'avère particulièrement puissant, me confie qu'il se sent très mal à l'aise dès lors qu'on lui témoigne de la gentillesse, comme s'il y avait trop à perdre. Quand on le traite avec chaleur et respect, il se débrouille pour rester dans le superficiel et « oublie » souvent de retourner les appels et les invitations, jusqu'à ce qu'on le laisse tranquille. Les seuls amis qu'il a, en réalité, sont des personnes qui le manipulent et le trahissent, exactement comme tous ses employeurs. Il reste ainsi prisonnier dans l'antre du sorcier…

Raiponce et le protecteur-persécuteur

Le conte « Raiponce » décrit à merveille les relations entre l'innocente et le protecteur-persécuteur. Dans cette histoire, la sorcière « protège » sa fille Raiponce de tous les dangers en l'enfermant à vie dans une tour. Mais la jeune fille dispose d'une fenêtre, par laquelle elle aperçoit un jour un prince. Elle utilise alors sa chevelure jamais coupée (symbole de sa maturité et de ses talents) pour que le prince puisse la rejoindre, ses cheveux deviennent son lien au monde extérieur.

Lorsque la sorcière le découvre, elle se transforme en persécutrice : elle lui coupe les cheveux, détruisant symboliquement son lien au monde extérieur, avant de l'abandonner dans le désert, où Raiponce donne naissance à des jumeaux. La sorcière utilise ensuite les cheveux de Raiponce comme un leurre pour attirer le prince dans la tour. Quand il découvre le subterfuge, il en a le cœur brisé, et se jette par la fenêtre, atterrissant dans un buisson d'épines qui lui crève les yeux.

Après des années d'errance, le prince entend la voix de Raiponce qui pleure dans le désert. Quand ils se retrouvent enfin, les larmes de la jeune fille guérissent sa cécité. La famille réunie vit heureuse jusqu'à la fin des temps.

D'une façon symbolique, le conte nous montre qu'en dépit des attaques de la sorcière, le lien a triomphé, lien entre une jeune femme et un jeune homme, mais aussi entre une tête et ses cheveux, un père et ses enfants, et les yeux du prince et ce qu'il voulait tant voir.

Se couper du monde extérieur à cause du protecteur-persécuteur

À 31 ans, Karl est un spécialiste de la sécurité informatique, très reconnu dans son métier. De l'extérieur, il semble parfaitement adapté, et on le considère même comme un beau parti. Mais son histoire intérieure est bien différente. Ses parents ont divorcé alors qu'il était bébé. Son père était un « trader » – en réalité un joueur compulsif – et a perdu au jeu leur maison, leur voiture et l'argent dont avait hérité son épouse. La mère de Karl n'a rien fait pour l'en empêcher. Après le divorce, elle a dû retourner chez ses parents, un couple financièrement très à l'aise, mais tous deux alcooliques, qui a recueilli Karl.

Militaire à la retraite, le grand-père de Karl s'est chargé de son éducation avec empressement. Pour lui, cela revenait à lui infliger des punitions dignes d'un prisonnier de guerre. Son but ? Élever Karl « à la dure » pour qu'il ne devienne jamais « un incapable comme son père ». Ainsi, Karl a passé des jours sans manger ni boire, enfermé dans un placard, son grand-père l'a plus d'une fois abandonné en ville en pleine nuit, lui laissant retrouver seul le chemin de la maison. L'enfant était tellement terrifié par l'ancien légionnaire qu'il passait le plus clair de son temps réfugié dans sa chambre, d'abord accroché à son ordinateur puis, plus tard, à ses « joints » de cannabis. Son protecteur avait pris le pouvoir.

À seize ans, Karl quitte la maison de son grand-père avec la bénédiction de celui-ci : « Ça t'endurcira un peu ! » Sa mère, à l'époque, est en ménage avec un homme et ne se soucie pas de lui. Grâce à ses talents en informatique, Karl trouve un emploi... qu'il déteste. Seul dans son studio, il joue à des jeux électroniques et passe son temps sur des sites de poker en ligne. Il rêve de gagner assez d'argent pour arrêter de travailler. Là encore, son protecteur l'enferme dans un cocon.

Mais, le persécuteur se manifeste dans les cauchemars du jeune homme : il se voit torturé par un chevalier vêtu de noir, enlevé par des extraterrestres ou changé en zombie. D'ailleurs, il se sent un peu comme un zombie ; malgré les quelques amis qui l'entourent et lui ressemblent, il ne trouve aucune joie de vivre. Comme Raiponce, il n'en peut plus d'être protégé par une force qui le tient hors du monde. La vie ? Il s'agit d'en sortir vainqueur, ou bien de la gagner, mais alors il faut être très riche. Un jour, Karl rencontre Catherine, et ils tombent amoureux.

La jeune femme l'aime profondément, mais refuse de s'engager tant qu'il n'arrête pas le cannabis et les jeux en ligne, elle exige qu'il consulte un thérapeute au sujet de ses cauchemars. C'est ainsi que je fais la rencontre de Karl. Il ne veut pas perdre celle qu'il aime, mais il ne voit pas comment il pourrait mettre un terme à ses addictions. Au lieu d'attaquer celles-ci de front, nous nous efforçons ensemble de mieux comprendre le bourreau intérieur du jeune homme, qui, étant donné son enfance, est sans le moindre doute à l'œuvre.

Non sans réticence, il tente une séance d'imagination active. Il y rencontre Petit Homme, qui à sa grande surprise le fait pleurer. Par la suite, ses résistances s'amplifient ; néanmoins, Karl me parle de ses cauchemars, ce qui l'amène à son protecteur-persécuteur. En effet, quand Karl pense aux défauts de Catherine, il se rend compte que quelque chose en lui devient méchant et haineux – en l'occurrence son persécuteur ; à présent que la relation entre les deux jeunes gens devient sérieuse, celui-ci se fait de plus en plus présent.

Peu à peu, Karl abandonne ses addictions. Il comprend à quel point il a eu besoin de la protection du cannabis, et du fantasme protecteur de devenir millionnaire grâce au poker. Ses efforts pour changer de vie ont réveillé son persécuteur, toutefois, il parvient à comprendre comment celui-ci fonctionne. En réalité, Karl craint toujours terriblement qu'on le punisse, comme son grand-père qui l'enfermait dans un placard, s'il ne parvient pas à devenir « un homme, un vrai » et à connaître le succès qu'exigeait son grand-père. Il parvient à contacter sa peur viscérale de se trouver de nouveau réduit à l'impuissance, comme lorsque, enfant, il ne pouvait empêcher son grand-père de le maltraiter ou sa mère de l'abandonner. Grâce à ces avancées, il parvient à renouveler le lien, *via* l'imagination active, avec Petit Homme. Alors, sa thérapie progresse à grand pas et ses rapports avec Catherine, devenue sa meilleure alliée, s'améliorent rapidement, Karl obtient enfin le lien sécure qu'il n'avait jamais connu.

Le traumatisme d'attachement et le protecteur-persécuteur

Le protecteur-persécuteur né d'un attachement insécure est souvent le plus virulent. Il peut alors remplacer la présence maternelle ou paternelle défectueuse par une addiction : cigarette, travail, alcool, etc. Il peut également créer une image d'amour parfait, celui que l'enfant n'a jamais reçu. Ainsi, il encourage la sensation de manque insurmontable tout en dénigrant ou minimisant tout ce qui pourrait répondre en partie à ce manque : selon lui, de telles réponses seraient insuffisantes, ou ne peuvent tout simplement exister : elles sont des leurres ou des mensonges qui ne feront pas long feu.

Pourtant, c'est en général l'amour, ou l'illusion de celui-ci, qui nous pousse à faire les premiers pas vers l'autre et à sortir de notre enfermement. Le besoin d'un amour offrant un attachement sécure est puissant en chacun de nous. Lorsque vous sentez la possibilité d'un lien, vous vous dites « Quelle belle personne… et elle parle d'amour ! D'autres que moi l'aimeraient en retour, et ils vivraient heureux jusqu'à la fin des temps ; alors pourquoi pas moi ? » Ne dit-on pas que l'amour triomphe de tout ? Dans ce cas, vous pouvez l'utiliser contre votre protecteur-persécuteur.

Comme les traumatismes d'attachement impliquent souvent une séparation insupportable, le protecteur-persécuteur interdit l'amour qui porte en lui le risque de la perte, perte que selon lui vous ne pourriez supporter, comme cela vous est arrivé dans le passé. À moins d'inventer votre propre réponse à ces scénarios, il est impossible de le convaincre que vous pouvez vivre avec la douleur de la séparation et de la perte, et qu'à l'avenir vous saurez survivre à ce qui vous a tant fait souffrir dans le passé.

Cela n'est jamais facile, car la perte est douloureuse pour tous. Vous êtes peut-être encore convaincu que vous n'y survivriez pas, et que vous en mouriez, d'un point de vue psychologique sinon réel. Il vous faudra travailler là-dessus. Peut-être comprendrez-vous qu'il y aura toujours d'autres personnes avec qui vous pourrez créer un nouveau lien d'amour. Parfois, les seules réponses sont spirituelles. La bonne nouvelle ? En travaillant pour accepter le fait que toutes les relations finissent par se terminer, vous serez peut-être plus à même de le supporter que ceux et celles qui ont connu une enfance paisible.

Outre la perte, les deux traumatismes d'attachement dont vous vous protégez sont la trahison et l'abus. Une partie de l'attachement insécure vient de ce que l'enfant sent que le parent accapare tout le pouvoir et l'exerce sans amour. Cette expérience peut être extrêmement traumatisante. Une fois adulte, celui qui l'a subie continue de s'attendre à la trahison et à l'abus. Le protecteur-persécuteur peut jouer sur le fait que, ne pouvant lire dans l'esprit des autres, on ne peut jamais savoir avec certitude si les mots d'amour d'une personne sont parfaitement sincères, et si elle ne cache pas des sentiments négatifs à notre égard. Notre seule solution est de faire confiance et d'espérer le meilleur : la sincérité de l'autre. Mais le protecteur-persécuteur vous pousse à attendre le contraire. La seule solution est d'absorber l'amour que nous offre l'autre, d'apprécier ses mots doux et les attentions qu'il nous destine.

Quand le protecteur-persécuteur vous empêche d'ouvrir votre intimité à un autre, ne baissez pas les bras. Apprendre à aimer est sans doute l'un des plus grands défis pour une personne au passé difficile, et même une victoire partielle doit être fêtée comme un triomphe. Plus encore, le bourreau intérieur ne peut être guéri si l'on ne s'autorise pas à aimer. Seuls le lien et l'amour peuvent vous mettre hors d'atteinte du bourreau et du rang.

Se libérer du protecteur-persécuteur

Le simple fait d'avoir conscience de la présence du protecteur-persécuteur ébranle son emprise. Il est en effet rassurant de comprendre que tous nos changements ratés, toutes les critiques que nous nous adressons sans cesse ainsi que notre tendance à voir du rang partout proviennent de ce mécanisme de défense, nettement préférable au fait de se considérer comme autodestructeur. Votre première tâche est donc de vous détacher un peu de ce mécanisme en vous contentant de l'observer.

La deuxième étape consiste à briser les règles établies par le protecteur-persécuteur, tout comme Raiponce enfreint les commandements de la sorcière. Puis, vous apprendrez à vous relier aux autres et à vos propres sentiments. Enfin, vous utiliserez les informations fournies par vos rêves, elles vous indiqueront l'état du protecteur-persécuteur pendant ce processus et vous donneront des indices pour la suite.

Si vous ne parvenez pas à trouver la distance nécessaire pour faire le premier pas et vous séparer de cette défense, ou si les comportements qui vous nuisent ne s'atténuent pas à partir du moment où vous en identifiez la cause, il est temps de consulter un thérapeute. Si vous avez l'impression qu'une entité extérieure, comme une voix, vous pousse à des actes autodestructeurs, alors vous *devez* voir un psychothérapeute avant de lire la suite de ce chapitre.

Observer le protecteur-persécuteur

Reprenez en détail la liste des marques de présence du protecteur-persécuteur, reconsidérez chaque réponse et cherchez à comprendre les méthodes de votre protecteur particulier.

Observez en particulier vos liens avec les autres avec attention. Le protecteur-persécuteur amplifie toujours les défenses associées à un attachement insécure. Si vous êtes insécure anxieux, vous aurez tendance à rêver d'un partenaire idéal, et vous sentirez inférieur et effrayé lorsque quelqu'un vous témoigne son amour. Si votre insécurité se manifeste par l'évitement, vous aurez tendance à vous éloigner quand la relation devient plus intime, ou quand l'autre vous manque et à le repousser par votre colère ou votre froideur quand il est près de vous.

—— Indices de la présence du protecteur-persécuteur ———

* Vous vous montrez souvent extrêmement critique à l'égard de l'autre, perdant votre intérêt ou pensant à la rupture, en particulier après un événement agréable.

* Vous avez idéalisé une relation au point que, lorsque la moindre chose allait de travers, vous voyiez cette relation tout entière comme un échec retentissant.

* Vous vous méfiez de l'autre, mais refusez de lui en parler ou de débattre de ce qui pose problème.

* Vous êtes furieux ou abattu parce que l'autre ne veut pas passer tout son temps avec vous.

* Vous méprisez l'autre parce qu'il a davantage envie d'être avec vous que l'inverse.

* Vous décidez que « tout est fini » au moindre signe de conflit.

* Vous êtes obsédé par l'idée que l'un de vous est trop dépendant, faible ou en demande.

* Vous pensez en permanence que l'autre va vous quitter, cesser de vous aimer ou mourir.

* Vous ne pouvez voir aucun défaut dans l'autre, comme s'il ou elle était un dieu.

Il est douloureux de constater les effets du protecteur-persécuteur mais, une fois encore, il est nettement préférable de l'accepter comme un mécanisme de défense plutôt que de vous en vouloir.

Briser les règles

Pour briser les règles du protecteur-persécuteur, vous devez d'abord les reconnaître. Les traumatismes que vous avez identifiés grâce au chapitre 3, vous dictent souvent des règles inconscientes que vous avez appris à respecter. Les plus courantes sont listées ci-dessous.

Règles du protecteur-persécuteur

* **Pas d'intimité.** Ne jamais poser de questions personnelles, ne jamais y répondre. Quand les autres s'ouvrent à vous, les ignorer, montrer de l'arrogance ou de l'impolitesse et partir lorsque quelqu'un cherche à s'approcher.

* **Pas de discussion.** Être toujours poli ; mettre fin à une relation dès le premier conflit, ou si l'autre est en colère ; fuir les disputes.

* **Pas d'évolution.** Refuser les opportunités et les invitations à faire quelque chose de nouveau ; ne rien espérer ; faire la bête de manière à ce que personne ne pense à vous quand une opportunité se présente.

* **Pas de relation suivie ou de mariage.** Repousser toujours à plus tard ; s'enlaidir ; passer de flirt en flirt ou poursuivre un idéal inaccessible ; rester dans une relation avec quelqu'un que vous n'épouserez jamais ; avoir des aventures avec des partenaires mariés ; rester « éternellement jeune », célibataire bon vivant, fêtard, « lolita »... même quand l'âge vous rattrape.

* **Pas de sentiments forts.** Rester tout le temps au contrôle ; ne pas pleurer, ni montrer sa colère. Être toujours « cool ».

* **Pas de sexe ou de plaisir sexuel.** Éviter le sexe ; s'y montrer mécanique ; n'avoir que des sensations lointaines ; s'apaiser physiquement par le sexe sans ressentir la moindre émotion.

* **Ne pas croire quelqu'un qui vous dit que vous comptez pour lui (pour elle).** Ne pas accepter les compliments ni les marques d'affection, ou bien le faire en doutant de leur authenticité.

* **Ne jamais demander d'aide.** Se montrer suspicieux, distant, ne jamais se plaindre.

* **Pas d'honnêteté.** Dire seulement ce que les autres veulent entendre ; se méfier quand ils vous demandent « d'être vous-même ».

* **Pas d'espoir.** Ne pas attendre d'aide, refuser de croire que les choses peuvent s'améliorer. Ne croire en rien ni personne.

* Ne pas se défendre. Laisser les autres faire leurs quatre volontés, ne pas poser de problèmes, n'attendre ni justice ni équité en ce monde.

* Ne pas faire confiance. Ne pas s'y tromper : personne ne vous accorde la moindre importance.

Une fois que vous avez établi la liste des règles imposées par votre protecteur-persécuteur, vous pouvez commencer à envisager de vous en libérer. Il est très important de ne pas vous décourager si, au début, vous semblez ne pas y parvenir, voire régresser, deux pas en avant, trois pas en arrière… Les défenses du protecteur-persécuteur sont solides. Pire encore, il vous poussera à penser que vos efforts sont sans espoir au moment même où vous commencerez à atteindre votre objectif.

Pour éviter cette forme de sabotage, n'hésitez pas à convoquer votre colère contre lui. Si vous n'en trouvez pas, montrez-vous simplement persévérant. Faites particulièrement attention à ses attaques sur ce livre et les exercices qui vous y sont demandés, comme le dialogue avec la part innocente. De toute évidence, le protecteur-persécuteur préférerait vous interdire la lecture de ces pages.

Créer du lien

Le protecteur-persécuteur essaiera de s'en prendre aux relations que vous entretenez avec les gens. Il vous faut donc apprendre à les consolider et à les entretenir. En s'apercevant que vous ne baissez pas les bras, il finira par « s'asseoir à la table des négociations ». Il peut à tout moment reprendre ses attaques, mais vous les contrôlerez de mieux en mieux.

Demander de l'aide à une personne extérieure

Il est pratiquement impossible de s'opposer au protecteur-persécuteur sans l'aide d'au moins une personne extérieure capable de voir toute l'absurdité de ses règles et de vous soutenir dans votre lutte contre lui. Mais bien entendu, il vous pousse à rejeter tous les alliés. L'une des lois les plus courantes du protecteur-persécuteur est l'interdiction de croire qu'on puisse vous aimer. Certaines personnes ont beau le répéter, vous ne parvenez tout simplement pas à les entendre ni à les croire, ce qui peut devenir extrêmement frustrant dans vos rapports sentimentaux, pour l'autre comme pour vous. Il est important de faire savoir aux autres que la meilleure preuve d'affection qu'ils peuvent vous donner est d'être auprès de vous, même si ça n'est pas parfait.

Créer un lien avec une personne susceptible d'offrir par sa présence une sécurité supplémentaire à votre part innocente vous aidera. Il peut s'agir d'un thérapeute comme d'une personne qui vous aime. Gardez à l'esprit que le protecteur-persécuteur peut mettre la patience de n'importe qui à rude épreuve, et que la part innocente peut avoir un énorme besoin d'être rassurée. Les thérapeutes sont souvent les mieux placés pour fournir à la fois l'attention et la patience nécessaires, offrant à la part innocente un lien stable et sûr. Mais un simple ami qui vous comprend peut se montrer aussi très utile.

Établissez une liste des gens qui vous ont aidée ou pourraient vous aider à briser les règles. Passez davantage de temps avec eux. Si vous le jugez nécessaire, parlez-leur du protecteur-persécuteur. Au besoin, donnez-leur ce chapitre, voire ce livre à lire. Si vous vivez en couple, assurez-vous que votre partenaire est aussi votre allié. Que l'autre puisse voir comment le protecteur-persécuteur intervient et agit pour détruire votre lien ne peut qu'améliorer votre relation.

Reforger ses liens intérieurs

Vous devez également reforger vos liens intérieurs, ceux qui relient vos pensées, vos sentiments, vos sensations physiques, vos souvenirs et les comportements qui semblent liés au passé. Concentrez-vous sur vos souvenirs, vos sensations, et soyez présent au moment de façon à pouvoir percevoir les connexions qui se créent. Acceptez la réalité des émotions dont vous vous êtes coupé, car elles n'ont pas disparu. Elles sont en général très simples : peur, colère, tristesse et désespoir. Les émotions qui semblent jaillir sans raison, et le traumatisme qui les a engendrées puis repoussées dans l'inconscient restent en revanche plus difficiles à relier. Parfois, vous devez le deviner ou le déduire à partir du peu que vous savez. Dans d'autres cas, vous saurez parfaitement ce qui s'est passé, mais aurez du mal à percevoir la façon dont vous y avez répondu d'un point de vue émotionnel. Ainsi, il n'est pas rare que je rencontre des patients qui, luttant contre des sentiments dépressifs ou anxieux, me mentionnent au détour de la conversation qu'enfants, ils ont été victimes d'abus – sans apparemment voir le lien entre les deux !

Apprenez à chercher les émotions enfouies à travers votre corps, car c'est là que s'expriment les plus puissantes d'entre elles. Peut-être connaissez-vous déjà des problèmes d'eczéma, de maux de tête, de raideurs musculaires ou de faiblesses ; peut-être vos larmes se mettent-elles parfois à couler, votre gorge et votre ventre à se nouer, vos poings à se crisper et votre cœur à battre la chamade ou au contraire à peser comme une pierre. Penchez-vous sur les causes de toutes ces sensations. Si vous éprouvez des difficultés à ressentir les émotions à travers votre corps, vous pouvez vous mettre à la recherche d'un ostéopathe ou d'un autre spécialiste des thérapies holistiques qui vous aidera à exprimer ces émotions. Parlez-en le cas échéant à votre thérapeute, qui peut connaître de tels professionnels.

Les émotions puissantes peuvent effrayer, mais rien ne dure éternellement, et elles dureront certainement moins longtemps si vous ne résistez pas trop. Essayez de définir un temps précis pour explorer vos sentiments – pourquoi pas après une séance de dialogue avec votre part innocente ? Choisissez par exemple un cadre naturel, ou bien réfugiez-vous dans votre chambre avec des bougies et une musique qui évoquera le sentiment (si vous pensez avoir du mal à le contacter) ou bien vous apaisera. Si quelqu'un qui vous comprend peut être à vos côtés, c'est idéal, les émotions sont faites pour être partagées.

Le plus important des sentiments – celui qui signifie que vous êtes en passe d'accéder à des émotions enfouies – est le chagrin. Le chagrin est naturel : il exprime le regret des choses disparues, ou que l'on n'a jamais eues. Il peut concerner par exemple, un traumatisme d'enfance, ou le regret de n'avoir pas eu une enfance comme les autres. Le chagrin, la tristesse et deuil diffèrent de la dépression, car on en connaît les raisons ; il existe un lien normal, naturel, entre l'événement et les émotions, et vous en avez besoin, aussi douloureux qu'elles puissent être. Mais si vous souffriez, parlez-en avec les autres, qui pourront vous offrir le lien émotionnel correcteur dont vous avez besoin.

L'impossibilité de faire son deuil est l'un des plus grands problèmes des traumatismes très précoces : vous ne savez même pas ce qui vous rend triste, car vous ne vous en souvenez pas. Dans le passé, il vous a peut-être été difficile de faire le deuil, car vous deviez ignorer vos sentiments pour aller de l'avant. Si d'autres ont remarqué votre chagrin, ils vous ont peut-être jugé et classé de façon défavorable. « Mais qu'est-ce qui lui arrive ? » Votre tristesse a aussi pu rejaillir sur ceux qui étaient responsables de vous, ternissant leur image : « Es-tu en train d'essayer de dire que c'est ma faute ? » Plus encore, au moment du traumatisme, il était sans doute inutile de se lamenter, car le chagrin appelle l'attention des autres... mais, pour la part innocente, « l'autre » est quelqu'un qui ne peut répondre de façon appropriée ou ne répond pas du tout, rendant ainsi le deuil impraticable et inutile. Quoi qu'il en soit, vous pouvez à présent porter le deuil de ce que vous n'avez pas reçu, et qui vous manque encore.

La plus grande partie de cette exploration de vos liens internes peut être réalisée *via* le dialogue avec la part innocente. Vos rêves vous diront également ce que vous ressentez. Comme le protecteur-persécuteur s'oppose à vos efforts, il vous faudra adopter une approche systématique, en prenant au moins une heure par semaine pour laisser émerger vos émotions et vos traumatismes conscients. Ceci accompli, ils deviendront partie de l'histoire de votre vie, ouvrant la voie à la guérison et l'intégration. Écrivez-les dans votre journal pour les remettre au jour ; ce faisant, ces aspects du bourreau intérieur dus au traumatisme perdront peu à peu leur emprise sur vous.

Utiliser ses rêves

Même si vous n'avez pas de protecteur-persécuteur, apprendre à utiliser vos rêves constitue un travail inestimable. Ils vous aideront en effet à voir l'aspect actuel de votre part innocente, ce qui vous a traumatisé, et la qualité de votre lien aux autres. En général, les rêves révèlent ce qui se déroule dans votre vie sans que vous en ayez conscience. Ils vous donnent « le reste de l'histoire ».

Dans le cas du protecteur-persécuteur, les rêves fournissent des informations essentielles pour restaurer le lien qu'il cherche à détruire. Vos rêves sont des photographies aériennes, qui vous donnent une image exacte de vos positions et de celles de votre protecteur-persécuteur, en vous montrant précisément comment il travaille contre vous.

Le langage de vos rêves repose sur des images et des histoires entiè-rement construites autour de symboles et de métaphores vous concernant personnellement. Tous les détails comptent, et si un rêve semble vous dire quelque chose que vous savez déjà, accordez une attention toute particulière aux détails, en particulier les détails inhabituels ou inattendus.

Certes, certains symboles présents dans les rêves peuvent avoir une signification universelle, comme l'océan qui représente l'inconscient... sauf si vous êtes marin, auquel cas il peut avoir bien d'autres sens. En fait, lorsque vous rêvez d'un oiseau ou d'un taxi, vous devez penser à ce qu'un oiseau ou un taxi représente pour vous. Bien que je ne conseille jamais de se baser sur un dictionnaire des symboles pour décoder ses rêves, je recommande l'ouvrage *Inner Work*[1] de Robert Johnson, qui est synthétique et traite également d'imagination active.

Le protecteur-persécuteur ne peut vous empêcher de rêver, mais il peut en revanche vous laisser croire que certains rêves n'ont pas d'importance et qu'il faut les oublier ou, au contraire, les prendre très au sérieux, en particulier en ce qui concerne les cauchemars. *Ne l'écoutez pas.* Les rêves liés au protecteur-persécuteur sont toujours déplaisants. Mais même les « mauvais » rêves sont intéressants et cherchent à nous aider. Ils proviennent en effet d'une partie de notre inconscient qui nous pousse à grandir et est notre alliée. Ainsi, vos rêves constituent des indices fiables sur ce que le protecteur-persécuteur fait ou vous pousse à sentir.

Vous pouvez de même en apprendre davantage sur les visées du protecteur-persécuteur quand vous faites de « beaux » rêves qui semblent d'une certaine manière faussés. Un de mes patients rêvait d'un refuge, un vaste dôme de verre qui protégeait ceux qui s'y abritaient de gaz toxiques ; mais les plantes qui s'y trouvaient, censées nourrir la population, étaient en réalité faites de plastique coloré. Il peut également vous arriver de rêver que vous vous

© Groupe Eyrolles

---

1. Johnson R.A., *Inner Work: Using Dreams and Active Imagination for Personal Growth*, New York HarperOne, 1986, non traduit. On peut également consulter en français *Décrypter ses rêves*, Juliette Allais, « Comprende et Agir », Eyrolles.

endormez, que vous prenez une drogue ou que vous vous éva-
nouissez à un moment crucial de votre rêve. Tout cela vous montre que le « protecteur » cherche à limiter à tout prix la conscience
de votre rêve.

Les trois phases d'un rêve de protecteur-persécuteur
Si vous travaillez avec ce livre, les rêves liés au protecteur-persécuteur vont connaître trois phases.

Durant la première, ces rêves peuvent être particulièrement horribles, malsains, violents, angoissants ou catastrophiques. Même si
c'est un genre de rêves auquel vous êtes habitué, ils se produiront
sans doute plus fréquemment si vous essayez de comprendre votre
protecteur-persécuteur ou d'enfreindre ses règles. Ces rêves vous
montrent comment il réagit. Sauf si le traumatisme est récent et
qu'ils s'y rapportent visiblement, les rêves violents ne font pas référence à ce qui vous est réellement arrivé. Des rêves dans lesquels des
bombes atomiques frappent la terre, ou des extraterrestres répan-
dent des nuages toxiques, montrent seulement à quel point votre
part innocente a souffert, et combien le protecteur-persécuteur
tient à vous montrer que le monde est dangereux et à craindre.

Pendant la deuxième phase, vos rêves refléteront vos progrès avec
le protecteur-persécuteur. Même si les horreurs sont toujours là,
parfois en pire, vous pourrez y faire quelque chose, et de l'aide
peut se présenter. Vous pourrez, par exemple, vous retrouver
devant un missile prêt à exploser, lancé depuis une base militaire
que vous distinguez à l'abri de ses hauts murs ; vous êtes terrifié,
mais quelqu'un vous dit calmement que les personnes qui ont

lancé ce missile sont folles et qu'il faut les arrêter avant qu'elles ne détruisent le monde.

Dans un tel rêve, le décor – la base militaire – est clairement une référence au protecteur-persécuteur. Le rêve signifie que vous le reconnaissez. Mieux encore, une partie neutre de vous-même semble savoir comment s'attaquer à lui. Vous savez qu'il ne s'agit pas d'une ruse du protecteur, qui chercherait à vous détourner du problème. Au contraire, quelque chose vous informe, d'une certaine façon, sur ce qui peut être fait contre ce mécanisme de défense, même s'il paraît encore relativement imprenable.

Au cours de la troisième phase, le protecteur-persécuteur vous apparaîtra sous les traits d'un personnage. Qu'il s'agisse d'Adolf Hitler ou d'une mère qui a assassiné ses enfants, du moment qu'il revêt une forme humaine, il est vulnérable ; il peut être enfermé, elle peut être jugée. Les rêves de cette troisième phase peuvent également vous présenter sauvé par une aide extérieure ou bien particulièrement fort et puissant, affrontant le protecteur-persécuteur, voire triomphant de lui, par vos propres moyens. Si vous n'êtes pas directement la victime de ses agissements, cela signifie que vous ne vous identifiez plus entièrement avec la personne que le protecteur-persécuteur peut contrôler.

Ces phases ne sont pas rigides, mais en connaître les grands traits peut vous aider à voir vos progrès et à comprendre pourquoi vous pouvez toujours faire de terribles cauchemars. En effet, il se peut que le fait de vouloir enfreindre une nouvelle règle du protecteur-persécuteur vous renvoie à une phase antérieure de rêves désagréables.

Le décor et l'âge

Le décor de vos rêves, et l'âge que vous y avez, donnent en général des indications sur le thème général. Un rêve qui se déroule dans la maison où vous avez grandi parle certainement de votre enfance et de ce qui s'y est passé qui vous affecte encore. Si vous êtes un adulte dans cette maison, il s'agit probablement d'un rêve qui parle de votre relation d'adulte avec votre enfance.

Dans un rêve de protecteur-persécuteur, le décor variera en fonction de la phase. Dans un rêve de première phase, le décor sera sans doute un monde cauchemardesque, sans rapport avec le réel. La deuxième phase propose des lieux plus réalistes mais marqués par le Mal, comme un camp de concentration. Dans la troisième phase, le décor est en général un endroit dans lequel vous pourriez, du moins en théorie, triompher des forces qui vous menacent.

Plus vous êtes jeune dans un rêve, plus il y a de chances qu'il concerne la part innocente, même si vous la voyez en général comme une adulte. Si vous avez votre âge réel, le rêve symbolise davantage la façon dont votre protecteur-persécuteur agit sur vous en ce moment.

Les émotions et personnages

En général, le niveau d'émotion présent dans un rêve est plus ou moins équivalent à celui dont vous devez devenir conscient. Lorsqu'il y a eu un traumatisme et que les liens entre les émotions et leurs causes se sont rompus, les émotions réprimées ou inconnues dans les rêves peuvent être très intenses. C'est bien pour cela que les liens ont été brisés – pour vous empêcher d'être emporté par les émotions. Bien que les cauchemars puissent être très perturbants, ils cherchent à vous aider en restaurant le lien entre émotion et conscience. Aussi funeste qu'il soit, un cauchemar se dissipe souvent très vite lorsqu'on le raconte à quelqu'un – signe, encore une fois, de la force du lien.

La forme que prend le protecteur-persécuteur dans le rêve vous en apprend beaucoup. Karl rêvait qu'il affrontait un chevalier noir. Au début, ils étaient tous deux armés de la même façon, ce qui suggérait des rêves de phase trois, mais ils retournaient très vite vers le premier niveau : le chevalier devenait un robot géant qui se multipliait et se mettait à tuer tout le monde – humains, animaux et végétaux. Karl apprenait que l'éducation militaire de son grand-père aurait été acceptable s'il ne s'était agi que de lui apprendre à se battre, mais qu'au fond, elle allait beaucoup plus loin, et touchait à l'incapacité du grand-père à éprouver des sentiments humains. Du point de vue du protecteur-persécuteur, les premières expériences de Karl constituaient une bonne raison de détruire tout lien avec le monde des vivants. (Bien plus tard, Karl se rêve combattant un robot, une épée à la main. L'épée parvient à se glisser sous la carapace de la machine, qui saigne et meurt comme un humain.)

Les tortures et souffrances

Lorsqu'un rêve de protecteur-persécuteur implique des tortures ou des souffrances, le détail de ce qui est infligé à la part innocente peut contenir des informations cruciales. Tête tranchée, pendaison ou strangulation peuvent symboliser le fait d'être coupé du corps et de ses émotions. Quelqu'un qui se moque de vous renvoie sans doute à la faculté du protecteur-persécuteur de vous critiquer pour vous retenir de passer à l'action. Vous couper la respiration ou vous priver de nourriture peut indiquer qu'il vous empêche de combler vos besoins.

Si beaucoup de vos rêves tournent autour du sexe dans des conditions horribles – viol ou attouchements sur un enfant par exemple – il est probable que votre part innocente ait connu un certain type d'intrusions, physiques ou psychologiques. Un père peut par exemple avoir beaucoup parlé de sexualité avec sa fille parce qu'il y prenait du plaisir. Il ne faut jamais sous-estimer l'impact d'une intrusion sexuelle qui n'est « que » psychologique. Qu'il soit physique ou non, l'inceste en particulier est une violation archétypale qui endommage terriblement la plupart des victimes.

Dans les rêves, les agressions à caractère sexuel ne représentent pas, en général, ce qui s'est réellement produit, mais symbolisent plutôt quelque chose d'important que vous ignorez encore. La présence de plusieurs agresseurs, par exemple, peut indiquer l'importance du traumatisme plutôt que sa nature. Rêver d'agression sexuelle ne signifie pas toujours que le traumatisme ait été d'ordre sexuel ; le rêve montre en fait ce que le protecteur-persécuteur fait de vous actuellement : il vous violente et vous traite avec sadisme, exige une soumission totale et humiliante, attaque votre virilité (votre féminité) ou votre créativité.

Protecteur-persécuteur et bourreau intérieur : une alliance redoutable

Infirmière en chirurgie, Karine est une personne hypersensible qui vient me consulter à cause des crises d'anxiété qu'elle rencontre pendant ses heures de travail, et qui finissent par donner aux médecins avec qui elle travaille l'impression qu'elle est incompétente. Elle a si peur de commettre des erreurs fatales pendant une opération qu'elle n'en dort pas. Son bourreau intérieur la taraude jour et nuit. C'est ce que recherche le protecteur-persécuteur, car cela empêche la jeune femme de se sentir suffisamment confiante pour s'accomplir dans la vie.

Un jour, au travail, les choses empirent : un chirurgien l'exclut du bloc et menace de lui infliger un blâme pour lui avoir désobéi. Karine savait que le médecin ne suivait pas les nouvelles procédures, et que ses ordres pouvaient s'avérer dangereux ; paralysée, elle a simplement cessé de bouger et de répondre. Cette même nuit, elle a fait un rêve dans lequel elle était une biche, les pattes liées à deux poteaux, tellement entravée qu'elle ne pouvait pas bouger. Un médecin surgissait, et elle comprenait immédiatement qu'il était le responsable de cette torture. Impressionnée qu'elle soit toujours en vie, l'homme la libérait de ses liens – mais il lui coupait également les pattes de devant. Honteuse de son handicap, elle partait tant bien que mal se réfugier dans les bois.

Le médecin la suivait ; il la transformait en jeune fille, mais faisait d'elle son esclave. À présent, elle devait l'aider à capturer de nouvelles biches et à les ligoter à des poteaux jusqu'à ce que mort s'ensuive. Malgré le désespoir qui s'emparait d'elle, Karine devait obéir à l'homme.

Dans le rêve, la jeune fille avait huit ans – l'âge de Karine quand sa mère est décédée d'un cancer. Karine avait toujours été sage, et plus encore quand sa mère est tombée malade. Mais elle n'était toutefois qu'une enfant, et quelques semaines avant la mort de sa mère, elle s'est liée avec une petite fille beaucoup plus turbulente. Ensemble, elles volaient des bon-

bons à l'épicerie. Pour Karine, il était excitant de partager ce secret avec sa nouvelle amie courageuse et maligne... jusqu'à ce qu'elles se fassent pincer.

La mère de Karine était bouleversée ; elle craignait qu'après sa mort, sa fille ne « tourne mal ». Le médecin dit à Karine que son méfait avait aggravé la condition de sa mère.

Quelles étaient les émotions de ce rêve ? La souffrance, l'impuissance, et la honte du handicap qu'elle conserverait toujours – les pattes coupées représentant sa vie réprimée et les entraves à sa liberté de changer. Plus encore, le rêve révélait sa terrible culpabilité de devoir aider à tuer la biche, comme si elle pensait avoir aidé à tuer sa mère.

Le médecin du rêve était son protecteur-persécuteur, que Karine appelait le Docteur Lamort. Si ce rêve lui est venu, c'est que la thérapie qu'elle suivait tendait à la libérer ; Lamort lui coupait les jambes pour l'empêcher de s'enfuir. Mais en reliant le traumatisme passé, associé au monde médical et à ses problèmes actuels dans ce même milieu, elle avait progressé, et parvenait de plus en plus à se libérer de son protecteur-persécuteur, hésitant beaucoup moins à s'affirmer dans son travail.

Se souvenir des rêves et travailler avec eux

Les rêves qui impliquent le protecteur-persécuteur sont souvent si violents et dérangeants qu'ils vous réveillent la nuit ou s'accrochent à votre mémoire au réveil, mais ce n'est pas toujours le cas. Si un rêve pouvait vous être utile, il se peut que le protecteur-persécuteur se débrouille pour que vous ayez du mal à vous en souvenir. Si vous oubliez un rêve, ne vous en voulez pas, vous en ferez d'autres. Toutefois, vous pouvez améliorer vos souvenirs en restant chaque matin dans le lit pendant quelques minutes, à la recherche de ce dont vous avez rêvé. Vous pouvez solliciter votre mémoire en vous posant des questions par catégorie : s'agissait-il d'un rêve en extérieur ? Au travail ? Avec des animaux, des gens ? Était-ce à la plage ? Dès que vous sentez quelque chose de familier, arrêtez-vous sur cet élément. Notez dans votre journal tous les rêves dont vous vous souvenez, et repensez-y pendant la journée, et avant de vous endormir la nuit suivante.

Travailler avec une autre personne en « croisant » vos rêves peut être particulièrement intéressant, surtout si vous avez compris comment fonctionnaient les rêves de protecteur-persécuteur. Vous pouvez alors vous aider l'un l'autre en vous posant des questions simples. Par exemple « Qu'est-ce qu'Hitler signifie pour toi ? » ou « Ça se passait dans une fête ; tu aimes les fêtes, ou pas trop ? » En général, cela suffit pour aider celui ou celle qui a fait le rêve à établir les liens qui s'imposent. Toutefois, quand vous parlez de vos rêves avec quelqu'un, les éléments les plus divers peuvent apparaître ; aussi, soyez certain que vous êtes prêt à révéler certaines réalités profondes vous concernant.

Il arrive que des personnes ayant souffert d'un passé traumatique affirment ne pas faire de rêves. Sachant que nous rêvons tous, il peut s'agir d'un mécanisme de défense, bien qu'un manque de sommeil chronique ou certains médicaments puissent interférer sur les rêves. Si c'est votre cas, assurez-vous qu'il n'y a pas de cause physique à votre absence de rêves, puis montrez-vous patient ; accrochez-vous à la moindre trace de rêves. Ainsi, vous commencerez peu à peu à entrer en relation avec ceux-ci.

À vous !

* Choisissez un rêve dans lequel vous pensez voir le protecteur ou le persécuteur, par exemple, dans lequel quelqu'un ou quelque chose vous fait peur, vous blesse, vous emprisonne ou vous fait perdre conscience. Notez les émotions et leur intensité. Demandez-vous pourquoi elles apparaissent dans ce rêve : s'agit-il de sentiments que vous pouvez éprouver dans la journée sans en connaître la cause ? S'agit-il de sentiments que vous pouvez expliquer par une situation connue récemment ?

* En fonction de l'apparence du protecteur-persécuteur, déterminez à quelle phase appartient ce rêve. S'agit-il d'une machine, d'un monstre ou d'un être humain ? Peut-il détruire le monde, une ville, ou vous-même ? Que suggèrent votre âge et le décor du rêve ?

* Établissez une liste des détails concernant chaque personnage et chaque objet, et demandez-vous pourquoi il est là. Imaginez que vous décrivez ces objets à quelqu'un qui n'a pas la même culture ou les mêmes symboles que vous. Que représente une bicyclette ou un chien pour vous ? Si la bicyclette est rouge, que signifie cette couleur pour vous ? Le rouge vous fait-il penser à la colère, le bleu à la dépression ?

* Éloignez-vous un peu de ces détails et repensez au rêve dans son ensemble. Pouvez-vous comprendre ce que dit le rêve sur les manifestations de votre protecteur-persécuteur dans votre vie courante ? Pouvez-vous reconnaître spécifiquement des actions protectrices ou persécutrices ? Dans le rêve, qu'avez-vous appris qui redonne une dimension humaine à votre protecteur-persécuteur, vous permettant plus facilement d'enfreindre ses règles ? Le rêve de Karine où figurait le Docteur Lamort montrait ainsi à la jeune femme qu'elle pouvait se tirer « vivante » de sa situation (bonne nouvelle !) mais qu'elle devait enfreindre les règles des médecins, par qui elle se laissait traiter comme une enfant ou une esclave.

Séance d'imagination active avec le protecteur-persécuteur

À présent que vous êtes conscient de la présence d'un protecteur-persécuteur dans votre vie, vous pouvez remarquer que vous en êtes plus libre et que vous pouvez enfreindre ses règles avec des résultats positifs. Vous pouvez créer des liens, voire des alliances, reconnecter passé et présent, corps et esprit, émotions et souvenirs. Vos succès apparaîtront dans vos rêves, où vous verrez le protecteur-persécuteur prendre des formes plus humaines ou naturelles. Lorsque ceci se produit, il peut être temps de lui proposer de négocier *via* des séances d'imagination active.

Dans ces séances, le but n'est pas de vous débarrasser du protecteur-persécuteur – c'est impossible – mais simplement de le pousser à apparaître moins souvent en lui montrant que vous pouvez vous en sortir aussi bien, sinon mieux, sans lui.

Se sentir en sécurité

Toutefois, avant de vous lancer dans ces négociations, vous devez être en sécurité. Même si le protecteur-persécuteur a pris forme humaine dans vos rêves, il reste un assaillant dangereux dont il faut se méfier. Pour votre première séance d'imagination active, convoquez son apparence la plus humaine, la moins dangereuse. Concentrez-vous ensuite sur la sécurité physique. Si, dans vos rêves, le protecteur-persécuteur est un cambrioleur qui essaie de forcer votre porte, n'essayez pas de lui parler pendant qu'il s'en prend à celle-ci. Imaginez plutôt que la police arrive et l'enferme dans une cellule ; alors, seulement, vous pourrez vous adresser à lui. Si vous ne parvenez pas à imaginer cela – par exemple s'il parvient à s'enfuir grâce à ses superpouvoirs, ou si la police ne veut pas vous aider – arrêtez l'exercice.

Entamer les négociations

Votre but est de convaincre le protecteur-persécuteur que désobéir à ses lois et prendre des risques vous convient et que vous voulez davantage de liberté. Expliquez-lui que vous réussissez dans votre travail, ou en tout cas que rien ne vous semble justifier que s'appliquent encore les vieilles règles : ne pas se faire remarquer, ne pas mentionner vos besoins, ne pas montrer vos talents ou quoi que ce soit qu'il pourrait vous pousser à sous-évaluer. Faites-lui remarquer vos bonnes relations – ne partez pas du principe qu'il a remarqué que les choses changeaient, car il est autonome et déconnecté de vous. C'est ainsi qu'il s'assure que sa défense, votre défense, reste en place.

Écoutez attentivement ses réponses. Même si vous n'êtes pas d'accord, une bonne négociation passe toujours par l'écoute. De même, vous distinguerez mieux les problèmes qu'il vous pose encore et ses domaines d'action.

Lorsque vous comprenez les stratégies qu'il utilise pour vous protéger, remerciez-le pour ses bonnes intentions. Puis, calmement mais fermement, faites-lui remarquer que vous tenez vous aussi à protéger votre part innocente, mais que vous voulez qu'elle grandisse. Cette part innocente peut vous aider en cela, si elle apprécie de plus en plus sa liberté nouvelle et refuse d'être « protégée » en étant enfermée entre des murs.

Une séance d'imagination active efficace

Karine a pris des risques nouveaux, enfreignant de plus en plus de règles du Docteur Lamort – par exemple en acceptant une promotion au poste d'infirmière en chef du service de chirurgie. Elle a appris trop tard que les trois personnes qui l'y avaient précédée avaient préféré jeter l'éponge très rapidement. Au début, tout se passe bien ; même si personne ne la félicite, elle sait qu'elle fait très bien son travail. On n'attache pas trop d'importance à ses quelques erreurs, et on lui laisse de plus en plus de responsabilités. De toute évidence, elle s'en sort mieux que ses prédécesseurs. D'un autre côté, elle maigrit, dort mal, et perd de vue ses amies. Au travail, elle lutte contre le chaos permanent ; en dehors de l'hôpital, le chaos triomphe...

Karine le sait : elle doit abandonner ce poste. Elle le veut. Elle pourrait même démissionner, car elle a de plus en plus envie de reprendre ses études. Mais la première des règles du Docteur Lamort est : *ne rien changer* puisque, par le passé, un petit changement – se faire une nouvelle amie – a eu des conséquences terribles. Pourtant, Karine se sent prête. Elle est partie de chez son père et a mis fin à deux terribles « amitiés » particulièrement calamiteuses, où elle s'est montrée loyale envers et contre tout, ne récoltant en retour que moqueries et mauvais traitements. Comme elle réalisait ces changements, le Docteur Lamort lui apparaissait dans ses rêves sous des formes de plus en plus humaines, ayant perdu le pouvoir de la transformer en biche, en enfant ou en esclave. Encouragée, elle se décide à ouvrir le dialogue avec l'avatar le plus humain de son protecteur-persécuteur au sujet de sa démission de son travail épuisant.

Karine : Rebonjour, Docteur. J'ai l'impression qu'une fois de plus, vous tentez de « m'aider ». J'aimerais quitter mon emploi, mais je n'y arrive pas. Est-ce à cause de vos agissements ?

Dr Lamort : Tu ne veux pas passer pour une lâcheuse, si ?

KARINE : C'est donc ça ! (Karine le sait : son père détestait les « lâcheurs ». Il ne s'est jamais remis de la mort de sa femme, devenant un homme froid et exigeant qui accusait souvent sa fille de tout abandonner.) Mais vous savez, Docteur, fuir le *Titanic* quand il coulait, ce n'était pas être un lâcheur. Le problème ne vient pas de moi, mais de querelles de pouvoir au niveau de la direction, et je ne peux rien y changer.

DR LAMORT : Eh bien, tu n'as qu'à partir alors. Mais tu n'as jamais été aussi bien payée qu'ici. Tu seras incapable de trouver un emploi aussi intéressant.

KARINE : On ne m'aurait pas choisie si je n'avais pas été une très bonne infirmière. Je peux toujours reprendre ce poste.

DR LAMORT : Ils voudront savoir pourquoi tu t'en vas. Si tu dis que le problème vient du management, on va te voir comme une fauteuse de troubles.

KARINE : Mon ancienne chef de service m'écrira une lettre de recommandation.

DR LAMORT : Quand tu lui diras que tu veux partir, ton patron sera furieux. Tout dépend de toi, dans ton service. (Cette perspective paralyse à nouveau Karine. Son patron la terrifie.)

KARINE : Eh bien, j'écrirai une lettre de démission

DR LAMORT : Tu avais ta chance, mais tu as tout raté.

KARINE : Je n'ai rien raté du tout. La situation était inextricable quand je suis arrivée ici, et elle le restera par la suite.

DR LAMORT : Mais bien sûr ! Tu fais porter le chapeau aux autres.

KARINE : Arrêtez ! J'aurais dû refuser quand on m'a proposé ce poste, d'accord ? Mais j'ai fait de mon mieux. Et je n'ai pas peur. Tout se passera bien.

Ce qu'a fait Karine :

* Elle a ouvert le dialogue avec la forme la plus sûre du Docteur Lamort.

* Elle a recherché un lien de cette situation avec le passé – son père qui la traitait toujours de « lâcheuse ».

* Elle a débattu avec vigueur.

* Elle s'est mise en colère quand elle en a eu assez.

Le protecteur-persécuteur contre le critique intérieur

Si, au lieu du protecteur-persécuteur, c'était le critique intérieur de Karine qui s'était adressé à elle, il l'aurait peut-être également traitée de « lâcheuse », en croyant qu'il s'agissait d'une bonne tactique pour l'encourager à redoubler d'efforts dans son travail. Elle aurait pu lui répondre la même chose : il faut qu'elle parte. Mais le critique intérieur est rapidement sensible à la raison, et ses motivations diffèrent de celles du protecteur-persécuteur : le premier essaie d'aider Karine, tandis que l'autre préfère qu'elle échoue plutôt que d'apporter un changement à sa vie. Le protecteur-persécuteur est donc pleinement du côté du bourreau intérieur.

Ces deux figures, le protecteur-persécuteur et le critique intérieur, servent donc des buts si différents que, même si vous avez beaucoup avancé dans le processus de guérison, en aucun cas le premier ne se substituera au second ; vos progrès ne susciteront jamais son enthousiasme, et il ne vous aidera pas. Au mieux, il deviendra cynique. Quand vous vous livrez à l'imagination active, soyez attentif à qui vous parle. Entendez-vous des propos qui peuvent vous aider, même s'il y manque les formes ou les détails, ou bien des avis qui ne peuvent en aucun cas vous permettre d'atteindre vos buts et sont en outre totalement faux ?

À vous !

Passez un accord avec votre critique intérieur

Dans votre journal de bord, notez les points sur lesquels vous souhaitez que votre critique intérieur change, puis écrivez-lui une lettre montrant de façon très claire ce que vous attendez de lui dans le futur. Au cours d'une séance d'imagination active, lisez cette lettre et observez ses réactions. Au besoin, changez les termes de votre exigence jusqu'à ce que vous parveniez à un accord. Lorsque vous prenez votre critique intérieur à retomber dans ses travers, ressortez la lettre. Comme tout bon coach, il doit se montrer consciencieux et pouvoir admettre qu'il n'a pas tenu ses engagements.

Affrontez le protecteur-persécuteur

Si vous possédez un protecteur-persécuteur, pensez donc de façon très large à vos valeurs, à vos buts les plus fondamentaux, et à la façon dont le bourreau intérieur s'arrange pour que vous n'y parveniez pas. Puis réfléchissez plus spécifiquement à quand et comment le protecteur-persécuteur vous a empêché de progresser et a renforcé le bourreau. Séparez le protecteur du persécuteur : quelle a été la stratégie de chacun, et lequel domine à présent ?

Si vous ne l'avez déjà fait, établissez une liste des règles (pas de droit à l'intimité, interdiction de se mettre en avant, etc.) que vous voulez enfreindre pour progresser. Écrivez ensuite un plan de bataille pour contenir les assauts du protecteur-persécuteur. Une surveillance accrue du protecteur-persécuteur en fera partie ; il faudra également outrepasser ses règles, accroître la teneur des liens (extérieurs ou intérieurs), se libérer du temps pour les séances d'imagination active avec la part innocente, prêter attention à vos rêves pour voir comment le protecteur-persécuteur fonctionne, puis trouver le moment propice pour lui parler, et être attentif à tous les signes de progrès. Par-dessus tout, si vous décidez de reposer ce livre sur son étagère, demandez-vous pourquoi vous le faites.

Approfondir le lien : une nouvelle façon de vivre les relations

En ayant travaillé avec la part innocente, le critique intérieur et le protecteur-persécuteur, les principaux facteurs inconscients qui peuvent nous empêcher de créer du lien, vous pouvez à présent recommencer à développer vos talents relationnels afin d'apprendre à passer du rang au lien lorsque vous le souhaitez.

Ce chapitre vous montrera comment passer d'une nouvelle amitié ou des débuts d'une relation amoureuse à un lien bien plus profond, où l'autre personne et vous vous « impliquez », reconnaissant tous deux que vous êtes des amis intimes ou un couple. Vous voulez être plus souvent ensemble, vous connaître mieux, être au courant de ce qui se passe dans la vie de l'autre au jour le jour et, autant que possible, subvenir aux besoins affectifs de l'autre, en particulier dans les moments de crise. Bien que dans certains cas, les liens affectifs évoluent naturellement dans ce sens, il n'y a aucune raison de laisser ceci au hasard. Il existe des méthodes simples qui garantissent que cela arrivera presque à coup sûr.

Les relations d'intimité sont bien sûr des lieux où le lien prédomine sur le rang, mais elles permettent également de vous libérer du bourreau intérieur. Dans la proximité, l'autre connaît – et vous le savez – tous vos travers, et il vous aime tout de même. Le fait d'en parler peut guérir certains traumatismes. Si vous avez tendance à vous sentir insécure dans vos attachements, cela aussi peut disparaître ; la relation intime à l'autre, privilégiée, devient un sanctuaire dans un monde de rang.

À vous !

Certes, je pourrais vous proposer un long test destiné à mesurer votre degré de proximité dans une relation avec une personne particulière, mais celui qui suit, et que j'ai mis au point avec l'aide de mon époux, est tout aussi efficace pour vous aider à le déterminer. Il s'agit simplement de choisir la figure qui décrit le mieux votre relation. Si vous voulez le faire pour plusieurs relations, écrivez le nom de la personne concernée sous les figures correspondantes.

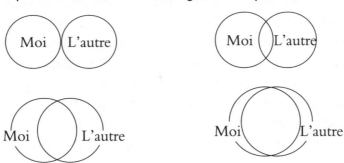

Plus les deux cercles se chevauchent, plus vous considérez l'autre comme une part de vous-même. Dans nos recherches cliniques, nous avons défini que le degré d'inclusion de l'autre dans nous détermine à quel point nous l'apprécions, souhaitons l'aider et le combler, et le traitons d'un point de vue général comme si nous étions tous deux la même personne[1]. Il ne s'agit pas d'une relation fusionnelle nocive – chacun reste un « cercle » à part entière. Traiter quelqu'un au même titre que vous-même implique que vous ayez le sens de qui vous êtes ; mais vous pouvez partager vos ressources, vos points de vue et un soutien émotionnel. C'est l'essence même du lien.

Approfondir la relation par des actes

Bien que nous puissions approfondir un lien simplement par la parole, il est intéressant de se souvenir qu'il se crée aussi par les actes. Dans le chapitre 4, nous parlions de ce que l'on pouvait offrir, cadeaux, nourriture ou services, car plus vous en offrez à quelqu'un, plus vous êtes proche de lui. Pour une relation occasionnelle, vous offrez un café ; dans une relation plus intime, vous invitez l'autre à dîner. Si une collègue et amie doit se rendre à l'hôpital pour une opération, plutôt que de simplement lui proposer de la remplacer au travail, vous l'accompagnez à la consultation et l'attendez avant de la ramener à son domicile, où vous prenez soin d'elle jusqu'à ce qu'elle aille mieux.

---

1. A. Aron, D. Mashek, et E. N. Aron, « Closeness, Intimacy, and Including Other in the Self », dans *Handbook of Closeness and Intimacy*, D. Mashek et A. Aron, Mahwah, NJ. Erlbaum, 2004. (« Proximité, intimité et inclusion de l'autre dans soi », non traduit.)

On sait aussi que les amitiés comme les relations amoureuses sont souvent d'autant plus profondes que les deux personnes ont vécu ensemble une expérience intense[1]. Pensez à toutes les amitiés indéfectibles qui se sont forgées ainsi, par exemple pendant la révision de certains examens déterminants, à l'armée ou lorsque l'on élève des enfants du même âge. (Dans ce chapitre, je parlerai beaucoup des liens entre amis et parents, mais tous les éléments peuvent s'appliquer à la naissance d'une relation amoureuse.) Certaines personnes sont devenues amies à la vie à la mort après avoir été enfermées ensemble dans un ascenseur. On peut également choisir de manière délibérée d'approfondir le lien de cette façon : vous savez qu'en voyageant ensemble, et plus encore en décidant de vivre ensemble, vous rendrez votre intimité plus intense − non seulement parce que vous aurez davantage de temps pour parler, mais aussi parce que des situations imprévues se manifesteront et vous obligeront à vous occuper l'un de l'autre, voire à vous révéler réciproquement sous vos plus mauvais jours. Ainsi, on peut approfondir un lien en décidant de prendre ensemble des cours de voile, de partir en randonnée, ou pourquoi pas de faire du bénévolat dans une association.

Les chercheurs se sont rendu compte que deux étrangers peuvent devenir des amis proches s'ils affrontent un ennemi commun ou

---

1. A. Aron, D. G. Dutton, E. N. Aron et A. Iverson, « Experiences of Falling in Love », *Journal of Social and Personal Relationships* n°6, 1989. (« Comment tombe-t-on amoureux », non traduit.)

travaillent ensemble[1]. Vous pouvez mettre ceci en application. Si le niveau de la rivière près de chez vous est en train de monter, et que vous appréciez votre voisin, vous vous préparerez à l'inondation ensemble. Le partage de plaisirs intenses a des effets similaires ; si vous soutenez la même équipe sportive ou que vous êtes tous deux fans de théâtre, vous pouvez prendre des places ensemble, ainsi vous partagerez des émotions fortes.

De façon générale, lorsque deux personnes se livrent ensemble à une activité « vivifiante », dans quelque mesure que ce soit, elles se sentent ensuite plus attirées l'une vers l'autre[2]. Donc, au lieu d'un dîner en ville, suggérez une randonnée au clair de lune ; au lieu d'un déjeuner, une promenade en rollers, un pique-nique dans un endroit insolite, une heure d'observation des oiseaux, etc. Bien entendu, vous ne devez pas vous montrer trop insistant, et choisir une activité susceptible de plaire à l'autre : pas question de lui faire une surprise sans connaître ses goûts. Le simple fait de réfléchir de façon aussi créative à vos activités communes est un cadeau que l'autre appréciera.

---

1. E. Aronson et V. Cope, « My Enemy's Enemy Is My Friend », *Journal of Personality and Social Psychology* 8, 1968. (« L'ennemi de mon ennemi est mon ami », non traduit.) J. Strough et S. Cheng, « Dyad Gender and Friendship Differences in Shared Goals for Mutual Participation on a Collaborative Task », *Child Study Journal* 30, 2000. (« Objectifs communs pour une participation mutuelle à une tâche collaborative : différences entre amitié et couples mixtes », non traduit.)
2. D. G. Dutton and A. Aron, « Some Evidence for Heightened Sexual Attraction under Conditions of High Anxiety », *Journal of Personality and Social Psychology* 30, 1974. (« Signes de l'augmentation de l'attirance sexuelle dans des circonstances anxiogènes », non traduit.)

Créer une conversation passionnante

Meilleur sera le lien, plus vous y serez réactif. Chacun de vous est à l'affût des besoins et des envies de l'autre pour les combler ; la plupart des informations circulent dans le dialogue, que ce soit pour se divertir, mieux se connaître ou s'aider l'un l'autre. Même lorsque vous aidez une amie à déménager, les conversations que vous avez pendant cette activité constituent l'essentiel du plaisir. C'est en général sur le ton de la plaisanterie : « Non mais tu as vu toutes les affaires que tu as ? On dirait ma mère ! Tu as même des boîtes pour ranger les boîtes à ranger ! » Certaines conversations peuvent vous aider à mieux vous connaître « Ainsi, tu as du mal à jeter ? », voire à aider l'autre « J'ai l'impression que déménager t'est difficile ; ça te dirait qu'on en parle ? »

Mettre de l'humour dans ses conversations

Entre Américains et Européens par exemple, il existe de profondes différences sur la portée et l'origine des conversations. Les premiers y voient souvent un échange factuel, les seconds les considèrent comme des sources d'humour et de plaisir potentielles. Aux États-Unis, la question « Quoi de neuf ? » invite souvent à une réponse longue et détaillée, et on ne verra pas d'inconvénient à ce qu'une personne monopolise la parole pendant un certain temps, même si son ton de voix est tout sauf enjoué. Le sens de la repartie, donc, y est moins développé. En France, nous sommes plus habitués à des conversations légères et pleines d'humour. Sans être dans le jugement, on peut tenter d'équilibrer ces deux pôles de la conversation, en évitant de se laisser embarquer dans des discussions trop superficielles, fondées sur la vivacité de l'échange – tout comme on peut alléger les conversations trop monotones ou dramatiques par une pointe d'humour.

Cet effort, pour vos amis proches et les liens auxquels vous tenez, changera votre approche des conversations ; ainsi, vous éviterez de laisser le bourreau intérieur imprimer sa marque en faisant taire les longues litanies de plainte ainsi que les brillantes reparties destinées à masquer vos véritables sentiments.

Aborder des sujets plus intimes

« Intime » vient du mot latin « *intimus* » qui signifie « le plus à l'intérieur ». Pour rendre une relation plus intime, vous devez donc dévoiler vos pensées et surtout vos sentiments les plus profonds. Votre conversation doit aller du plus superficiel au plus personnel, ne franchissant chaque étape que lorsque vous et votre ami y êtes prêts.

Vous pouvez commencer par un simple échange de pensées et d'observations, puis y mêler des idées et des sentiments, avant d'exprimer des émotions intenses, comme piquer ensemble un fou rire ou pleurer dans les bras l'un de l'autre. Ces moments d'émotion sont souvent ceux qui accroissent le plus le lien.

La plupart du temps, partager ce qui se passe au présent augmente davantage l'intimité que le fait de parler du passé. Ainsi, « Waouh, tu as vu ce que fait ce type avec sa moto ? Tu veux qu'on s'approche pour en profiter ? » est plus à même de vous faire vivre un moment partagé que « Ça me rappelle que l'autre fois, j'ai vu un gars qui faisait des cascades avec une moto. »

Une conversation peut porter sur un tiers, sur vos rapports avec un tiers, sur la personne avec qui vous parlez ou vos rapports avec celle-ci. Les moments intimes les plus agréables ont en général lieu lorsque vous parlez de ce que vous ressentez l'un et l'autre, et non de ce que vous pensez. Par exemple : « J'adore qu'on passe du temps ensemble toi et moi. Ça me fait tellement plaisir qu'on puisse se retrouver pour déjeuner. Je me sentais un peu déprimé et j'avais besoin de bonne humeur. Et tu sais quoi ? Le simple fait de te voir me remonte le moral. »

En revanche, quand vous laissez de côté les sentiments pour raconter quelque chose sans rapport avec votre relation ou vos intérêts communs, le lien est généralement tout sauf renforcé. « Hier, j'ai fait du shopping et tu sais quoi ? J'ai acheté une robe, mais j'ai dû la rendre parce qu'elle était abîmée, et la vendeuse était [...] » : une telle discussion ne produit en général que très peu de lien.

Bien entendu, il ne s'agit pas de règles rigides. Vous pouvez vous sentir très proche de quelqu'un alors que vous vous contentez d'échanger des nouvelles et que la réciproque est vraie. Les gens qui s'apprécient mutuellement aiment échanger leurs idées, leurs anecdotes quotidiennes, leurs dernières aventures et tout ce qui leur passe par la tête. Dans les circonstances appropriées, cela peut créer de l'intimité. Dans certains cas, il est juste de consacrer toute son attention à l'autre : « Tu as l'air soucieux, aujourd'hui. » On peut également parler du passé : « Je me suis senti fier de te connaître quand tu as reçu ce prix... »

Ma meilleure amie

Dans une certaine mesure, ce qui définit l'intimité est une question de personnalité. J'ai une amie proche qui non seulement m'écoute sans me bombarder d'avis intempestifs, sait ajuster ses sentiments aux miens et, de façon générale, prend soin de moi quand j'en ai besoin ; de plus, elle pose souvent des questions pertinentes qui font avancer plus loin nos conversations. Bien sûr, cela fait partie de sa façon d'être, mais c'est ce qui nous rapproche tant. Il y a des questions que vous ne poseriez pas à des gens dont vous vous sentez moins proche : « Y a-t-il quelque chose que tu regretterais de ne pas avoir fait avant de mourir ? », « Quel est ton premier souvenir ? », « Si tu pouvais changer de métier et faire ce que tu voulais, quelle carrière choisirais-tu ? », « Tu crois à la vie après la mort ? » Mon amie réfléchit aussi à notre amitié : « D'après toi, où en serons-nous dans dix ans ? », « Et si nous parlions de ce que nous avons appris de plus beau l'une de l'autre ? »

En général, nous échangeons nos expériences les plus récentes et les plus profondes en parlant de nos rêves respectifs. Si nous avons dormi au même endroit, la première question que nous nous posons le matin est « As-tu fait un rêve ? » et nous en discutons. J'apprécie son intérêt constant pour ce domaine et, comme je l'ai dit au chapitre 6, le fait de discuter d'un rêve avec un tiers peut être bien plus enrichissant que vous ne l'imaginiez.

J'ignore si elle est consciente de tout l'intérêt de discuter d'une relation au moment même où elle se déroule, mais elle le fait fréquemment, et cela nous rapproche à chaque fois. Elle dit des choses comme : « Je suis heureuse que tu me dises ça, ça m'aide beaucoup. » Au téléphone, il lui arrive de prendre des notes de ce que nous disons, ou de demander, au détour d'une conversation : « Tu n'as pas l'impression que nous sommes plus proches que nous l'avons été depuis un certain temps ? » Plus encore, elle sait poser les questions cruciales : « J'ai l'impression que tu es en colère contre

moi – je me trompe ? » ou encore « Il faut que nous parlions, parce que j'ai
été très peinée quand tu as... »

En conséquence, toutes les discussions que nous avons ensemble approfon-
dissent notre lien.

Respecter le rythme de l'autre

Vous partagez vos sentiments, certes, mais vous attendez un engagement réciproque, un partage égalitaire de la conversation.
Quand vous confiez quelque chose, l'autre vous imite ensuite.
Dans le cas contraire, vous pouvez vous sentir trop exposé ou
ignoré (sauf, bien entendu, si l'un de vous parle d'un problème
important ; dans ce cas, l'équilibre n'est pas le but recherché).

Pour vous aider à trouver cet équilibre, ce rythme commun, il est
préférable d'avoir une idée de l'état d'esprit de l'autre. Votre ami
est-il préoccupé par quelque chose ? Agité ? Avez-vous envie de
lui faire remarquer ? Si c'est le cas, vous pouvez l'aider à se calmer
en ralentissant l'échange. Vous retrouvez par exemple un ami pour
boire un verre en terrasse ; d'un seul coup, il se lance dans un long
monologue sur la situation et les luttes de pouvoir à son travail.
Lorsque c'est à vous de parler, en toute conscience, vous le faites
plus lentement et calmement. Peu à peu, votre ami se détendra, et
il aura moins besoin de tout partager tout de suite.

Si vous avez l'impression que votre ami vous confie des sentiments
trop personnels par rapport à votre niveau d'intimité, vous pouvez
le ralentir en en révélant moins sur vous-même ou en changeant
très légèrement de sujet. Vous n'avez aucune raison de chercher à

partager autant que lui, vous risqueriez de le regretter plus tard, de vous sentir mal à l'aise pour en avoir dit plus que vous ne le souhaitiez. Si, par exemple, votre ami vous raconte ses dernières aventures sexuelles, dont vous ne tenez pas à connaître le détail, rien ne vous oblige à l'imiter par la suite.

Si votre ami parle moins que vous, et que vous le soupçonnez de douter de votre intérêt ou de la sincérité de votre attention, vous pouvez l'encourager en partageant un peu plus de vous-même que vous ne l'avez déjà fait, et lui laisser un temps pour communiquer à son tour quelque chose d'intime. Mais encore une fois, prenez garde à ne pas révéler des éléments qui pourraient vous mettre mal à l'aise par la suite. Et si votre ami reste réservé malgré tous vos efforts d'ouverture, vous pouvez soit laisser tomber, soit lui poser la question, sans vous imposer : « Tu es très silencieux, ce soir. Ça ne me gêne pas, mais s'il y a quelque chose dont tu veux parler, je suis tout ouïe. » Cette approche pleine d'attention, de l'ordre du lien, évitera à votre bourreau intérieur de se déclencher comme s'il percevait du rang.

Que faire si les choses vont mal entre vous ?

Rien n'est plus intime que le fait d'oser exprimer vos sentiments profonds quand l'autre a fait quelque chose que vous n'aimez pas. Mais si votre bourreau intérieur est puissant, une telle conversation peut rapidement mener, en apparence, au rang et au jugement. Vous craignez une altercation où vous risqueriez la défaite, ou qui provoquerait des accusations qui vous rempliraient de honte. Si, avant même d'ouvrir la bouche, vous éprouvez ce genre de sentiments, il y a de fortes chances que vous vous mettiez à parler avec des mots et des expressions qui évoqueront le rang ; vous risquez fort de chausser le masque du reproche ou de la projection. Plus encore, si vous soulevez le problème, vous craignez que l'autre vous rejette et que le lien soit détruit. Pourtant, à long terme, il est préférable de ne pas se taire. Il est difficile d'aimer quelqu'un envers qui l'on garde du ressentiment ou un manque de respect lié à ses actes ; en revanche, si vous parvenez à exprimer ce que vous pensez, votre bourreau intérieur saura qu'il n'a rien à craindre.

Avant de parler, toutefois, assurez-vous que votre remarque est légitime. Vous venez de parler avec une cousine, avec qui vous vous sentez de plus en plus en connexion ; mais voilà qu'elle vous traite, en plaisantant, de « malade du régime ». Sur le moment, ce commentaire vous agace, certes ; mais qu'en est-il le lendemain, après une bonne nuit de sommeil ? Si vos sentiments négatifs sont toujours présents, attendez le bon moment pour en parler – pas lorsqu'elle est en retard pour son travail ou épuisée. Lorsque vous trouvez un moment propice, commencez par proposer au minimum quatre remarques positives (jusqu'à sept, dans l'idéal) avant d'exprimer, gentiment et avec affection, en quoi tient votre problème et comment sa remarque vous a blessé. Cela peut sembler un peu ridicule, mais ça fonctionne.

N'oubliez pas le problème de la honte – ne jugez pas et ne critiquez pas ce qui vous semble être des défauts chez l'autre. Contentez-vous de parler du moment précis ou de la remarque que vous n'avez pas aimée, et exprimez comment « ça ne le fait pas » pour vous : « Quand tu joues avec tes clés, ça me rend nerveux parce

268

que je pense que tu vas partir. » Ainsi, vous suggérez que le problème vient peut-être de vous, mais que vos sentiments risquant
d'affecter la relation, vous devez en parler ensemble. Ainsi, plutôt
que des phrases générales comme « Être en retard, c'est impoli »,
utilisez la première personne : « Je suis irrité parce que tu es en
retard » ou « Ça me met en colère quand tu rentres si tard. »

Traiter d'un seul événement à la fois engendre beaucoup moins de
honte que de débattre d'un problème en général. Dites « J'étais
vraiment agacé de ton long retard la semaine dernière » plutôt que
« Ça m'énerve quand tu es en retard ». Si cela se produit à nouveau, vous pourrez toujours en parler.

Vous devez également vous exprimer lorsque vous avez des pensées négatives sur vous-même ou que vous mettez en doute
l'investissement de l'autre dans la relation. Cela peut se révéler
assez éprouvant, car le bourreau intérieur peut vous remplir de
honte. Mais l'autre connaît sans doute des moments identiques. Au
contraire, le lien peut en être extrêmement renforcé car vous
avouez vos craintes et vos sentiments négatifs et laissez à l'autre la
possibilité de vous aider, de vous secourir, d'apaiser la souffrance
et l'inquiétude provoquées par le bourreau intérieur.

Aider l'autre dans les moments de stress

Parfois, un lien est renforcé par un échange égalitaire, qu'il s'agisse
de dialogues enjoués et plein d'esprit ou de confidences partagées ;
mais il arrive également, que l'une des deux personnes se trouve
dans un besoin particulier, que l'autre peut combler. Si vous sou-

haitez aider l'autre, le meilleur moyen pour renforcer votre relation est de laisser place à ses émotions en prenant le rôle de l'auditeur attentif. Dans le chapitre 5, vous avez appris à vous ajuster aux sentiments de l'autre dans le dialogue imaginaire avec votre part innocente. Vous pouvez, de la même façon, vous ajuster à l'autre, à son état d'esprit, au point de partager ses sentiments, il s'agit de la forme la plus intime de l'empathie.

Vous rencontrez un ami qui, de toute évidence, est malheureux. Il vous annonce que ses parents sont sur le point de divorcer, après trente ans de mariage. D'instinct, vous auriez peut-être envie de poser des questions comme : « Comment l'as-tu appris ? », « Que t'ont-ils dit ? » « Parlent-ils vraiment de divorce, ou simplement de séparation ? », voire « Comment te sens-tu ? » Mais les questions directes peuvent mettre certaines personnes mal à l'aise. À la place, le simple fait d'écouter et de s'ajuster aux sentiments de l'autre – sentir ce qu'il ressent, ou au moins tenter de le faire – vous garantit une conversation plus profonde.

Cette façon d'aider l'autre peut vous rappeler la psychothérapie, mais, même s'il s'agit d'un type d'écoute pratiquée naturellement par les meilleurs thérapeutes, il existe une différence de taille : rien ne vous oblige à le faire. En réalité, vous obliger à vous ajuster aux sentiments de l'autre quand vous n'en avez pas envie ne ferait, à terme, qu'affaiblir le lien. Vous n'avez pas non plus à briller dans ce type d'attitude. Il ne s'agit que d'une attention et d'une affection sincères, poussées par notre instinct de lien.

Les clefs d'un bon ajustement

* **Essayez de partager l'humeur de l'autre :** « Ça me rend triste aussi d'entendre que tes parents se séparent. »

* **Réfléchissez et renvoyez les sentiments de l'autre en verbalisant les émotions exprimées ou manifestées :** « Je comprends qu'il s'agit d'une grande perte pour toi. »

* **Montrez votre intérêt et votre ajustement par vos mots, mais aussi par vos attitudes.** Penchez-vous en avant, regardez l'autre personne en face. Si elle dit quelque chose d'important, cessez toute autre activité pour l'écouter. Si elle est triste, laissez votre corps et votre voix exprimer le fait que vous partagez cette tristesse. Pleurez, si vous en avez envie.

* **Utilisez des métaphores pour montrer sa compréhension :** « Tu te sens comme un orphelin ? » Ce genre de comparaison est souvent la meilleure façon de mettre des mots sur des sentiments.

* **En cas d'erreur, n'insistez pas.** Si votre ami répond « Non, je ne me sens pas orphelin. J'ai davantage l'impression d'être mort », même si cette précision semble exagérée et fausse, suivez-le dans cette direction. Sa phrase vous montre qu'il a besoin que vous l'aidiez à mettre de l'ordre dans ses sentiments plutôt que vous entendre les exprimer ou lui indiquer ce qu'ils devraient être.

* **Même si ses sentiments semblent discutables ou inappropriés, ne cherchez pas à le lui montrer ou à le faire changer d'avis** : « Tu ne devrais pas te sentir coupable » est une phrase inutile, mal ajustée.

* **Ne mettez pas sa propre expérience en avant :** « Moi, j'étais très en colère quand mes parents ont divorcé. »

* **Ne montrez pas immédiatement d'autres réactions émotionnelles.** S'en tenir d'abord à des commentaires comme : « Je peux comprendre ton inquiétude et ta tristesse, si dorénavant tu dois partager ton affection en deux. » Même des phrases comme « Je suis désolée de l'entendre » ne sont pas utiles. C'est une évidence...

* Ne donnez pas d'avis avant d'être certain d'avoir compris toute la situation et de savoir que votre ami a réellement besoin de votre opinion.

* Ne brandissez pas de grandes théories ni des idées générales : « C'est vrai, le divorce des parents peut avoir beaucoup d'impact sur la vie de quelqu'un. »

* Évitez les clichés ou des généralités : « Le temps guérit toutes les blessures » ou « La vie est dure ».

* Ne multipliez pas les questions. Elles peuvent distraire votre ami ou lui suggérer ce qu'il devrait ressentir ; aussi, ne lui demandez que ce qui vous semble vraiment important, ou ce que vous n'avez pas compris. Même des questions sur ses sentiments sont moins utiles que l'ajustement et le fait de lui renvoyer son ressenti.

S'ajuster aux sentiments de l'autre implique de lui offrir toute votre attention, afin qu'il sache que vous comptez pour lui. Vous êtes à l'écoute de ses sentiments, aussi profonds qu'ils soient. Imaginons qu'il vous dise : « Mes parents m'ont annoncé hier qu'ils divorçaient et m'ont même invité à dîner pour me le dire. Tu sais, je croyais qu'ils étaient bien ensemble. Qu'est-ce que j'ai manqué, dans l'histoire ? Je n'y croyais pas. J'aurais dû les appeler plus souvent, ou les inviter chez moi, tu ne penses pas ? Pas forcément ensemble, d'ailleurs. J'aurais pu voir ce qui se passait... »

Vous entendez sa surprise et sa culpabilité, vous pouvez les ressentir comme si elles vous appartenaient en propre. Cet ajustement, vous pouvez désormais le mettre en mot pour renvoyer à votre ami ses sentiments, et pas seulement ses pensées. Vous pouvez par exemple dire : « Tu as l'air d'être sous le choc. Et je comprends que tu aurais voulu pouvoir l'arrêter avant que ça se produise. »

Vous mettez ainsi votre ami davantage en contact avec ses senti-ments, ce qui peut avoir un effet très bénéfique. Il sentira égale-ment que vous les acceptez, ce qui l'empêchera de voir votre conversation à l'aune du rang et d'éprouver de la honte par rapport à ce qu'il ressent.

Il répond : « Sous le choc, exactement. Et coupable. J'aimerais juste qu'ils restent ensemble. Tout allait très bien, non ? Je ne veux pas que ça change. » Plus il s'exprime, plus il réalise que sa tristesse concerne un passé disparu à jamais ; il comprend que les senti-ments de ses parents puissent différer des siens, et qu'il devra les accepter.

Apprendre à gérer les moments de crise dans vos relations

En compagnie de celui ou celle avec qui vous entretenez un lien véritablement intime, vous traverserez inévitablement ensemble des crises majeures. Votre façon d'y réagir détermine souvent la force du lien : en sortira-t-il plus fort ou au contraire affaibli ? Se rompra-t-il parce que l'un des deux ne peut affronter la crise ? Il peut être complexe d'aider un ami plongé dans le désarroi, cela peut vous briser le cœur. Toutefois, si vous parvenez à mettre vos capacités d'empathie au service du lien, non seulement vous approfondirez votre relation, mais surtout, vous parviendrez à vous protéger l'un et l'autre de vos bourreaux intérieurs.

Quand la conversation porte sur des éléments véritablement dou-loureux, l'ajustement reste le meilleur recours.

Un ajustement bien mené

Voyez comment l'ajustement est à l'œuvre dans la conversation qui suit. Remarquez qu'au départ, le problème semble relativement mineur, mais que l'ami de Sandra est en réalité dans un profond désarroi, ce qu'elle découvre en étant sensible et à l'écoute.

SANDRA : Tout se passe bien, au travail ?

PAUL : Euh... ça fait quelque temps que j'ai envie de démissionner.

SANDRA : C'est si terrible que ça ?

PAUL : Si je te parlais de mon patron...

SANDRA (*entendant le désarroi dans la voix de Paul*) : On dirait qu'il t'en fait voir des vertes et des pas mûres.

PAUL : Exactement. Et le pire, c'est que je ne peux pas vraiment démissionner.

SANDRA : Tu te sens pris au piège ? Ça fait peur...

PAUL : C'est vrai. Sincèrement, je ne crois pas pouvoir trouver un autre travail.

SANDRA : Tu t'inquiètes parce que ça te paraît impossible ?

PAUL : C'est ça. Il y a tellement longtemps que je fais la même chose, je ne sais pas si je saurais m'adapter. Et puis, quel employeur voudrait d'un type comme moi, d'après toi ?

SANDRA : Dis donc, tu te sens vraiment au plus bas, non ?

PAUL : Si. Je suis au fond du trou.

SANDRA : Ça te déprime ?

PAUL : Je crois qu'on peut le dire comme ça, oui. Je dors mal, je n'ai plus d'appétit. Et en plus, j'ai des problèmes avec Sylvie. Je crois qu'elle veut me quitter. Des fois, j'ai envie de baisser les bras.

SANDRA : Tu es sur le point de tout laisser tomber, c'est ça ?

PAUL : Exactement. Je n'ai plus vraiment envie de continuer à... comment dire ? À vivre, voilà. Tu m'entends parler, là ? J'ai vraiment honte de dire des âneries pareilles... Fais comme si tu n'avais pas entendu.

SANDRA : On dirait que tu as honte de te sentir au plus bas. Je crois que je peux te comprendre. Mais avec les problèmes que tu as, n'importe qui se sentirait déprimé, non ? Honnêtement, je suis heureuse que tu me parles de tout ça. Ça servirait à quoi qu'on soit amis, si on ne pouvait rien se dire là-dessus ?

PAUL : Tu as raison, je crois que j'ai un peu honte. Mais c'est vrai qu'on a toujours pu compter l'un sur l'autre. En ce moment, je me sens... complètement nul.

SANDRA : J'ai l'impression que tu tournes en rond dans ta tête et que tu ne t'en sors pas. Je suis vraiment, vraiment désolée pour tout ça. Ça doit être terriblement difficile pour toi.

PAUL : Au moins, j'ai quelqu'un à qui en parler. Je te remercie.

SANDRA : Je te dirai bien « pas de quoi », mais ça ne suffit pas. Je suis vraiment émue, tu sais. Je suis heureuse que tu me parles, et que ça puisse t'aider.

PAUL : Au fond, le plus important, c'est d'avoir des amis, je suppose. Bon, en attendant, il faut que je voie si je trouve des opportunités de travail.

SANDRA : Je rêve, ou j'entends un peu d'espoir ?

PAUL : Peut-être. Pourquoi pas ? Je peux toujours me renseigner par-ci par-là avant de démissionner. Et toi, comment tu vas ?

SANDRA : C'est gentil de demander, mais tu ne serais pas simplement en train de changer de sujet pour me faire plaisir ?

PAUL : Ce n'est pas très poli de ne parler que de soi...

SANDRA : Tu te souviens, l'année dernière, au moment où tout allait mal et où je rompais avec Patrice ? Tu as été là pour m'écouter, et ça m'a fait énormément de bien. Alors tu peux parler autant que tu veux. Ce n'est pas si souvent que tu te sens mal, après tout.

Ainsi, Sandra aide Paul :

* Elle ne répond pas dès le début par une généralité du type « oui, moi aussi parfois j'ai envie de démissionner ». Au contraire, elle écoute pour en savoir davantage.

* Pratiquement toutes ses phrases concernent les sentiments. Bien qu'elle veuille en savoir davantage pour mieux aider son ami, elle prend soin de se tenir à l'écart des questions superficielles (« Et qu'a-t-il encore fait, ton patron ? »), des avis faciles (« Si j'étais toi, je démissionnerais ») ou des idées générales (« En ce moment, on dirait que les patrons peuvent tout se permettre »). Se concentrer sur les sentiments permet à la conversation de devenir plus profonde et Paul peut révéler ce qui se passe vraiment en lui.

Grâce à son écoute, elle permet à son ami de formuler ses pensées suicidaires ; bien qu'elle les entende, elle ne « saute » pas dessus. Elle peut en effet toujours y revenir, quitte à lui recommander de consulter un professionnel. Parfois, nous déclarons vouloir mourir car c'est le seul moyen d'exprimer notre désespoir, comme si le bourreau intérieur l'avait emporté sur toute notre volonté.

* Par trois fois, elle le rassure : les sentiments qu'il éprouve sont valides, et elle veut les connaître. Le désespoir est encore plus fort quand on a honte de soi, ce qui vous donne l'impression que vos autres liens sont défectueux.

* Sandra exprime à l'occasion ses propres sentiments, mais seulement pour que Paul comprenne qu'elle ne le juge et ne l'abandonne pas.

* Elle remarque la tendance optimiste qui semble revenir chez son ami à la fin de la conversation, mais n'en fait pas pour autant une montagne.

* Elle ne le laisse pas changer de sujet et parler d'autre chose que de lui à cause de sa honte.

Accepter de recevoir de l'ajustement

Pour renforcer le lien, laisser l'autre vous aider lorsque vous êtes en souffrance est tout aussi important que la réciproque. Si vous retenez vos sentiments, la relation se modifie, elle devient moins intime. Si vous pensez faire confiance, mais que vous n'osez pas vous ouvrir à lui, il va le sentir et peut finir par s'éloigner. Ainsi, ne croyez pas que vous êtes égoïste ou ennuyeux lorsque vous avez besoin de l'attention d'autrui. Si vous aimez vous sentir à l'écoute de votre ami, pourquoi l'inverse ne serait-il pas vrai ? Si réellement vous tenez l'un à l'autre, le fait de partager vos sentiments vous paraîtra agréable à tous deux et ne fera que renforcer votre intimité.

Certains amis sentent d'instinct que vous avez des soucis, d'autres ont besoin d'indices. Si ces derniers ne perçoivent pas vos signes de détresse ou semblent ne pas y prêter attention, ne l'interprétez pas pour autant comme un manque d'intérêt. Il y a simplement des gens moins sensibles que d'autres. Donnez-leur une chance en exprimant clairement vos besoins : « Il faut vraiment que je te parle de quelque chose. » Si votre ami vous offre trop vite son avis, vous pouvez dire : « Je te remercie pour ce que tu me dis, mais j'aimerais que tu m'écoutes simplement pour l'instant. Cela compterait beaucoup pour moi. » Enfin, *ne retenez pas vos larmes*. Les pleurs sont votre signal de détresse le plus clair, et laisser un ami vous réconforter, même si vous vous sentez tous deux un peu maladroits, est un signe très clair de la confiance mutuelle que vous éprouvez.

Plus encore, si votre chagrin provient en partie du fait que votre bourreau intérieur a été activé, essayez de prendre en compte le fait que votre ami vous porte de l'intérêt. Si vous en doutez, vous pouvez lui demander ce qu'il ressent par rapport à la conversation ou à vous ; vous recevrez fort probablement l'assurance immédiate de son intérêt, dont vous avez d'ailleurs conscience, mais le bourreau intérieur a besoin de l'entendre. Et si vous ne parvenez pas à croire aux sentiments dont l'autre vous assure, exprimez-les également de vive voix. Il se peut que vous ne parveniez pas à les considérer comme vrais parce que votre bourreau intérieur ou votre protecteur-persécuteur vous en empêche. Si votre ami est familier avec ces deux notions, parlez-lui-en, et expliquez-lui ce qui vous arrive. Vous devez enfreindre la règle du protecteur-persécuteur selon laquelle il ne faut pas croire une personne qui vous manifeste son intérêt.

Partager le succès

Les études montrent que les relations les plus fortes sont celles où l'on peut partager pleinement le succès de l'autre[1].

---

1. S. L. Gable, H. T. Reis, E. A. Impett, et E. R. Asher, « What Do You Do When Things Go Right ? The Intrapersonal and Interpersonal Benefits of Sharing Positive Events », *Journal of Personality and Social Psychology* 87, 2004. (« Que faites-vous quand tout va bien ? Bénéfices personnels et interpersonnels du partage d'événements positifs », non traduit. On peut toutefois consulter en ligne le chapitre 1 de *Psychologie positive : le bonheur dans tous ses états,* aux éditions Jouvence, qui le cite et s'en inspire, http://editions-jouvence.fr/docs/Psycho_positive_le_bonheur_dans_tous_ses_etats_JOUVENCE_extrait_1.pdf.)

Partager le succès d'un ami

MAXIME : Je n'y crois pas ! Malgré tous les licenciements dans mon secteur, j'ai été félicité par mon patron, j'ai eu une promotion et même une augmentation ! C'est à croire que j'ai réussi quelque chose...

JÉRÉMIE : On dirait bien, oui ! C'est vraiment super, je suis ravi pour toi. Tu dois être aux anges.

MAXIME : Exactement. Je suis ravi. Il faut dire que j'ai travaillé dur, mais...

JÉRÉMIE : Travaillé dur ? On peut le dire, oui. Pourquoi ce « mais » ?

MAXIME : Tu le sais ; pas mal de collègues ont été licenciés...

JÉRÉMIE : Tu te sens coupable ?

MAXIME : Peut-être. Non, pas vraiment. (*Il rit*) Je suis juste super content.

JÉRÉMIE (*riant aussi*) : Je peux comprendre. C'est vraiment très bien pour toi.

Se réjouir du succès d'un ami, c'est offrir à la relation son meilleur carburant. Toutefois, que se passe-t-il si vous vous sentez un peu jaloux et que votre bourreau intérieur se réveille pour vous suggérer que, d'une certaine façon, votre ami est meilleur que vous en tout ? Ou bien si vous chaussez le masque de la relativisation pour minimiser son succès ? Les études prouvent que deux personnes qui n'ont pas l'impression d'être en compétition sur un domaine parviennent à mieux apprécier les succès de l'autre[1]. Si votre partenaire reçoit à son travail le trophée de meilleur commercial de

---

1. A. Tesser, « Toward a Self-Evaluation Maintenance Model of Social Behavior », *Advances in Experimental Social Psychology*, Vol. 21, éd. L. Berkowitz, New York : Academic Press, 1988. (Article non traduit, qui fait référence à la théorie d'Abraham Tesser du modèle de maintien de l'auto-évaluation ; on consultera à ce sujet P. Gosling et F. Ric, *Psychologie sociale*, Vol. 2, éditions Bréal, disponible en ligne.)

l'année, vous pouvez penser à le disposer à côté de votre dernière médaille sportive en date.

Montrer de l'attention : se souvenir des détails

Avant de retrouver un ami, par exemple pour un déjeuner, repensez aux dernières fois que vous l'avez vu. Cherchait-il un nouvel appartement ? Sa mère avait-elle des problèmes de santé ? Et lui-même ? Vous a-t-il annoncé la dernière fois que sa femme était enceinte ? Certaines personnes qui savent qu'elles vont oublier ce genre de détails prennent des notes après une conversation pour se souvenir de ce qu'on leur a dit. Le fait qu'on se souvienne de nous nous fait nous sentir intéressants et renforce le lien.

Montrez également votre affection. Dites ce qui vous tient à cœur, si vous aimez être avec l'autre, dites-le aussi souvent que vous en avez envie, tant que cela ne semble pas le gêner : « Tu sais quoi ? J'adore parler avec toi », « J'avais très envie de te voir » ou « Je veux que tu saches à quel point tu comptes pour moi ». Et, si vous le sentez : « Au revoir. Je t'aime. »

À vous !

Si une relation compte pour vous, vous devez absolument trouver le temps nécessaire pour la développer. Je ne soulignerai jamais assez à quel point des relations fortes, riches et gratifiantes peuvent aider à guérir le bourreau intérieur.

* Prenez rendez-vous. Si vous êtes insécure évitant ou si un protecteur-persécuteur vous retient, vous devez réagir à l'avance en vous obligeant à avoir des contacts réguliers avec vos amis. Ensemble, décidez de la fréquence où vous aimeriez vous voir, et marquez votre prochain rendez-vous dans votre agenda.

* Faites une liste des choses incontournables. Pour qu'un lien soit fort, il est important d'être présent aux événements marquants pour votre ami : les mariages, les baptêmes et toutes les cérémonies où vous êtes invité. Quand un ami a besoin d'aide, on trouve toujours de la place dans son emploi du temps, même si l'on doit traverser le pays pour se rendre à ses côtés. Bien entendu, vous ne pouvez pas être aussi totalement disponible pour tout le monde. La décision est simple et rapide si vous avez en tête une liste des personnes pour qui vous laisseriez tout tomber en cas de besoin ou d'événement bouleversant. Gardez cette liste à jour. Il ne s'agit pas d'un classement de vos amis, mais de la reconnaissance de vos liens les plus profonds.

Que faire si le lien ne s'établit pas ?

Dans le chapitre 4, vous avez appris à ne pas prendre personnellement le fait d'offrir un lien et de le voir refuser. Il s'agit d'une leçon très importante, car tenter d'établir une relation et ne pas y parvenir peut ressembler à une défaite. Le bourreau intérieur risque fort d'être déclenché, de vous faire revenir au rang, au classement et à la compétition, et vous pouvez craindre de recommencer quelque chose du même genre. Vous avez l'impression d'avoir été rejeté, et vous pensez être moins bien que les autres. Tout ceci peut se dérouler sans que vous en ayez conscience, mais il est fort probable qu'une partie de vous décidera, à l'avenir, de moins s'exposer aux personnes susceptibles de vous rejeter.

Quand vous cherchez à approfondir un lien, l'effet du rejet est plus subtil. Peut-être souhaitez-vous une relation plus intime que celle que désire l'autre, ou bien pensez-vous que vous vous êtes complètement trompé sur ses sentiments. Cela peut se révéler plus douloureux encore qu'un rejet subi de la part d'un étranger ou d'une connaissance. Vous pouvez décider à partir de ce moment de moins vous impliquer dans la relation, d'accorder moins d'importance à l'autre, de « rester superficiel », quoi qu'il en soit, le bourreau intérieur aura gagné du pouvoir.

Le fait de considérer systématiquement que l'échec de la création ou d'approfondissement du lien est votre faute, fait l'impasse sur un détail majeur : le problème peut se trouver entièrement chez l'autre.

Quand vous vous efforcez de faire passer une relation à un degré supérieur, plus intime, il se peut que vous rencontriez chez l'autre toutes sortes d'obstacles, qui ressemblent à des rejets mais n'en sont pas. Sans le savoir, vous pouvez avoir déclenché en lui une des formes de protection. Imaginons que votre frère parle d'un problème qu'il rencontre ; vous tentez de vous ajuster à ce qu'il ressent, mais les sentiments que vous lui renvoyez lui font honte et il dit « Tu sais, ça ne me dérange pas tant que ça » (relativisation), « Voilà que tu joues les psys, maintenant » (reproche), ou encore « Pour moi, ce n'est pas un gros problème, mais on dirait bien que ça le devient pour toi » (projection).

De la même façon, vous pouvez rencontrer chez l'autre un problème d'attachement évitant, qui peut se traduire par des phrases comme : « Je n'ai pas besoin de ta pitié » ou « Et si on changeait plutôt de sujet ? » Dans ce cas, il se peut que vous soyez en désaccord sur ce que signifie une « relation intime ». L'évitant veut la sécurité de l'engagement, mais pas l'intimité qui va avec.

Vous pouvez également rencontrer un schéma émotionnel chez l'autre. Si par exemple vous avez particulièrement conscience de l'inquiétude d'un ami suite à un coup de téléphone de sa mère, et que vous tentez de lui en parler, il se peut que vous rencontriez une réponse du type : « Pourquoi est-ce que tu me parles de ma mère chaque fois que je suis un peu anxieux ? À t'entendre, on dirait que c'est un monstre, tout ça parce qu'elle nous battait... »

Vous risquez aussi de vous trouver face à face avec le protecteur-persécuteur d'un ami, qui ferait tout pour l'empêcher d'entrer dans une relation intime. Lorsque vous êtes repoussé au moment où vous tentez de vous rapprocher de l'autre, et que vous réalisez que le problème vient de lui, au lieu de vous laisser envahir par votre bourreau intérieur, vous pouvez décider que la relation n'en vaut pas la peine. Même si le bourreau vous suggère que vous ne valez rien, il s'agit de le faire taire en vous remémorant toutes les raisons qui ne dépendent pas de vous et font que l'autre peut ne pas avoir envie d'approfondir son lien à vous.

À vous !

La liste qui suit est plutôt longue, mais vous n'avez pas à la mettre en pratique d'un seul coup.

* Décidez quel lien vous voulez approfondir. Reprenez, au début de ce chapitre, le schéma des cercles entrelacés. Choisissez quelqu'un avec qui vous aimeriez approfondir cette proximité, qu'il s'agisse d'une nouvelle connaissance, d'un premier rendez-vous, ou d'une amie de longue date dont vous voudriez être plus proche.

* Prévoyez une activité à faire ensemble. Essayez de choisir une activité inhabituelle ou qui vous mette tous deux au défi pour mieux vous rapprocher.

* Ayez une conversation dynamique. Faites de votre mieux pour que l'échange soit vif et enjoué, à la manière d'une partie de tennis. Si l'autre ne vous semble pas aussi doué que vous, ralentissez pour qu'il ou elle se sente à l'aise ; gardez à l'esprit que vous recherchez l'énergie et l'intelligence.

* Choisissez un sujet de conversation où vous puissiez partager des choses intimes pour vous rapprocher. Vous pouvez ainsi passer peu à peu du fait d'exprimer vos sentiments à l'égard d'un tiers, à celui de partager ce que vous ressentez à cet instant précis avec l'autre. Pour cela, suivez cette progression : exprimez certains de vos sentiments et pensées passés, puis actuels ; puis faites de même en ce qui concerne vos sentiments et pensées envers l'autre.

* Au cas où l'autre vous paraît inquiet ou tendu, ajustez-vous à ses sentiments. Reprenez pour cela la liste « L'ajustement : à faire et à ne pas faire ».

* Soyez également attentif aux sentiments de l'autre quand il connaît un succès. Méfiez-vous de vos propres sentiments de jalousie et de votre tendance à recréer du rang ; faites de votre mieux pour en rester au lien.

* Si l'autre a fait quelque chose qui vous irrite, parlez-en avec lui. Mais, dans ce cas comme dans le précédent, faites de votre mieux pour ne pas créer de sentiments de honte.

* La prochaine fois que vous êtes confronté à une situation stressante, parlez-en. Faites savoir à l'autre que vous avez besoin de lui, et contentez-vous d'exprimer vos sentiments. Là encore, la liste de l'ajustement peut vous aider, si vous la partagez avec l'autre.

* Pensez à une relation qui a échoué et a renforcé votre bourreau intérieur. La comprenez-vous à présent différemment ? Les raisons de cet échec vous semblent-elles plus claires ? En y repensant, vous sentez-vous mieux par rapport à vous-même ?

Une relation profonde et durable : le dernier pas vers la guérison du bourreau intérieur

Dans le chapitre qui précède, vous avez appris à renforcer l'engagement entre vous et les autres jusqu'à l'intimité que, dans ce livre, j'appellerai amour. Ce chapitre vous aidera à construire et faire durer cet amour. Et même si vous ne vous trouvez pas dans une relation amoureuse profonde et durable, ce qui est dit ici reste capital. Il y a des degrés dans l'engagement et, au vu de ce que vous avez appris aux chapitres 4 et 7, vous pourrez à l'avenir construire une véritable relation à deux. Pour moi, l'amour engagé signifie la vie commune, ou au moins avec de nombreux temps partagés, où chacun désire aider l'autre à affronter ses problèmes ou ceux que le couple peut rencontrer. Souvenez-vous que, même si ce chapitre parle essentiellement des couples, ces propos peuvent s'appliquer aux amis intimes ou aux parents proches.

Ce chapitre est la dernière étape de votre voyage, car l'amour, entre autres bienfaits, a le pouvoir de guérir le bourreau intérieur. C'est vers lui que vous pouvez vous tourner quand vous êtes pris dans des conflits de rang, il n'a pas son pareil pour aider à surmonter les traumatismes. Un amour sincère est la seule chose qui puisse vous offrir la sécurité dont vous avez manqué dans votre enfance, car il vous assure de votre valeur et du soutien de l'autre quoi qu'il advienne. À mesure que vous apprenez à vivre sans être abandonné ni manipulé, vous prenez confiance, vous vous dites que cela ne se produira plus. Toutes les relations connaissent leurs difficultés, mais vous les affronterez en privilégiant le lien et non le rang, l'amour et non le conflit. Même quand vous n'êtes pas avec lui ou en train de penser à lui, l'autre fait partie de votre réalité et de votre vie. Il vous aime, c'est un fait sur lequel s'appuyer.

Protéger l'amour en renforçant le lien

De façon paradoxale, une relation sérieuse a plus de chances de déclencher le bourreau intérieur qu'une relation superficielle. Plus vous vous engagez avec quelqu'un, plus vous êtes proche de lui, plus il y a de raisons pour qu'apparaisse le conflit, les mécanismes de protection, les restes d'insécurité issus de l'enfance ; plus il y a de risques également, pour que se déclenchent les schémas émotionnels et le protecteur-persécuteur. Vous versez alors dans la comparaison/compétition, dans le rang. Plus le rang est présent, plus il sera difficile de nourrir la relation avec du lien. Même si vous répétez « je t'aime » à l'autre, votre relation peut devenir une lutte de pouvoir où chacun cherche à dominer l'autre. Si vous êtes l'hôte d'un bourreau intérieur dominateur, ce n'est clairement pas un bon rôle pour vous. Essayons tout d'abord, de comprendre comment vous pouvez protéger votre amour. Dans la plupart des cas, la meilleure solution est d'approfondir le lien. Imaginez que celui-ci est un compte en banque, chaque problème, conflits inévitables ou luttes de pouvoir, exige un retrait. Il s'agit alors non seulement de réduire le plus possible ces retraits, mais aussi de rester « à l'aise » en effectuant des dépôts.

Utiliser l'expansion du sentiment amoureux

La meilleure solution pour faire ces « dépôts », selon les recherches que j'ai menées avec mon époux, est d'augmenter le sentiment d'expansion de soi présent dans les relations les plus intimes. Expansion de soi ? Le terme peut sembler barbare, voire égoïste ; mais, de fait, lorsque l'on se trouve avec une personne que l'on aime, on se sent plus grand, plus « étendu »[1], en expansion. Vous partagez vos points de vue, vos pensées secrètes, votre statut parmi les autres et, dans les périodes de besoin, vos ressources. Lorsque les amoureux se sentent « maîtres du monde », ce n'est pas une question de rang, mais bel et bien ce sens de l'expansion qui donne

---

1. A. Aron, C. C. Norman, E. N. Aron, C. McKenna et R. Heyman, « Couples Shared Participation in Novel and Arousing Activities and Experienced Relationship Quality », *Journal of Personality and Social Psychology* 78, 2000. (« Participation en couple à des activités nouvelles et stimulantes et impressions de qualité de la relation », non traduit.) A. Aron, M. Paris et E. N. Aron, « Falling in Love: Prospective Studies of Self-Concept Change », *Journal of Personality and Social Psychology* 69, 1995. (« Tomber amoureux : études prospectives sur le changement de conception de soi », non traduit.)

l'impression de pouvoir accéder à toutes les dimensions. Même en marchant, vous vous sentez plus grand, et vous avez davantage conscience de votre force en tant que personne. Votre bourreau intérieur et vos sentiments d'infériorité disparaissent, c'est là toute la puissance du lien.

Quand une relation commence à s'approfondir, en particulier lorsque cela se fait rapidement, on ressent très nettement cette enivrante « expansion » avec et grâce à l'autre, mais plus on apprend à le connaître, plus ce sentiment tend à s'atténuer. Il y a moins à apprendre, on commence à voir la relation comme un aimable *statu quo*, nettement moins excitant que la découverte et l'expansion qui précèdent. On en vient parfois même à s'ennuyer l'un avec l'autre. Si vous vous reprochez cet ennui, vous risquez de réveiller votre bourreau intérieur : vous comparez votre relation à d'autres qui semblent plus excitantes, vous classez votre lien et le transformez en rang.

Renforcer le lien par la conversation quotidienne

Il existe toutefois des moyens de conserver ce sens de l'expansion, et en particulier en partageant les expériences quotidiennes en se concentrant sur ce qu'elles ont d'inhabituel ou de particulièrement intéressant. Vous pouvez même vous demander chaque jour l'un à l'autre : « Qu'as-tu appris aujourd'hui que tu ne savais pas ? » Bien sûr, cela peut sembler un peu forcé au début sauf si on pense à l'alternative, le glaçant et réducteur « Comment c'était, ta journée ? » suivi par sa réponse « Bof, comme d'habitude ».

Une conversation peut devenir le lieu systématique d'une véritable expansion. Vous pouvez, j'en suis certaine, vous souvenir de discussions avec un ami de longue date ou un partenaire de vie, qui ont revitalisé la relation, la rendant plus profonde, large et vivante. Essayez de vous rappeler ces conversations, pour, éventuellement, reproduire ses éléments les plus efficaces, ceux qui vous laissent le plus vif sentiment d'expansion.

La plupart du temps, il s'agit de dialogues mettant en jeu les émotions et les sentiments intimes, qui parlent de votre relation dans l'instant. Même si vous préférez les grands débats intellectuels à l'échange de ressentis, vous vous rendrez compte qu'ils sont encore plus stimulants lorsqu'ils sont animés de part et d'autre par une vraie passion. Mon mari et moi commençons en général nos journées de repos en discutant dans notre lit. Nous nous réveillons et nous retrouvons doucement, faisant le point. Bien souvent, nous en venons à parler d'une nouvelle idée qui a enthousiasmé l'un ou l'autre dans la semaine, en général en lien avec la psychologie, et nous nous passionnons et nous amusons à échanger nos points de vue et nos explications. Ce n'est sans doute pas une idée commune de l'intimité ou du bon temps, mais c'est notre façon de renouveler notre amour, qui nous rappelle à quel point, nous bénéficions l'un avec l'autre, de cette expansion amoureuse dont je parlais.

Partager des activités pour renforcer les liens

La parole n'est pas la seule façon d'approfondir une relation et de prolonger son expansion. À vrai dire, il est sans doute préférable de ne pas compter que sur elle. Mon mari et moi-même avons mené de nombreuses recherches au sujet des effets de la pratique d'activités nouvelles et exigeantes sur les couples. Dans tous les cas, ceux qui pratiquaient les activités se sentaient plus proches, plus heureux de leur relation et plus aimants l'un envers l'autre, que les autres. De la même façon, ils se sentaient individuellement plus heureux ; ces expériences faisaient taire leur bourreau intérieur[1].

Il s'agit bien entendu de choisir une activité qui vous convienne à tous les deux, deltaplane, plongée sous-marine, opéra, parc d'attractions, tout est possible. Examinez votre relation de couple, et demandez-vous quelle activité nouvelle et stimulante vous aimeriez découvrir ensemble.

L'importance de l'intimité physique

Instinctivement, nous désirons toujours être proches de la personne qu'on aime, et savoir où elle se trouve quand elle n'est pas avec nous. Nous voulons la toucher et nous voulons qu'elle nous touche le plus souvent possible. Le lien est d'autant plus agréable qu'il inclut le contact physique.

---

1. Aron et al., « Couples Shared Participation » (« Activités communes de couple ») et C. Reissmann, A. Aron, et M. Bergen, « Shared activities and Marital Satisfaction: Causal Direction and Self-Expansion versus Boredom » (« Activités partagées et bonheur marital : direction causale et expansion personnelle contre l'ennui »), *Journal of Social and Personal Relationships* 19, 1993. Bien que non traduits en français, ces deux articles sont fréquemment cités dans des sites consacrés au couple et à la psychologie positive : taper « Arthur Aron+couple » en mot-clé sur un moteur de recherches.

Quand l'intimité sexuelle est appropriée et désirée par les deux personnes, elle peut renforcer plus que tout une relation. Nous avons tendance à préférer le sexe lorsqu'il est accompagné d'un grand amour – lorsqu'on ne veut de relation sexuelle qu'avec l'autre, qu'on veut le connaître physiquement et se mettre à l'écoute de ses désirs. L'activité sexuelle en couple peut aider à guérir le bourreau intérieur, car le sexe permet de réduire la honte de façon spectaculaire. Comme la plupart des gens, vous avez développé un certain nombre de complexes par rapport à votre physique, votre sexualité ou vos tendances égoïstes. Toutes ces inhibitions donnent l'impression que, d'une certaine façon, le sexe est plus ou moins mauvais. Au contraire, une sexualité tendre et confortable réduit la honte car elle vous donne l'impression, à travers le regard de l'autre, que votre corps et vos désirs sont admirables. Pendant un orgasme, il arrive généralement un moment où vous oubliez tout pour vous consacrer à votre seul plaisir, et l'autre l'accepte et l'apprécie.

Savoir faire preuve de patience quand l'un de vous a des envies sexuelles et l'autre pas, permet aussi de renforcer le lien. Accepter des relations sexuelles quand vous n'en avez pas envie (ou amener l'autre à le faire dans le cas contraire) est rarement une bonne idée. Certes, cela peut sembler une preuve d'amour et d'écoute des besoins de l'autre, mais cela fait souvent pencher la sexualité du côté du rang, d'un conflit de priorités où vous vous sentez obligé d'accomplir les désirs de l'autre. D'autre part, votre compagnon devient alors la personne « pro-sexe » et vous risquez de perdre le contact avec votre propre désir si les rapports deviennent trop fréquents ou ont lieu au mauvais moment pour vous, et vous procurent donc moins de plaisir. Vous pouvez même finir par penser que vous avez un problème, cependant que votre partenaire conçoit l'impression que vous n'avez plus envie de lui ; ainsi, vous tombez tous les deux sous la coupe du bourreau intérieur.

Si cela se produit, il peut être très utile de vous mettre d'accord sur un point : c'est à celui qui ressent le moins souvent de désir d'initier les relations. Si c'est votre cas, cela vous permettra de revenir à votre rythme sexuel naturel. Votre partenaire appréciera probablement cette idée car quand vous désirerez des rapports sexuels, il ou elle sentira vraiment votre amour, plutôt qu'un abandon plus ou moins consenti.

Créer une communication aimante

D'une façon ou d'une autre, les mots « je t'aime » sont souvent échangés dans les relations privilégiées ; nous le disons régulièrement à notre partenaire, et même deux hommes bourrus peuvent parvenir à se dire qu'ils aiment bien être ensemble. Pourtant, nous oublions souvent de dire ce que nous aimons chez l'autre, ce qui est un moyen non seulement, d'approfondir notre lien, mais aussi de soigner le bourreau intérieur de l'autre.

Au cours d'un long voyage en voiture, mon mari et moi nous sommes amusés à lister les dix aspects de l'autre que nous aimions le plus, cela nous a amenés à proposer ensuite une étude où nous demandions à des gens ce qui les avait fait tomber amoureux. Certains parlaient des qualités de l'autre, mais un nombre impressionnant des personnes interrogées disaient être tombées amoureuses quand elles avaient appris que l'autre les aimait, ou tout au moins les appréciait[1]. En plus de signaler que l'attirance est mutuelle et que la relation peut se poursuivre avec un faible risque de rejet, découvrir que nous intéressons l'autre calme notre bourreau intérieur. Nous ne prenons vraiment conscience de nos qualités que lorsque quelqu'un les remarque, non pas pour les mesurer et nous classer en fonction d'elles, mais pour les aimer et nous aimer par extension.

Réagir quand le rang s'immisce là où il ne devrait pas

Voir le rang où il n'est pas : une habitude du bourreau intérieur qui constitue une menace permanente pour la relation intime. On peut ainsi avoir la fausse impression que l'autre vous prend de haut ou cherche à vous manipuler. Imaginons que vous vous épreniez d'une personne qui ne répond jamais à vos coups de téléphone ; de façon générale, vous explique-t-elle, elle préfère écouter les messages plus tard. Vous ne mettez pas sa sincérité en doute, mais quand cette personne vous appelle, répondez-vous ? Certes, elle dit vous aimer, et vous avez envie de le croire, elle le prouve de bien des façons. Pourtant, quand vous voulez lui parler et que vous lui laissez un message plein d'amour, vous ne recevez rien en retour. Comment, alors, ne pas croire qu'elle se maintient volon-

---

1. A. Aron, D. G. Dutton, E. N. Aron, et A. Iverson, « Experiences of Falling in Love », *Journal of Social and Personal Relationships* 6, 1989. (« Comment tombe-t-on amoureux », non traduit.)

tairement hors de portée, comme si son temps était plus précieux que le vôtre et qu'elle vous prenait de haut ?

Souvenez-vous des étapes à suivre lorsque les actions d'un autre vous mettent en situation de rang : d'abord, vérifiez avec votre interlocuteur si c'est bien le cas. Énoncez ce que vous ressentez et écoutez sa réponse, ce qu'il voudrait que vous ressentiez. S'il ne parvient pas à changer son comportement, demandez-lui d'en diminuer la fréquence. Si votre demande semble mener à un conflit, demandez-lui s'il accepte de suivre les étapes de résolution des conflits décrites plus loin dans ce chapitre.

Que faire si vous vous sentez manipulé ?

Si vous avez davantage donné que reçu, vous pouvez voir le rang là où il n'est pas. Au début d'une relation, il s'agit d'équilibrer les deux aspects, mais, en amitié comme en amour, l'engagement signifie être toujours là pour l'autre, « pour le meilleur et pour le pire, dans la joie comme dans la peine ». Si l'autre a besoin de vous pendant une longue période de temps, vous pouvez vous sentir utilisé, voire manipulé. Vous ne devez pas avoir honte de ce sentiment, mais il vaut tout de même mieux éviter d'en parler trop précipitamment. En effet, une remarque directe peut culpabiliser l'autre et réveiller des protections comme le reproche : « Je ne t'ai pas demandé de faire tout ça, tu sais. Si c'est pour que tu m'en veuilles, je préfère ne plus rien te dire. »

Vous pouvez contrebalancer cette impression d'être utilisé en repensant à ce que l'autre a fait pour vous dans le passé. Si, après cela, vos sentiments demeurent inchangés, alors vous devez parler de la situation avec lui. La meilleure approche consiste généralement à demander : « As-tu toujours besoin de moi de cette façon ? » Peut-être prendrez-vous alors conscience que vous en avez fait plus qu'il ne vous en était demandé. Dans le cas contraire, si l'autre a réellement besoin de vous, le fait qu'il exprime sa gratitude peut également faire disparaître l'impression de rang. Si tout ceci échoue, il vous faudra sans doute exprimer vos sentiments. Faites-le avec délicatesse et des phrases à la première personne. « Depuis que tu as été cambriolée, tu m'as appelé toutes les nuits où tu avais peur parce que tu entendais des bruits bizarres. J'ai été très heureux de pouvoir t'aider, et tu m'en as remercié. Tu dis que tu as moins peur maintenant, et ça me rassure pour toi. Mais la nuit dernière, pour la première fois — ça m'est très difficile de t'en parler — je me suis senti un peu mal à l'aise. Ça m'a dérangé de venir, parce que je devais me lever tôt ce matin. Est-ce que nous pourrions trouver un moyen pour que tu te sentes en sécurité, ce que je désire plus que tout, et que je puisse dormir un peu plus ? »

Remarquez que vous avez rassuré votre amie de quatre manières différentes : « J'ai été heureux de t'aider », « Tu m'as remercié », « Je suis ravi que tu aies moins peur » et « Je désire que tu te sentes en sécurité ». De façon très positive, vous insistez également sur le fait que votre ressentiment apparaît pour la première fois ; on peut se sentir très gêné en se rendant compte *a posteriori* que la personne qui nous aidait n'en avait pas envie depuis le début. Ainsi, vous reconnaissez le besoin de l'autre, ainsi que sa gratitude, mais vous exprimez également votre besoin propre.

Que faire si vous vous sentez en infériorité ?

Il peut arriver que vous perceviez le rang là où il n'est pas si vous vous sentez en concurrence ou indigne de l'amour de l'autre. Vous vous trouvez moins intelligent, moins sociable, ou moins équilibré que lui. Si cet état d'esprit perdure, il peut se transformer en prophétie auto-réalisatrice, car à force de souffrir d'anxiété vous risquez d'échouer dans certaines tâches, voire d'amener l'autre à vous considérer comme inférieur. Le but de cet ouvrage est de réduire ce sentiment, et vous savez à présent ce que vous devez faire : passer sur le registre du lien. Après tout, votre amour fait très certainement partie des choses que l'autre apprécie en vous. Percevez-vous la valeur de ceci ? Si vous n'y parvenez pas, discutez de votre sentiment de manque d'estime de soi comme d'un problème dont vous avez conscience plutôt que comme d'un véritable manque de valeur. Plus clairement : ne laissez pas s'exprimer votre bourreau intérieur. Si vous avez l'impression que rien de ce que pourrait dire l'autre ne parviendrait à vous rassurer, choisissez de discuter de vos sentiments d'infériorité avec un tiers en qui vous avez toute confiance.

Un des plus grands obstacles au sentiment d'égalité dans le couple peut provenir des différences de revenus[1], en particulier selon les causes de cette inégalité et la façon dont elle est perçue. Dans le passé, une femme était par définition destinée à rester au foyer et n'avait pas de revenu propre. Bien entendu, cela menait rarement

---

1. P. Schwartz, *Peer Marriage: How Love Between Equals Really Works*, New York, Free Press, 1994, non traduit.

à des sentiments d'égalité. De nombreuses cultures considèrent encore aujourd'hui un homme qui « vit de l'argent de sa femme » comme une personne inférieure, et donc pas vraiment un homme. Si vous et votre partenaire ne gagnez pas les mêmes sommes, il peut vous être très difficile d'éviter de vous comparer l'un à l'autre.

Il peut également arriver que vous vous considériez comme inférieur à votre partenaire si vous avez un caractère particulier, à la limite de la normalité ou ne faisant pas partie de ceux généralement admis par votre culture. Chaque tempérament est particulier, et peut varier d'un extrême à l'autre. Au chapitre 3, j'ai parlé d'un cas particulier, l'hypersensibilité, mais d'autres sont, par exemple, très distraits, ou bien énergiques, ordonnés. Certains s'ennuient facilement, ont tendance à dramatiser ou à cacher leurs sentiments. Chaque culture encourage certains traits de personnalité et pas d'autres. Si vous êtes différent des autres, vous pouvez vous sentir inférieur.

Quand une relation débute, ou que l'intimité n'est pas encore atteinte, les petites différences, les « excentricités » peuvent s'avérer charmantes, voire constituer la base de l'attirance. On peut avoir l'impression que, d'une certaine façon, l'autre nous complète, ou l'inverse. Les férus de logique et de rationalité aiment souvent passer du temps avec des personnes qui leur paraissent délicieusement irrationnelles et impulsives, tandis que ces dernières apprécient la capacité des autres à raisonner calmement face aux problèmes.

Avec le temps, les différences entre vous peuvent devenir des inconvénients, et les excentricités peuvent devenir agaçantes pour l'autre. Si vous êtes le membre du couple dont le comportement est le moins modéré ou socialement accepté, il se peut que vous vous considériez comme le cœur du problème, et que votre partenaire fasse de même. Aussi devez-vous en apprendre davantage sur votre trait de caractère, vous convaincre qu'il a ses avantages et ses inconvénients, et les montrer à l'autre en appuyant sur les aspects positifs.

Que faire si vous vous sentez en supériorité ?

Se sentir supérieur peut être très agréable, que ce soit d'un point de vue général ou dans certains cas particuliers, mais cela reste de l'ordre du rang, cela peut nuire à votre volonté de vous lier aux autres. Plus encore, si vous vous sentez supérieur en tout, et non seulement parce que vous lisez mieux les cartes ou distinguez mieux les couleurs que votre partenaire, cela montre en général que vous ne respectez pas l'autre personne… et il est bien difficile d'aimer quelqu'un qu'on ne respecte pas. Vous pouvez avoir l'impression que votre amour n'est pas sincère, que vous devez tout faire pour votre partenaire ou que vous aimeriez sortir de la relation, mais vous n'osez pas le faire de peur de blesser l'autre de façon irrémédiable.

On pourrait penser que la présence d'un bourreau intérieur empêche de se surestimer et de se sentir supérieur. Mais souvenez-vous : si vous vous sous-estimez, c'est que vous pensez en termes de rang, et dans ce mode de pensée, il est facile de renverser les rôles, en particulier si vous utilisez l'exagération comme mécanisme de défense. Vous aurez alors tendance à penser ou dire « Elle a bien de la chance de m'avoir ! » quand vous vous sentirez en infériorité. Cela peut également se produire si vous avez l'habitude de vous comparer aux autres en général : si vous avez coutume de créer du rang, vous aurez tendance à bondir sur toutes les situations qui vous font vous sentir en supériorité ; chez quelqu'un que vous connaissez bien, il vous sera facile de trouver des défauts qui vous feront vous sentir meilleur... puisque vous ne les avez pas.

Faites donc de votre mieux pour bannir toute comparaison, même celles qui vous sont favorables, en ce qui concerne vos relations intimes. Concentrez-vous sur les raisons qui vous font aimer cette personne. Quant aux défauts, réels ou imaginaires, que vous voyez chez l'autre et qui vous font vous sentir supérieur, dites-vous que l'autre a le droit, tout comme vous, d'avoir ses petites excentricités et d'être différent. Quand vous vous trouvez tous deux en société, prenez garde à la tentation de croire que ses défauts rejaillissent sur vous.

Faire face au conflit

Plus la relation est intime, plus le lien est étroit, et plus le risque de conflit est élevé. La façon dont vous passez le temps, dépensez votre argent ou utilisez ce que vous possédez en commun peut être source d'oppositions. Qui plus est, l'issue de ces conflits devient une question de rang, qui domine l'autre ou a le plus d'influence dans la relation. Si vous avez le dessous, cela peut réveiller le bourreau intérieur, bien plus que dans une relation moins étroite.

Quand il ne semble pas y avoir conflit

Que se passe-t-il s'il n'y a pas de conflit, ou si l'une des deux personnes abandonne presque à chaque fois… et qu'il s'agit de vous ? Même si vous en avez pris l'habitude, vous devez cesser d'agir ainsi, car capituler nourrit le bourreau intérieur. Plus encore, cela vous fait adopter un rang inférieur, ce qui affecte négativement le lien véritable qui sous-tend la relation. Vous devez donc apprendre à résoudre les conflits en restant dans le lien. Cela exige que vous soyez à l'écoute de vos propres besoins. Vous devez apprendre à ne céder que si les besoins de l'autre, à ce moment-là, sont plus forts que les vôtres, et non à vous sentir obligé de capituler systématiquement.

Trop souvent, ceux qui ont une faible estime de soi ont recours au masque de l'effacement dans la relation de proximité. Ils craignent une honteuse défaite, ou au contraire une victoire qui pousserait l'autre à les aimer moins, voire à les quitter. Si vous vous sentez concerné, et que trop d'inégalités se sont glissées dans votre relation « d'amour », il va peut-être falloir corriger cela en utilisant pour une fois le rang. Vous devez établir vos limites − « Je peux donner cela, mais rien de plus » − avant l'établissement du respect mutuel nécessaire pour utiliser les méthodes de gestion du conflit que j'indique ici.

L'impact d'une décision

André et Louise sont mariés depuis près de quarante ans. Louise a presque toujours pris les décisions dans le couple. Cela convenait à André, car il considère son épouse comme plus intelligente que lui et il sait qu'elle l'aime énormément. Hélas, des tonnes de mots d'amour ne signifient pas systéma-tiquement que la relation se base essentiellement sur le lien. Dans ce cas particulier, Louise montre un besoin de contrôle important, témoin de son sentiment d'insécurité venu d'une enfance difficile. Au fond, elle cherche à garder André tout près d'elle afin qu'il ne la « quitte pas pour une autre ». En prenant de l'âge, elle s'est en effet persuadée qu'une femme plus jeune finira par capter l'attention de son mari.

Malheureusement, aucun des deux ne réalise à quel point une relation intime aussi fondée sur le rang peut s'avérer dangereuse. Tout récemment, André a été licencié du poste qu'il occupait depuis trente-cinq ans. Louise, qui gagne bien sa vie, propose qu'il ne cherche pas d'autre travail : « Prends ta retraite, profites-en et laisse-moi subvenir à nos besoins. » Appréciant la gentillesse de cette offre, André accepte.

Quelques années plus tôt, pendant un stage de formation, il s'est rendu compte qu'il avait un certain potentiel artistique ; une fois à la retraite, il décide donc de se lancer dans la photographie. Aucun problème pour Louise... jusqu'à ce que tous deux découvrent qu'André a un réel talent, au point qu'on lui propose des cours de professionnalisation. Il accepte, mais son épouse s'y oppose avec virulence. Néanmoins, André se tient à sa déci-sion, ce qui a pour effet de transformer Louise en un véritable démon. Réflé-chissant à ce qui se passe, André se rend compte qu'il a toujours accepté les décisions de son épouse, partant du principe que c'est ce que l'on doit faire lorsqu'on aime quelqu'un. Seulement voilà, il n'en peut plus.

C'est ainsi que le couple vient me consulter ; Louise confesse sa certitude qu'André trouvera dans son cours une femme plus jeune, plus jolie et plus artiste qu'elle, et qu'il la quittera. Cet aveu renforce finalement leur lien, mais si André n'avait pas fini par comprendre les raisons du comportement dominateur de sa femme, leur conflit aurait pu signifier la fin de leur mariage.

Capituler : au début, c'est si simple…

La plupart d'entre nous ont appris très vite qu'il est plus poli et attentionné de laisser l'autre faire selon sa volonté. Je l'ai dit également : le lien consiste à subvenir, autant que possible, aux besoins de l'autre. Le problème d'une personne qui manque particulièrement d'estime de soi, et dont le bourreau intérieur est très présent, c'est qu'elle ne parvient pas à différencier le besoin de l'autre de son désir. Un besoin, en général, est quelque chose que vous pouvez tous deux considérer comme sérieux ; si l'un de vous est malade, sans emploi, blessé ou en crise, il n'y a pas de conflit, l'autre lui donne volontiers ce dont il a besoin. Pour le désir, la volonté, les choses sont moins claires. Les désirs ont une *réalité émotionnelle*. Quelque chose vous attire, vous le voulez plus ou moins fort.

Le conflit apparaît lorsque deux personnes désirent deux choses différentes. Mais votre bourreau intérieur vous pousse à considérer vos désirs comme moins importants, secondaires. Il se peut même que vous ayez de véritables besoins, mais que vous les preniez pour de simples désirs et n'en teniez pas compte.

Cette confusion apparaît facilement, en particulier si vous êtes victime depuis longtemps de votre bourreau intérieur. Imaginons par exemple que vous êtes une jeune femme qui vient de rencontrer « l'oiseau rare » : vous êtes d'accord sur presque tout, et quand ce n'est pas le cas vous vous réjouissez de vos différences. Aussi, vous décidez d'emménager avec lui. Un soir, vous avez envie d'aller à un concert classique, mais votre partenaire n'en a pas envie. Vous pourriez y aller seule... sauf qu'il n'a pas envie de passer la soirée sans vous. Comme vous trouvez ça touchant et rassurant, vous dites : « De toute façon, ce concert n'est pas très important pour moi », et vous restez chez vous. Lui, de toute évidence, passe une très bonne soirée, ce qui n'est pas votre cas. Quand il vous demande « Mais pourquoi fais-tu la tête ? », vous vous rendez compte, sans oser le dire, qu'en réalité vous aviez très envie d'aller à ce concert, cela faisait presque un an que vous attendiez cette sortie. Telle était votre réalité émotionnelle.

Les semaines passent, vous vous aimez de plus en plus et décidez de vous fiancer. Vous viviez sur la côte basque où vous avez grandi et où il disait se plaire. Toutefois, il a grandi en région parisienne et insiste pour que vous alliez vous y installer. Vous acceptez, mais au bout de deux ans, le Sud-Ouest vous manque terriblement. Là encore, il s'agit de votre réalité émotionnelle, mais vous avez si souvent cédé aux désirs de votre fiancé qu'il en a pris l'habitude, et quand vous lui parlez de déménager à nouveau, comme vous l'avez accepté deux ans plus tôt, il ne vous rend pas la pareille.

Sans vraiment savoir pourquoi, vous vous sentez déprimée, et peut-être anxieuse. De fait, vous avez accepté de subir une défaite pour conserver son amour, que cela ait été ou pas nécessaire. Vous ne voyez pas le rang que vous avez créé, et ne réalisez pas que la véritable preuve d'amour, dans ce cas, serait d'aller plus loin dans le conflit afin de comparer la force du désir de chacun. Sur une échelle de un à dix, la réalité émotionnelle de votre désir de repartir est de dix, tandis que son envie de rester est de trois. Fort heureusement, votre fiancé a également lu ce livre et veut retourner dans le lien avec vous. Mais vous le savez tous deux : il peut se montrer très éloquent, persuasif et logique, ce qui fait que vous avez du mal à l'égaler quand il s'agit de débattre. Vous devez donc rétablir l'équilibre.

Que se passe-t-il lorsque les deux personnes cèdent ? Le résultat n'est pas meilleur. Aucun des deux ne formule un souhait fort, et la relation devient fade. À l'opposé, quand vous décidez d'accepter le souhait de l'autre, ou au moins de l'écouter, vous sentez que la relation se remet en expansion. Vous serez peut-être même heureux d'avoir essayé autre chose.

À vous !

Un dialogue structuré est la seule façon de préserver l'égalité et l'amour en résolvant un conflit majeur né de désirs divergents.

* **Prenez rendez-vous pour parler de vos désaccords.** N'espérez pas que le conflit sera résolu en une seule fois, même si cela peut arriver (ainsi, si vous devez prendre une décision avant une date donnée, votre rendez-vous doit avoir lieu longtemps avant cette date). Choisissez un moment où vous serez tous deux reposés, où vous ne serez pas dérangés et aurez le temps ensuite de vous reprendre. Une heure est une durée appropriée pour que vous ne vous épuisiez pas en discussions ou que votre conversation s'arrête au moment où vous commencez à avancer. Pour ce qui est du lieu, se retrouver à l'extérieur peut vous donner à tous deux une perspective plus large et prévenir les interruptions.

* **Commencez à tour de rôle.** Laissez parler chacun pendant environ cinq à dix minutes suivant l'importance et l'urgence du conflit. Si c'est vous qui commencez, exprimez vos sentiments et votre point de vue. Soyez honnête, ne retenez

rien, mais n'exagérez pas non plus. Pleurer n'est pas un problème. Dites ce que vous ressentez quand vous imaginez ne pas avoir ce que vous voulez. Il s'agit de votre réalité émotionnelle, et vous devez exprimer chacun la vôtre pour pouvoir réellement les prendre en compte.

* Pendant que l'un parle, l'autre se contente d'écouter. Il n'interrompt pas le premier pour exprimer son désaccord et suit les consignes d'ajustement du chapitre 7. Si nous en revenons à l'exemple du déménagement de la région parisienne à la côte basque, votre partenaire peut écouter vos arguments avant de vous répondre : « Je vois que tu souffres davantage que tu ne me l'avais dit. Tu veux que nous y retournions, non seulement parce que c'est là que tu es née et qu'il y fait plus beau ; il te manque aussi les paysages et la chaleur humaine. » Vous expliquez à quel point les hivers franciliens vous dépriment. À nouveau, il vous entend, et récapitule vos sentiments : « Ici, les jours sont plus courts et il fait plus froid, et cela te rend triste. » Celui qui écoute peut prendre des notes – le moins possible – pour se souvenir de ce qu'il veut répondre sur certains points, toutefois, cela ne doit pas le distraire, il doit rester ajusté aux sentiments de l'autre et ne pas parler tant que son tour n'est pas venu.

* Vient ensuite le tour de l'autre. Dans notre cas, il parle de la région où il a grandi et de comment il s'y sent. Vous l'écoutez avec attention, en restant ajusté à ses sentiments. À nouveau, vous pouvez prendre quelques notes sur vos réactions pour les utiliser plus tard, mais tenez-vous-en au strict minimum.

* Ajoutez deux minutes à son temps de parole de manière à ce qu'il puisse également répondre à ce que vous avez dit quand il se contentait d'écouter en silence. Il peut par exemple dire « Moi aussi, le pays basque me manque. Tu croyais être la seule ? » ou bien « Moi, j'aime l'hiver ici, et si nous repartons, ma famille me manquera. Je comprends que la tienne te manque maintenant, mais l'inverse se produira si nous déménageons à nouveau. Tu sais à quel point mes parents et moi sommes proches. »

* À présent, prenez également deux minutes pour exprimer vos réactions à ce qu'il vient de dire, pendant qu'il repasse en mode d'écoute. « J'entends ce que tu dis. Ta famille me manquerait à moi aussi. Mais mes parents sont au pays basque et ils se font vieux. Peut-être que je ne pourrais pas profiter d'eux très longtemps. » Ces quelques minutes de réponse directe seront les seuls vrais échanges que vous vous permettrez. Attention : il faut une vraie volonté pour s'en tenir à ce contrôle des arguments et du conflit.

* **Séparez-vous pendant environ vingt minutes.** Une fois que vous vous êtes tous deux exprimés, il est temps de s'arrêter un moment. Prenez le temps, chacun de votre côté, de réfléchir à ce que vous venez de dire et d'entendre. Pensez au fait que chacun de vous a envie ou besoin que les choses aillent suivant sa volonté, ne vous préoccupez pas trop de la différence entre envie et besoin.

* **Quand vous vous retrouvez, voyez où vous en êtes.** Il peut arriver que l'un de vous ait changé d'avis pendant le temps de réflexion. « De toute évidence, il est temps de retourner au Pays basque. Je peux prendre l'avion quand je veux pour revenir voir mes parents. » Si ce n'est pas le cas, reprenez les étapes deux à huit, en raccourcissant les temps de parole, passant par exemple à cinq minutes d'expression des sentiments, deux minutes de réponse et quinze minutes de réflexion séparée. Attention à ne pas vous laisser piéger par l'envie de débattre avec des réponses plus rapides.

* **Si, après cette deuxième session, l'opposition est toujours aussi forte, tenez-vous-en là.** Ne commencez pas un troisième tour. Prenez un nouveau rendez-vous et ne discutez pas du sujet d'ici là. Cela vous permettra de maintenir votre conflit dans une période temporelle donnée, et de vous consacrer entre-temps à votre lien. En suivant ce processus, vous parviendrez à trouver une solution au problème, ou au moins à apprendre à vivre différemment avec lui.

Agir pour que les masques ne gâchent pas l'amour

Comme vous l'avez appris au chapitre 2, lorsque vous utilisez l'un des six masques protecteurs, vous vous trouvez dans le rang et faites de votre mieux pour éviter la honte qui accompagne la défaite ou l'échec. Dans une relation intime, la honte a une résonance particulière, tout comme les mécanismes de défense.

On peut dire que l'amour sincère ne commence que lorsqu'on a vu l'autre sous ses plus mauvais jours et qu'on l'aime encore. La honte se fait plus intense lorsque vous craignez que votre partenaire ne décèle en vous un défaut que personne d'autre n'avait remarqué. Mais une fois que votre « pire » est accepté, elle s'évanouit souvent complètement.

Un certain nombre de choses, toutefois, peuvent continuer à attiser votre honte alors qu'elles ne le devraient pas. En général, cela concerne votre insécurité ou vos schémas émotionnels, qui vous poussent à utiliser vos masques protecteurs dans la relation intime plus que nulle part ailleurs.

Il est capital d'en prendre conscience : même quand vous avez commis une faute réellement honteuse, comme le fait d'avoir menti, il y a toujours une explication dans votre histoire personnelle, et ceci peut réduire votre honte. Toute l'astuce consiste à maintenir la tension entre ces deux pôles opposés : vous êtes une personne digne d'amour, et vous avez un problème dont vous devez vous occuper. Si vous avez tous deux cette attitude ouverte envers les faiblesses de l'autre, le besoin d'utiliser les masques protecteurs peut disparaître peu à peu.

Guérir les effets d'un attachement insécure

L'attachement insécure est l'ennemi des relations à long terme. Là où devrait exister l'amour se trouve le rang, et aucun de vous n'en a conscience. Vous avez vécu si longtemps avec votre vision insécure des relations intimes issue de votre enfance que vous répétez à présent sans cesse les mêmes schémas. Si vous êtes un insécure anxieux, vous vous sentez en infériorité, impuissant à éviter l'abandon, ou bien vous avez l'impression de ne pas pouvoir vous défendre sans risquer que l'autre ne vous quitte. Si vous êtes plutôt du type « évitant », vous faites tout pour rester aux commandes et vous montrer supérieur à l'autre afin de ne pas réaliser à quel point vous lui êtes attaché, ce qui vous donnerait une insupportable impression de vulnérabilité.

Fort heureusement, une relation amoureuse sincère et profonde est la meilleure façon de guérir d'un attachement insécure. Vos premiers liens d'attachement, comme celui que vous vivez en ce moment, impliquaient la confiance en une personne qui resterait à vos côtés et s'occuperait de vous le mieux et le plus longtemps possible. Si les choses se sont mal passées à l'époque, une fois adulte, plus la relation s'approfondit et devient intime, plus vous vous sentez mal. À l'inverse, si tout se passe bien dans celle-ci, vous vous sentirez peu à peu de plus en plus en sécurité.

Malheureusement, une nouvelle insécurité voit le jour : la crainte de la fin de cette relation, ce qui arrivera immanquablement, ne serait-ce que par le décès de l'un des deux. Nous devons tous nous faire à l'idée de cette ultime séparation. Même des séparations temporaires peuvent être difficiles pour des personnes qui s'aiment. Le besoin de proximité physique fait partie de notre réalité émotionnelle innée. Il est douloureux d'être éloignés l'un de l'autre, de ne pas se voir, se toucher, ou savoir ce que fait l'autre à tout moment.

Rien d'étonnant à ce que nous soyons aussi fous de nos téléphones portables…

La séparation est le corollaire négatif de l'amour, elle est inévitable. C'est un prix élevé à payer, mais nous devons tous nous en acquitter. Malheureusement, les insécurités du passé tendent à construire celles de l'avenir. Ainsi, si vous êtes du type évitant, l'idée même de séparation vous pousse à agir comme si vous n'aviez pas besoin de votre partenaire… cela n'aide pas vraiment l'amour. Si vous êtes plutôt insécure anxieux, vous pensez trop à la façon dont se terminera la relation, ce qui vous empêche également de ressentir l'amour ici et maintenant.

Dans une relation profonde, l'une des façons de créer du lien véritable est d'admettre votre inquiétude à l'idée de la séparation et de vous aider l'un l'autre à y faire face. Parfois cependant, nos mécanismes de protection nous empêchent d'admettre cette peur ou même d'en être conscients.

Il m'est arrivé d'être dans une phase évitante (car il s'agit bien de phases que l'on peut traverser, nous montrant tour à tour sécures, évitants ou anxieux), et j'avais l'impression de n'avoir aucun problème avec les déplacements professionnels de mon mari, qui se faisaient plus fréquents. Un soir, j'allais le chercher à l'aéroport, et j'ai alors pensé que cela ne m'aurait pas vraiment dérangée s'il avait été absent un petit peu plus longtemps… mais en le voyant arriver, je me suis mise à pleurer. C'est ainsi que j'ai appris cette nuit-là à quel point je l'aimais, réalité émotionnelle que je niais jusque-là.

En résumé, si vous êtes insécure, votre peur panique de la séparation crée du rang. Votre bourreau intérieur fait que vous vous sentez impuissant face à la séparation, même si c'est vous qui partez. Cela peut déclencher des masques protecteurs – dans mon cas, l'exagération et la relativisation – ou bien vous donner envie de pleurer et supplier l'autre de ne pas vous quitter, comme vous le faisiez dans votre enfance. Mais il vous semble qu'un tel comportement vous rabaisserait (et appartiendrait donc à l'ordre du rang), aussi n'en faites-vous rien… et votre inconscient trouve une façon de s'exprimer, comme le soir où je me suis mise à pleurer en retrouvant mon époux.

Faire face à une dispute avant une séparation

En programmant des déplacements ou des voyages sans leur partenaire, ceux qui vivent une relation sincère ne se rendent en général pas compte de la réalité émotionnelle sous-jacente ; au niveau instinctif, ces séparations peuvent créer de profonds bouleversements. Si vous êtes trop insécure pour en parler, votre bourreau intérieur peut vous pousser à tenir le genre de conversations qui suit.

Le départ en voyage

LUC : Où sont mes vêtements propres ? Je dois partir à l'aube demain et je n'ai rien à me mettre. (*Il claque les portes de l'armoire et les tiroirs.*)

VALÉRIE : Tu veux dire que j'étais censée les laver ?

LUC : Je n'ai jamais dit ça, si ? (*Il crie.*) Je suis juste très en colère parce que je n'y ai pas pensé.

VALÉRIE : Je déteste quand tu me fais des reproches détournés. Sois au moins honnête, reconnais que tu m'en veux de ne pas avoir fait la lessive. (*Son ton monte également.*)

LUC : Mais ce n'est pas vrai ! J'en ai marre que tu essaies de me faire passer pour un sale macho !

VALÉRIE : Ta mère s'est toujours occupée de ton linge. Pour toi, c'est un truc de femmes, et tu penses que je dois m'en charger.

LUC : D'accord, tu veux que je sois honnête ? J'aimerais partir maintenant, tout de suite, pour ne pas avoir à me taper tes jérémiades.

VALÉRIE : Vraiment ? Eh bien, n'hésite pas. Rien ne me ferait plus plaisir.

Aïe. Temps mort. Peu importe qui s'en va et le but du voyage : les gens proches n'aiment pas se séparer. C'est aussi simple que ça. Mais Valérie et Luc ont tous deux un passé d'attachement insécure, aussi ont-ils enfoui leurs sentiments sous des masques protecteurs. Luc ne s'est pas bien préparé pour ce voyage, sans se rendre compte à quel point il déteste quitter Valérie. Quant à celle-ci, elle, est furieuse qu'il l'abandonne, et son masque de reproche la pousse à déclencher une querelle.

Aucun des deux ne veut ressembler à ses parents. La mère de Luc est décédée quand il avait douze ans, et son père est littéralement devenu « fou de chagrin ». Luc éprouve donc une peur de la mort – symboliquement, que l'autre ne revienne pas – aussi refuse-t-il que quiconque devienne important pour lui comme l'étaient sa mère pour son père et lui-même. Dans le dialogue, il avoue rêver partir plus tôt pour en finir avec la douleur, comme si la séparation avec Valérie était une forme de mort.

Le père de Valérie, lui, a quitté sa mère et non seulement elle ne l'a plus revu, mais sa mère a dû reprendre un travail, et Valérie a passé une grande partie de son enfance avec des baby-sitters ou seule à la maison. Elle craint donc que Luc ne se conduise comme son père, et cherche inconsciemment à l'abandonner avant que cela ne se produise. Pour elle, la séparation revient à perdre une lutte pour la vie.

Et si Luc et Valérie étaient décidés à aller au fond de leurs véritables sentiments ? Ils s'assiéraient, prendraient une profonde inspiration, et diraient quelque chose comme ce qui suit.

LUC : Qu'est-ce qui nous a pris ? Pourquoi cette dispute ?

VALÉRIE : Eh bien... tu t'en vas. Et je crois que je n'en ai pas envie.

LUC : Vraiment ?

VALÉRIE : (*Elle se met à pleurer.*) Je crois, oui.

LUC : (*L'enlaçant.*) Je n'ai pas envie de partir non plus. Je déteste être loin de toi. Je déteste dormir seul et aller au restaurant sans toi. Je déteste ça, vraiment.

Ils se prennent dans les bras et pleurent ensemble. Ensuite, ils prévoient les moments où ils vont s'appeler. Dorénavant, ils regarderont mieux leur planning respectif, cherchant à faire coïncider, si possible, leurs déplacements.

Revenir à l'essentiel

Les phrases qui suivent expriment la réalité émotionnelle qui fonde les liens à long terme : « Je t'aime, j'ai peur de te perdre. J'ai peur que tu meures. J'ai peur que tu ne m'aimes plus. J'ai besoin de toi. J'ai besoin de ton amour. » Aussi simples qu'ils paraissent, ces constats sont de l'ordre de l'intimité. Lorsque deux personnes s'aiment profondément, elles peuvent s'aider mutuellement à supporter ces sentiments, à condition de dépasser l'idée que les exprimer est de la faiblesse ou qu'on peut les faire disparaître en les niant.

Lorsque quelqu'un que vous aimez exprime la peur de la séparation, voici ce qui pourrait constituer une réponse idéale : « J'ai les mêmes peurs. Moi aussi j'ai besoin de toi. Je déteste que nous soyons séparés, j'ai toujours peur que nous ne nous revoyions plus.

J'ai besoin de savoir que tu seras là pour moi quoi qu'il arrive. »
Bien entendu, être proche ne signifie pas qu'on se répète ceci en
permanence. Mais si vous aimez quelqu'un et que vous ne ressentez pas ces sentiments, c'est presque à coup sûr que vous les gardez
à l'état inconscient afin de vous protéger de la douleur qu'ils pourraient causer ou par crainte de vous montrer faible, dépendant ou
mièvre. Pensez à exprimer vos sentiments, au moins de temps en
temps. Cela renforcera le lien, vous rendant tous deux plus sécures
et vous aidant donc à soigner mutuellement votre bourreau intérieur.

Soigner les traumatismes à l'origine des schémas émotionnels

Dans le chapitre 3, vous avez appris à reconnaître vos propres schémas émotionnels, et dans le chapitre 4 à les percevoir et les gérer
chez un tiers dont vous faites la connaissance. À présent, vous voilà
paré à les soigner chez l'autre. Une des façons les plus sûres de
contrôler le bourreau intérieur est de travailler sur les schémas dans
le cadre d'une relation d'affection profonde, où vous avez le plus
de chances de rencontrer une expérience du lien correcteur.

L'inconvénient de la présence de schémas émotionnels dans une
relation intime est que vos schémas et ceux de votre partenaire
peuvent finir par s'emmêler. C'est la raison pour laquelle, chez
certains couples, ces schémas peuvent jouer un rôle dramatique et
dévastateur. Si vous ne percevez pas leur existence et leur fonctionnement, vous pouvez faire l'expérience de disputes récurren-
tes, parfois extrêmement virulentes, provoquant des éloignements

temporaires, ou des ruptures définitives. Les émotions déclenchées peuvent être bouleversantes, et les mots dépassent parfois nos pensées. Nous disons des choses que nous regrettons ensuite, mais ne pouvons effacer, et nous créons ainsi de nouveaux traumatismes. Les schémas mêlés sont sans conteste le plus grand ennemi des relations intimes, mais apprendre à les gérer et à les soigner vous offre les meilleures chances de rester ensemble.

Quand les schémas s'emmêlent

Mon mari a tendance à commenter chacune de ses actions, comme pour dérouler un scénario, et en tant que professeur, il a l'habitude de parler plutôt fort… Que nous soyons en train de faire un lit, de monter une tente ou de nous livrer à n'importe quelle activité exigeant une certaine coordination, il a l'habitude d'exprimer à haute voix des choses qui sont davantage des pensées que des ordres : « Pose ça là », « Amène-le ici », « Attends un peu, je ne suis pas prêt… » En général, vu que je ne suis pas complètement idiote, j'ai déjà posé ou amené la chose en question, et ses commentaires m'horripilent. J'ai l'impression qu'il me donne des ordres comme à une demeurée ou une esclave. Quand j'exprime mon agacement, il se met à son tour en colère, car il n'a aucune intention de me contrôler. De fait, il est très fier (à juste titre) de l'absence de rang entre nous, et notre dispute constitue un véritable affront pour lui.

Quant à moi, si je réagis avec autant de virulence, c'est que j'ai déjà vécu le fait d'être traitée comme une potiche par ma grande sœur, avec qui je suis souvent restée seule pendant mon enfance, et j'ai toujours détesté ça. Mon mari était fils unique, avec des parents compréhensifs qui ne le critiquaient que rarement, mais en revanche ne s'épargnaient pas l'un l'autre et ont fini par divorcer. Ainsi, il associe la critique et toute dispute qui peut en résulter, avec cet événement douloureux. Quand il a l'impression que je le juge, il pense que cela signifie que notre mariage va à l'échec. Du coup, lorsque je me plains de ses instructions permanentes, qui me font me sentir mal-aimée, il doute à son tour de mon amour. Ces schémas émotionnels particuliers restent inactifs dans la plupart des situations, mais dans notre relation intime, ils créent leur lot de problèmes. Heureusement, nous avons appris à nous en sortir, et vous pouvez faire de même.

Que faire des schémas émotionnels dans la relation amoureuse ?

De votre travail avec la part innocente, vous vous souvenez que pour soigner des traumatismes qui sont à la base des schémas émotionnels, il faut en parler sans relâche en présence d'une personne aimante ou affectionnée. Vous allez à présent apprendre à apporter à l'autre cette attention que vous portez à la part innocente. Pour commencer, reprenez la liste « Gérer vos schémas émotionnels » à la fin du chapitre 3, et ce que vous avez noté de vos propres schémas dans votre journal de bord. Quand vous éprouvez pour quelqu'un un amour sincère, vous pouvez être certain que la plupart des schémas seront déclenchés.

De même, relisez la fin du chapitre 4 sur la façon de gérer les schémas émotionnels chez l'autre. Il s'agit de ne pas contester, de continuer à créer du lien, de ne pas se contenter d'approuver pour apaiser la situation, mais de ne pas se taire non plus, car le silence serait pris pour un jugement ou une approbation. En particulier lorsque l'autre se montre excessivement critique envers lui-même, dites quelque chose comme « Je comprends que tu puisses voir les choses de cette façon, mais… ». Restez à l'affût des masques de protection, et répondez-y avec finesse, souvenez-vous qu'ils dissimulent des sentiments de honte. Par-dessus tout, prenez le temps, plus tard, de discuter de ce qui a déclenché le coup d'éclat et le schéma afin d'éviter que ça ne se reproduise.

Dans une relation intime ou amoureuse, l'apparition de schémas émotionnels exige plus de délicatesse encore. Quand, ultérieurement, vous reparlez de l'incident, proposez à celui ou celle que vous aimez le type d'aide que, dans le chapitre 5, vous avez appris à donner à votre part innocente : ajustez-vous à ses sentiments et offrez-lui votre compréhension. Reliez non seulement l'événement à sa cause immédiate – ce qui l'a déclenché, et comment l'éviter à l'avenir – mais cherchez ensemble quelles peuvent être ses causes passées. Ainsi, vous découvrirez le traumatisme derrière le schéma, ce qui peut vous permettre d'offrir un lien émotionnel correcteur, c'est-à-dire le type de réaction que votre aimé aurait dû recevoir dans le passé. Comme vous l'avez appris avec la part innocente, vous pouvez être en désaccord quand cela vous semble nécessaire tout en évitant de déclencher à nouveau le schéma. Pour finir, montrez-vous doux et compréhensif, et remerciez l'autre de vous avoir fait suffisamment confiance pour vous livrer ses souvenirs douloureux.

Par ailleurs, vous allez chercher à comprendre comment vos schémas émotionnels respectifs se mêlent et se répondent. Votre enfance auprès d'une mère très critique vous rend-elle particulièrement sensible aux commentaires négatifs, et le père perfectionniste de votre partenaire la pousse-t-il à vous trouver toujours un peu imparfait ? Si vous êtes une femme, votre grand frère a-t-il tant cherché à vous contrôler que vous supportez très mal toute attitude dominatrice de la part des hommes, et ce alors que votre fiancé a subi tant de discriminations qu'il éprouve à présent un besoin permanent de contrôle ?

Il est même possible que vous ayez créé un schéma émotionnel chez l'autre, par exemple lors d'occasions où la jalousie vous a rendu cruel. Vous pouvez soigner cela en admettant ce que vous avez fait, en exprimant comment vous aimeriez avoir réagi à la place et de quelle façon vous comptez vous comporter dans le futur. Je connais un couple dans lequel le schéma émotionnel de jalousie de l'un était si puissant qu'il menaçait le couple même. Les deux partenaires ont résolu ce problème en signant un contrant les engageant à ne pas se trahir l'un l'autre et, si cela arrivait, à se l'avouer dans les vingt-quatre heures. Il s'agissait ainsi de mettre un terme aux suspicions et aux accusations.

Vous devez gérer les schémas émotionnels avec autant de compassion et d'objectivité que possible. Il s'agit d'un acte d'amour important, quasi héroïque, car vous devez tous deux faire face à des peurs intenses nées d'abandons, d'abus, de séparations ou d'autres traumatismes passés. Il faut vous ajuster réciproquement aux sentiments de l'autre quand l'un des deux revisite, peut-être pour la centième fois, l'événement à l'origine du schéma émotionnel. Lorsque vous aimez quelqu'un, votre ajustement à ses sentiments mène naturellement à l'expérience d'un lien correcteur. Vous exprimez votre souhait que tout ait été différent, ou que vous ayez pu l'aider, et tous les sentiments qui vous viennent naturellement pour le soigner. Si, au début, votre partenaire ne parvient pas facilement à se mettre à l'écoute de vos sentiments et à les partager, vous pouvez lui servir de modèle – ou lui offrir ce livre à lire.

Gérer les schémas émotionnels de l'autre semble une tâche herculéenne – ce qu'elle est, effectivement, même si elle devient plus simple une fois que vous avez compris (souvent à la dure) ce qu'il ne fallait pas faire. Quant à l'effort que cela nécessite, avez-vous vraiment le choix ? Même les plus belles relations amoureuses ont leurs lots de problèmes. On ne nous le dit pas souvent, mais l'amour, la confiance et l'intimité que nous désirons dans notre relation de couple nécessitent des efforts permanents. Il est très difficile de se passer de ce type de relation, en particulier quand on souffre d'un bourreau intérieur virulent. C'est donc ce qu'on peut appeler la rançon de l'amour…

À vous !

* Reprenez l'exercice des cercles qui se chevauchent, au début du chapitre 7. Pensez à votre relation amoureuse la plus déterminante. Vous semble-t-il que les cercles se chevauchent de plus en plus à mesure que vous mettez en pratique les consignes de ce chapitre ?

* Avez-vous parfois peur d'être trop proche de l'autre ? Essayez de voir en quoi cela pourrait correspondre à un conflit de rang, car vous craignez peut-

© Groupe Eyrolles

être d'être contrôlé ou anéanti si vous perdez l'autre. Ou bien pensez-vous que vous devez à tout prix établir des barrières de manière à ce que vos besoins et vos désirs restent clairement séparés de ceux de l'autre ?

* Pensez aux obstacles qui vous empêchent d'aimer l'autre pleinement en reprenant les exemples cités dans ce chapitre. Notez dans votre journal de bord ceux qui vous concernent. Quand vous vous y sentez prêt, parlez-en à votre partenaire.

* Prévoyez une activité inédite, attirante et pleine de défi avec l'autre… et prenez du bon temps.

Conclusion

Ensemble, nous avons décidé de vous débarrasser du bourreau intérieur, et vous voilà sans nul doute beaucoup plus proche du but. Mais peut-on vraiment guérir ce qui est au fond un instinct naturel ? Au début de ce livre, j'ai affirmé que nous possédons tous un bourreau intérieur parce que notre amour-propre répond automatiquement à la défaite que tout un chacun connaît. Ainsi, notre réaction instinctive à la défaite, qui a pour but premier d'assurer notre survie, nous protège d'en vivre de nouvelles (ou nous empêche de reproduire des comportements qui engendrent la honte) en abaissant notre estime de soi plus que de raison. Tout ceci fait partie de nos réactions innées face aux situations de compétition, de conflit et de rang. Nous possédons également une tendance naturelle à créer du lien, tendance qui, vous le savez maintenant, peut l'emporter sur le rang.

Si vous remarquez qu'il vous est souvent difficile de passer sur le registre du lien, vous savez à présent que c'est parce que votre niveau d'amour-propre actuel n'est pas le fruit d'une seule défaite, mais d'une série d'échecs traumatisants ayant entraîné des sentiments quasi insurmontables d'impuissance et de honte. Dans ce cas, il y a de fortes chances pour que se soit créé en vous un pro-tecteur-persécuteur tel que décrit dans le chapitre 6, qui vous maintient « dans le rang » en permanence.

Il faut soigner ces traumatismes. Tout comme les blessures physi-ques, les blessures psychologiques peuvent guérir, si les conditions adéquates sont réunies. Pour guérir, vous le savez désormais, vous devez trouver des liens correcteurs à l'intérieur de vous-même et avec les autres. Ainsi, si nous portons chacun en nous notre bour-reau intérieur, nous pouvons également panser les blessures qu'il nous inflige en exagérant notre réponse naturelle à la défaite. Même quand la guérison n'est pas complète, nous pouvons davan-tage prendre conscience de la façon dont notre bourreau intérieur nous pousse à distordre la réalité, tout comme nous sentirions une vieille blessure.

À vous !

Reprenez votre journal de bord (si vous avez décidé de ne pas en tenir un, demandez-vous en quoi votre vie a changé depuis que vous avez ouvert ce livre) et notez les progrès que vous avez faits. Pour vous y aider, écrivez « oui » ou « non » devant les affirmations suivantes :

* Il vous arrive moins souvent de rater des opportunités, sociales ou profession-nelles, à cause de votre tendance à vous sous-estimer.

* Vous parvenez plus facilement à distinguer quand le rang et le lien sont à l'œuvre chez vous ou chez les autres.

* Vous vous comparez moins souvent aux autres, et vous sentez moins souvent en compétition dans des situations qui ne l'exigent pas.

* Quand vous entrez en compétition, vous le faites avec davantage de plaisir et de réussite car vous avez une image réaliste de votre valeur, évitant de vous lancer dans des combats perdus d'avance et refusant l'affrontement quand vous êtes sûrs de l'emporter.

* Vous vous sentez plus ouvert et amical, et on vous en a fait la remarque.

* Vous êtes plus intime avec ceux dont vous souhaitiez vous rapprocher.

* Vous utilisez moins souvent les masques de protection.

* Vous êtes moins souvent le jouet de vos schémas émotionnels.

* Si vous éprouviez un sentiment d'insécurité dans la plupart de vos relations, vous vous sentez à présent sécure dans au moins l'une d'elles.

* S'il existe en vous un protecteur-persécuteur, au moins vous en êtes conscient et vous parvenez à vous en libérer plus souvent.

* Si vous vous trouvez dans une relation amoureuse au long cours, vous ressentez davantage d'amour et moins de conflits de pouvoir.

* Par-dessus tout, vous vous sentez plus heureux ; car, selon de nombreuses études[1], le fait de se sentir content de soi avec réalisme est sans doute le plus grand signe de bonheur. Si vous n'en êtes pas là, rassurez-vous, vous êtes en bonne voie.

Plus vous notez de progrès, plus vous êtes libre de faire vos propres choix plutôt que d'être gouverné par vos peurs... nous voilà à la croisée des chemins.

L'amour et le pouvoir : la croisée des chemins

Depuis les premiers instants de la conception de ce livre, j'ai en tête ce point crucial, ce carrefour entre le rang et le lien, l'amour et le

---

1. P. Hills and M. Argyle, « Happiness, Introversion-Extraversion and Happy Introverts », *Personality and Individual Differences* 30, 2001 (« Le bonheur, l'introversion et l'extraversion : les introvertis heureux », non traduit).

pouvoir. J'espère qu'à l'issue de notre travail commun, au moment où vous vous trouverez à cette croisée des chemins, vous parviendrez à choisir votre voie en fonction des nécessités plutôt que de croire que votre seul choix possible est le rang. Ayant développé vos capacités, vous pouvez à présent utiliser lien ou rang, voire mélanger les deux de façon experte.

Je souhaite qu'à présent vous vous sentiez à même de vous lier à l'autre, de l'aimer, mais également d'utiliser le rang pour créer et défendre vos propres limites, car c'est ce qui, à terme, protège le mieux la solidité du lien. Puissiez-vous désormais prendre plaisir à la compétition et toujours chercher à faire de votre mieux tout en conservant vos valeurs d'équité et de fair-play, voire en nouant avec vos adversaires des liens de respect et d'amitié.

J'espère également que la solidité de vos liens vous a donné assez de confiance en vous pour assumer au besoin un rang élevé. Vous pourrez ainsi utiliser à bon escient le pouvoir issu d'un statut élevé en vous liant à vos enfants, élèves, patients, ou toute autre personne que vous cherchez à servir et aider grâce à votre influence. Vous pouvez laisser le rang soutenir votre goût pour le lien et l'amour de façon à ce que, quelle que soit la pression des autres, vous vous en teniez à vos convictions. Vous pouvez encourager le lien au lieu du rang dans des groupes élargis, voire des nations, sans pour autant nier le besoin de créer du rang et de préserver nos limites. Vous pouvez enfin comprendre pourquoi tant de gens se tournent vers une divinité qui est à la fois tout amour et toute-puissante : en fin de compte, nous avons besoin d'imaginer ces deux forces coexistant en harmonie.

Voilà bien des espoirs, mais j'en formulerai encore un : celui que vous continuiez à travailler avec ce livre tout au long de votre recherche d'un équilibre entre lien et rang. Chaque fois que vous appliquerez les idées que je développe ici, vous deviendrez plus habile à créer et entretenir du lien, à laisser de côté votre bourreau intérieur et ses tendances innées à créer du rang inutilement.

Bien entendu, le fait de créer du lien est avant tout une technique destinée à vous faire sentir davantage en harmonie avec vous-même. Créer du lien, se rapprocher des autres, est un enjeu majeur de l'existence. Les organismes monocellulaires se sont reliés entre eux pour devenir des organismes complexes, puis des animaux, et nombre de ceux-ci choisissent de vivre en groupes pour s'entraider. Dans tous les cas, ils étaient attirés les uns vers les autres, avaient besoin de se comprendre et de se venir en aide... voilà ma définition de l'amour. Certains aimeraient se lier avec tous les êtres vivants pour créer la paix et l'harmonie, je suis certaine que cette capacité de lien prendra dans le futur des formes de plus en plus puissantes.

Nous voici à la fin du voyage, mais il a créé un lien entre nous. Pendant que j'écrivais, vous étiez présents dans mon cœur comme des amis que je ne pouvais qu'imaginer, mais dont j'étais certaine de la présence. Maintenant que j'écris les derniers mots, je sais que vous me manquerez, mais je me réjouis que nous ayons atteint ensemble ces dernières pages. Puisse votre moi profond se libérer des balances et des échelles qui mesurent et comparent le rang, et puissent vos liens rester forts et puissants.

Annexe 1

Trouver un bon thérapeute

Pour commencer vos recherches, demandez à vos proches et amis, ainsi qu'à votre médecin traitant, s'ils peuvent vous suggérer un thérapeute qu'ils connaissent bien, en particulier ceux qui peuvent vous indiquer ce qui se passe en thérapie avec cette personne.

Vous pouvez ainsi commencer par consulter un psychiatre – dont les consultations ont l'avantage d'être remboursées (directement pour les personnes de moins de 25 ans, ou sur ordonnance de votre médecin traitant pour une première visite si vous êtes plus âgé).

Hormis certains cas particuliers, les séances auprès de psychologues (personnes ayant reçu une formation universitaire en psychologie) de psychanalystes ou de psychothérapeutes (praticiens formés à des méthodes d'analyse et de travail sur soi) ne sont pas remboursées. Renseignez-vous toutefois auprès de votre mutuelle, qui peut proposer le remboursent d'un certain nombre de séances annuelles.

On peut trouver *via* Internet l'adresse de nombreux thérapeutes, soit par des pages d'annuaire, soit par des réseaux et associations de professionnels (analystes freudiens ou lacaniens, psychologues spécialisés, gestalt-thérapeutes, etc.).

Sauf cas de force majeure (si vous vivez par exemple dans une petite ville), je vous déconseille de voir un thérapeute qui suit déjà un de vos proches ; plus encore, ne suivez pas de thérapie avec une personne avec qui vous êtes amie ou parente. Si votre partenaire voit un thérapeute, choisissez-en un différent, méfiez-vous d'un psy qui vous conseillerait le contraire. Ne choisissez pas un thérapeute uniquement parce que vous vous sentez redevable envers la personne qui vous l'a recommandé.

En cas de difficultés financières

En psychiatrie comme en psychanalyse, les tarifs ne sont pas plafonnés, mais si vous avez des difficultés financières, ne vous rabattez pas sur les thérapeutes les moins chers, car il pourrait vous en coûter par d'autres aspects. Choisissez les meilleurs, ou ceux qui vous paraissent tels, même si leurs tarifs sont élevés. Cela en vaut la peine. Un meilleur thérapeute aura besoin de moins de séances pour vous prendre en charge, et une thérapie réussie peut créer de nombreux changements, y compris de nouveaux moyens financiers.

Les honoraires des psychothérapeutes sont élevés car ils pratiquent en libéral une profession difficile, qui exige des formations fréquentes et met en jeu la vie de leurs patients. Pour se consacrer sincèrement à ceux-ci, la plupart d'entre eux se limitent à une vingtaine de patients par semaine. Quoi qu'il en soit, certains thérapeutes savent se montrer compréhensifs et peuvent accorder des facilités de paiement aux personnes dont les revenus sont modestes. Vous pouvez donc faire part de votre situation financière, en expli-

quant combien vous pouvez payer. Si le thérapeute qui vous intéresse est au-dessus de vos moyens, demandez-lui s'il ou elle peut
vous recommander un confrère aux tarifs moins élevés, par exemple un collègue qui ouvre son cabinet. C'est un moyen sûr et très
répandu pour trouver un thérapeute.

Vous pouvez également vous adresser aux associations et instituts
de formation en psychothérapie, qui vous indiqueront leurs affiliés
et, en particulier, les plus récentes installations. Des psychothérapeutes nouvellement établis compensent souvent leur manque de
pratique professionnelle par une connaissance pointue des innova-
tions techniques et un enthousiasme certain. Quoi qu'il en soit, la
plupart – en particulier chez les analystes – sont supervisés par un
praticien expert qui garantit que vous êtes entre de bonnes mains.
Dans certains cas, vous pouvez même rencontrer des thérapeutes
en fin de formation qui accepteront de vous suivre en attendant de
monter leur propre cabinet.

Vos préférences

Devez-vous choisir un ou une thérapeute ? À vous de voir, évidemment. Avec lequel des deux vous sentiriez-vous le plus à l'aise,
et lequel serait le plus à même de jouer pour vous un rôle de
médiateur, voire de modèle ? Si vous souhaitez entreprendre un
travail sur vos émotions profondes, il est souvent préférable de
choisir une thérapeute du même sexe que le parent avec lequel
vous vous entendiez le mieux.

De quel genre de thérapie avez-vous besoin ? L'éventail des psy-
chothérapies (entre 200 et 400 spécialités en France) va des métho-

des pratiques et rationnelles, travaillant sur le conscient, aux analyses centrées sur l'inconscient, que ce soit en général (analyse) ou par rapport à ses manifestations les plus envahissantes (thérapies brèves et comportementalistes). La psychologie cognitive ou les thérapies interpersonnelles relèvent des méthodes rationnelles reliées au conscient, d'autres sont de type intermédiaire, comme l'EMDR (*Eye Movement Desensitization and Reprocessing*[1]), fondée sur la rééducation des mouvements oculaires et destinée en particulier à traiter les traumatismes récents, comme le fait d'avoir été témoin d'une mort brutale ; certains praticiens, toutefois, l'utilisent pour retrouver la trace des traumatismes enfouis ou dans des buts plus généraux. Les thérapies émotionnelles ou la gestalt-thérapie se situent également au centre de l'éventail, dans la mesure où elles s'adressent aux émotions mais ne mettent pas systématiquement l'inconscient en jeu.

La psychanalyse, l'analyse jungienne et ce que l'on nomme la « psychologie psychanalytique du soi » (développée par Heinz Kohut) représentent les thérapies qui cherchent à accéder à l'inconscient tel qu'il nous apparaît dans la relation thérapeutique et dans les rêves. Leur but est de remonter le plus loin possible dans l'enfance pour trouver la trace du traumatisme premier et de retravailler depuis ce point. Ces approches sont les plus recommandées si vous présentez un attachement insécure, un protecteur-persécuteur ou que vous ayez déjà tenté des approches plus rationnelles sans succès.

---

1. Voir en particulier le site http://www.emdr-france.org/

Les analystes jungiens (certifiés) et assimilés (qui utilisent les méthodes jungiennes sans s'être formé dans un institut certifiant) utilisent également les rêves et d'autres méthodes pour accéder aux profondeurs du moi et aux nombreux symboles qui apparaissent dans votre psyché. Pour les jungiens, le but ultime de la thérapie est l'individuation, c'est-à-dire vivre dans une harmonie croissante avec l'objectif unique de votre vie, du point de vue de votre entière psyché et pas seulement de votre ego conscient.

Si l'une de ces méthodes (psychologie cognitive, interpersonnelle, EMDR, gestalt, analyse freudienne, etc.) vous semble préférable, contactez un institut qui l'enseigne. Même si elle se trouve loin de chez vous, elle pourra vous indiquer les analystes et praticiens qui se trouvent dans votre région. Assurez-vous cependant de ne pas placer la méthode au-dessus des talents et de la personnalité du thérapeute. En fait, il est sans doute préférable de trouver le praticien qui vous convient le mieux, puis de lui demander quelle est sa méthode, pour savoir s'il peut vous convenir. En réalité, la plupart des thérapeutes ont plusieurs formations et savent adapter leurs méthodologies à votre cas personnel. Vous pouvez éventuellement apporter ce livre avec vous et préciser en quoi il vous a plu. Un bon thérapeute s'intéressera toujours à ce qui vous semble à même de vous aider.

Le premier rendez-vous

Après avoir établi une liste de psychothérapeutes, ou parallèlement à ceci, vous pouvez éventuellement visiter les sites Internet de ceux qui en possèdent. Demandez-vous s'il vous sera facile de vous rendre au cabinet de chacun, réfléchissez bien avant d'en choisir un exigeant de longs déplacements en voiture. Prévoyez d'en rencontrer au moins deux ou trois sur votre liste avant d'en choisir un, et appelez-les pour voir s'ils ont des rendez-vous disponibles dans vos horaires. Demandez leurs tarifs et renseignez-vous pour savoir si la première séance est gratuite (ce qui est plutôt rare). Si ce tarif est trop élevé pour vous, dites-le au téléphone, certains peuvent accepter de baisser leurs honoraires dans certains cas. Il vous sera peut-être difficile d'en savoir plus, mais posez-leur autant de questions que vous le pouvez. La plupart des thérapeutes préfèrent que vous vous rencontriez en personne avant de se prononcer plus avant. Il vous faudra donc prendre un rendez-vous. Pour que la thérapie fonctionne, il faut s'apprécier mutuellement…

Pour le premier rendez-vous, penser à prévoir une marge de temps supplémentaire pour trouver les locaux. Contrairement aux autres rendez-vous médicaux, les séances de psychothérapie commencent en général à l'heure. Prévoyez votre chéquier ainsi que de l'argent liquide, certains thérapeutes y accordent une véritable importance. Accordez-vous au moins une journée complète entre chaque premier rendez-vous (car, rappelons-le, il s'agit de consulter deux ou trois thérapeutes avant de choisir). En effet, il vous faudra du temps pour réfléchir, voire récupérer si une session s'avère émotionnellement éprouvante. Au cours de la première séance, demandez au thérapeute, si vous n'avez pas déjà eu l'occasion de le faire, où il a fait ses études, depuis combien de temps il pratique et quelle est sa spécialité. Faites également de votre mieux pour évoquer certains de vos problèmes les plus profonds, afin de voir comment il ou elle réagit et si sa réaction vous inspire confiance.

Si vous souhaitez travailler sur vos rêves, vous pouvez présenter un rêve récent, perturbant ou récurrent. Le thérapeute peut également vous encourager à raconter votre histoire ou à exposer vos objectifs dans cette thérapie avant de vous exposer sa méthode. Vous pouvez vous montrer spontané, car il s'agit de tester ce que pourrait être votre relation, mais assurez-vous de recevoir toutes les réponses que vous attendez, car vous êtes en position de client.

Faire le point sur votre expérience

Après chaque première rencontre avec un thérapeute, demandez-vous : « Ai-je gagné quelque chose dans cette séance ? M'a-t-elle suffisamment intéressé pour avoir envie de revenir ? » Vous devez avoir senti écoute et empathie de la part du thérapeute, cela fait partie de sa formation et de son devoir, cela n'est donc pas un simple détail. Si ce n'est pas le cas, n'y retournez pas. Évitez également les thérapeutes qui insistent pour que vous travailliez avec eux, vous déconseillent d'essayer d'autres praticiens, ou vous font sentir qu'ils privilégieront leurs besoins aux vôtres. Si, par exemple, l'un d'eux a répondu au téléphone pendant la séance, vous a raconté sa vie ou a tenté de vous impressionner par sa science, mieux vaut éviter d'y retourner.

Après avoir consulté plusieurs thérapeutes, faites une pause de quelques jours pour faire le tri dans vos impressions, sinon la dernière personne vue vous laisserait sans doute l'impression la plus forte. N'ignorez pas vos réactions aux petits détails comme l'atmosphère de la salle d'attente ou du cabinet, qui vous en apprend aussi sur cette personne. Observez également vos rêves, pour voir comment votre psyché répond à chaque thérapeute.

Si vous prévoyez une thérapie à long terme, mettez-vous d'accord avec le praticien pour commencer par une série de cinq ou six séances, étant entendu que vous prendrez la décision de continuer au terme de celles-ci. Pour votre rendez-vous suivant, réfléchissez à ce que vous voulez savoir d'autre au sujet du thérapeute, y compris en ce qui concerne le « règlement intérieur » : devrez-vous payer les séances annulées ? Les augmentations de tarif sont-elles fréquentes ? Observez ce que vous inspirent ses réponses. Mais, plus encore, continuez à explorer vos problèmes, mettez-vous au travail et voyez ce qui se passe.

Encore une fois, vous avez le temps de prendre une décision. Celle-ci peut en effet affecter toute votre vie…

Votre décision est prise

Une fois votre choix effectué, donnez sa chance au thérapeute, et faites confiance à votre décision. Il y aura des hauts et des bas, n'oubliez jamais d'évoquer ces derniers. Avant tout, je le répète, il s'agit d'être honnête. Si quelque chose vous déplaît, parlez-en, après de telles discussions, les thérapies font souvent un bond en avant. Par-dessus tout, ne mettez pas un terme à la thérapie sans en avoir parlé au préalable, sauf si un événement anormal se produit, comme une demande d'intimité sexuelle ou d'amitié (toutes deux en contradiction absolue avec l'éthique professionnelle), un manquement au secret professionnel ou à toute autre limite. Aussi sympathique que cela puisse paraître, refusez qu'un thérapeute vous voie gratuitement, modifie la longueur des sessions ou vous suggère de vous rencontrer ailleurs qu'au cabinet (sauf s'il a de très bonnes raisons pour cela).

De même, ne consultez pas simultanément deux psychothérapeutes, à moins que l'un des deux ne vous ait recommandé l'autre, par exemple pour le consulter en thérapie de couple parallèlement à votre thérapie personnelle. La relation entre patient et thérapeute est un lieu d'apprentissage, qui peut connaître ses moments difficiles. Or, si vous vous servez d'un autre psychologue pour vous « décharger » de ces difficultés, vous n'apprendrez pas autant de choses. En général, on préfère ne pas consulter le même praticien individuellement et en couple ; dans la thérapie de couple, c'est ce dernier le client, et le thérapeute y consacre donc toute son attention – il y aurait donc un conflit d'intérêt s'il vous voyait également comme patiente particulière.

Quand arrivent le lien et l'amour

Dans le cadre de la thérapie, la présence du rang est obligatoire – le pouvoir du thérapeute se met au service du lien – mais, de façon évidente, vous et votre praticien devez entretenir un lien solide. Personnellement, je pense que la thérapie, en particulier si elle est centrée sur la guérison d'un attachement insécure requiert une expérience de l'amour. Toutefois, l'amour qui apparaît dans la thérapie n'implique pas que les besoins du thérapeute soient comblés. En plus de le payer pour son attention, et du travail que vous fournissez dans chaque séance, vous êtes là pour recevoir ce que les Japonais, comme je l'ai dit au chapitre 4, appellent *amae :* dépendre de l'amour de l'autre en toutes circonstances, en particulier si vous n'avez pas connu un tel amour dans votre enfance.

Je dois remercier Ellen Siegelman, une amie et analyste jungienne, pour avoir formulé le rôle évident de l'amour du thérapeute. Elle écrit qu'au cours du travail, la plupart des thérapeutes « en viennent à éprouver un amour profond et non investi pour la plupart de leurs patients[1] ». Remarquez le mot *non investi*. Cet amour doit être sincère et non feint, même pour améliorer l'état du patient. Mme Siegelman n'est pas la seule à mettre l'accent sur le rôle de l'amour. Carl Rogers, l'un des pères de la psychothérapie moderne, a fondé le travail de toute sa vie sur l'idée qu'un « regard positif inconditionnel » de la part du thérapeute était ce qui faisait fonctionner la psychothérapie[2].

Certains psychothérapeutes, anciens ou contemporains, ont été formés pour se comporter envers leurs patients comme un (mauvais) dentiste, se contentant d'une distance toute professionnelle et du minimum de courtoisie nécessaire à installer une alliance de travail. Aujourd'hui, nous apprenons que le lien, voire l'amour (avec toutes les limites professionnelles indispensables) est une partie essentielle de ce qui permet aux patients d'explorer leurs schémas émotionnels, de développer un attachement sécure, d'expérimenter toute la richesse des relations d'intimité et de guérir le bourreau intérieur.

---

1. E. Y. Siegelman, « The Analyst's Love: An Exploration », *Journal of Jungian Theory and Practice* 4, 2002 (« L'amour de l'analyste : une exploration », non traduit).
2. Carl Rogers, *Le développement de la personne*, Dunod, 2005.

Tableau des traumatismes

1	2	3	4	5	6	7	8
Traumatisme d'enfance	Avant 4 ans	Avant 12 ans	Peu ou pas de soutien	Répété (plus de deux fois)	Traumatismes simultanés	Bouleversements au niveau de la vie ou du caractère	Sentiments dépressifs et de honte

Un mot sur l'auteur

Née en Californie, le Dr Elaine Aron a étudié à l'université de Berkeley et à l'université York de Toronto avant d'obtenir son diplôme de psychologie clinique à l'institut Pacifica de Santa Barbara. Elle a également suivi les cours de l'institut jungien de San Francisco.

Elle a vécu un peu partout en Amérique du Nord, passant d'un dôme géodésique sur l'île de Cortes, au Canada, à une vieille demeure d'Atlanta. Elle partage son temps entre New York et San Francisco, où son cabinet de psychothérapie lui offre l'opportunité de sonder les tréfonds de l'âme humaine. Elle est également écrivain, directrice de recherches et conférencière, et anime des ateliers aussi souvent que le lui permet sa nature hypersensible et introvertie. Elle se recentre grâce à la pratique quotidienne de la méditation, des randonnées pédestres (en France en particulier) ou équestres, elle parcourt les chemins du Comté de Marin sur sa jument Annie.

En plus de ses livres et articles sur les hypersensibles, le Dr Aron a publié de nombreux essais sur la psychologie sociale des relations intimes. Elle et son mari Art sont des précurseurs mondialement reconnus de l'étude de l'amour et de l'attirance, en particulier par l'utilisation de l'IRM pour comprendre les fonctionnements cérébraux des personnes hypersensibles… et amoureuses.

Bibliographie

ARON A. et ARON E. N., *Love and the Expansion of Self: Understanding Attraction and Satisfaction*, Hemisphere, 1986.

ARON A., ARON E. N. et SMOLLAN D., « Inclusion of Other in the Self Scale and the Structure of Interpersonal Closeness », *Journal of Personality and Social Psychology* 63, 1992.

ARON A., ARON E. N., TUDOR M. et NELSON G., « Close Relationships as Including Other in the Self », *Journal of Personality and Social Psychology* 60, 1991.

ARON A., NORMAN C. C., ARON E. N., MCKENNA C. et HEYMAN R., « Couples Shared Participation in Novel and Arousing Activities and Experienced Relationship Quality », *Journal of Personality and Social Psychology* 78, 2000.

ARON A., PARIS M. et ARON E. N., « Falling in Love: Prospective Studies of Self-Concept Change », *Journal of Personality and Social Psychology* 69, 1995.

ARON A., REISSMANN C. et BERGEN M., « Shared activities and Marital Satisfaction: Causal Direction and Self-Expansion versus Boredom », *Journal of Social and Personal Relationships* 19, 1993.

ARON A., DUTTON D. G., ARON E. N. et IVERSON A., « Experiences of Falling in Love », *Journal of Social and Personal Relationships* 6, 1989.

ARON A., MASHEK D. et ARON E. N., « Closeness, Intimacy, and Including Other in the Self », *Handbook of Closeness and Intimacy*, Mashek D. et Aron A., Mahwah, NJ. Erlbaum, 2004.

ARON A., DUTTON D. G., ARON E. N. et IVERSON A., « Experiences of Falling in Love », *Journal of Social and Personal Relationships* 6, 1989.

ARONSON E. et COPE V., « My Enemy's Enemy Is My Friend », *Journal of Personality and Social Psychology* 8, 1968.

ARON E.N., *Ces gens qui ont peur d'avoir peur : Mieux comprendre l'hyper-sensibilité*, Les éditions de l'Homme, 2005.

ARON E. N. et ARON A., « Sensory-Processing Sensitivity and Its Relation to Introversion and Emotionality », *Journal of Personality and Social Psychology* 73, 1997.

BALDWIN M. W., « Priming Relational Schemas as a Source of Self-Evaluative Reactions », *Journal of Social and Clinical Psychology* 13, 1994.

BERSCHEID E. et REIS H. T., « Attraction and Close Relationships », *Handbook of Social Psychology* (4e éd.), Fiske S., Gilbert D., et Lindzey G., McGraw-Hill, 1998.

BEHARY W., *Face aux narcissiques : mieux les comprendre pour mieux les désarmer*, Eyrolles, 2010.

BOEHM C., *Hierarchy in the Forest: The Evolution of Egalitarian Behavior*, Harvard University Press, 2001.

BOWLBY J., « Attachement et perte », Vol. 2, *La séparation, angoisse et colère*, Paris, PUF, 2007.

BRETHERTON I. et MUNHOLLAND K. A., « Internal Working Models in Attachment Relationships: A Construct Revisited », dans Cassidy J.

et Shaver P. R., *Handbook of Attachment: Theory, Research, and Clinical Applications*, New York Guilford, 1999.

CHEN E. S. et TYLER T. R., « Cloaking Power : Legitimizing Myths and the Psychology of the Advantaged », dans Lee-Chai and Bargh, *Use and Abuse of Power : Multiple Perspectives on the Causes of Corruption*, Psychology Press, 2001.

DICKERSON S.S. et KEMENY M.E., « Acute Stressors and Cortisol Responses: A Theoretical Integration and Synthesis of Laboratory Research », *Psychological Bulletin* 130, 2004.

DUTTON D. G. et ARON A., « Some Evidence for Heightened Sexual Attraction under Conditions of High Anxiety », *Journal of Personality and Social Psychology* 30, 1974.

DSM-IV-TR, Manuel diagnostique et statistique des troubles mentaux, texte révisé, Elsevier Masson, 2003.

EISLER R. et LOYE D., « The "Failure" of Liberalism: A Reassessment of Ideology from a New Feminine-Masculine Perspective », *Political Psychology* 4, 1983.

FISHER H. E., « Lust, Attraction and Attachment in Mammalian Reproduction », *Human Nature* 9, 1998.

KENDLER K. S., HETTEMA J. M., BUTERA F., GARDNER C. O. et PRESCOTT C. A., « Life Event Dimensions of Loss, Humiliation, Entrapment, and Danger in the Prediction of Onsets of Major Depression and Generalized Anxiety », *Archives of General Psychiatry* 60, 2003.

FRIEZE I. H. et BONEBA B. S., « Power Motivation and Motivation to Help Others », *Use and Abuse of Power: Multiple Perspectives on the Causes of Corruption*, Psychology Press, 2001.

GABLE S. L., REIS H. T., IMPETT E. A. et ASHER E. R., « What Do You Do When Things Go Right ? The Intrapersonal and Interpersonal Benefits of Sharing Positive Events », *Journal of Personality and Social Psychology* 87, 2004.

GUYLL M. et MATTHEWS K. A., « Discrimination and Unfair Treatment : Relationship to Cardiovascular Reactivity among African American and European American Women », *Health Psychology* 20, 2001.

HILLS P. et ARGYLE M., « Happiness, Introversion-Extraversion and Happy Introverts », *Personality and Individual Differences* 30, 2001.

JOHNSON R. A., *Inner Work: Using Dreams and Active Imagination for Personal Growth*, New York HarperOne, 1986, non traduit.

JUNG G., *L'Âme et le soi, renaissance et individuation*, Albin Michel, Le livre de poche, 1990.

KAGAN J., *Galen's Prophecy: Temperament in Human Nature*, New York, Basic Books, 1994.

KAGAN J., *Des idées reçues en psychologie*, Odile Jacob, 2000.

KALSCHED D., *The Inner World of Trauma: Archetypal Defenses of the Personal Spirit*, New York, Routledge, 1996.

KIERSTEAD D., D'AGOSTINO P. et DILL H., « Sex Role Stereotyping of College Professors : Bias in Students Ratings of Instructors », *Journal of Personality and Social Psychology*, 1988.

LEE-CHAI A. Y., CHEN S. et CHARTRAND T. L., « From Moses to Marcos: Individual Differences in the Use and Abuse of Power », dans Lee-Chai and Bargh, *Use and Abuse of Power, Multiple Perspectives on the Causes of Corruption*, Psychology Press, 2001.

MENDOZA-DENTON R., DOWNEY G., PURDIE V., DAVIS A. et PIETRZAK J., « Sensitivity to Status-Based Rejection: Implications for African American Students College Experience », *Journal of Personality and Social Psychology* 83, 2002.

MOFFI T. E., CASPI A., HARRINGTON H. et MILNE B. J., « Males on the Life-Course-Persistent and Adolescence-Limited Antisocial Pathways: Follow-up at Age 26 Years », *Development and Psychopathology* 14, 2002.

MIKULINCER M. et ARAD D., « Attachment, Working Models, and Cognitive Openness in Close Relationships: A Test of Chronic and Temporary Accessibility Effects », *Journal of Personality and Social Psychology* 77, 1999.

MIKULINCER M. et SHAVER P. R., « Attachment Theory and Intergroup Bias: Evidence That Priming the Secure Base Schema Attenuates Negative Reactions to Out-Groups », *Journal of Personality and Social Psychology* 81, 2001.

MIKULINCER M., GILLATH O., HALEVY V., AVIHOU N., AVIDAN S. et ESHKOLI N., « Attachment Theory and Reactions to Others' Needs: Evidence That Activation of a Sense of Attachment Security Promotes Empathic Responses », *Journal of Personality and Social Psychology* 81, 2001.

MORGESON F. P. et HUMPHREY S. E., « The Work Design Questionnaire (WDQ): Developing and Validating a Comprehensive Measure for Assessing Job Design and the Nature of Work », *Journal of Applied Psychology* 91, 2006.

PIERCE T. et LYDON J., « Priming Relational Schemas : Effects of Contextually Activated and Chronically Accessible Interpersonal Expectations on Responses to a Stressful Event », *Journal of Personality and Social Psychology* 75, 1998.

RAVEN B. H., SCHWARZWALD J. et KOSLOWSKY M., « Conceptualizing and Measuring a Power/Interaction Model of Interpersonal Influence », *Journal of Applied Social Psychology* 28, 1998.

RAVEN B. H., « Power Interaction and Interpersonal Influence », dans Lee-Chai et Bargh, *Use and Abuse of Power: Multiple Perspectives on the Causes of Corruption*, Psychology Press, 2001.

RUDMAN L. A., DOHN M. C. et FAIRCHILD K., « Implicit Self-Esteem Compensation: Automatic Threat Defense », *Journal of Personality and Social Psychology* 93, 2007.

RUDMAN L. A., FEINBERG J. et FAIRCHILD K., « Minority Members. Implicit Attitudes: Automatic Ingroup Bias as a Function of Group Status », *Social Cognition* 20, 2002.

SCHWARTZ P., *Peer Marriage: How Love Between Equals Really Works*, New York, Free Press, 1994.

SIDANIUS J., CLING B. J. et PRATTO F., « Ranking and Linking as a Function of Sex and Gender Role Attitudes », *Journal of Social Issues* 47, 1991.

SLOMAN L. et GILBERT P., *Subordination and Defeat: An Evolutionary Approach to Mood Disorders and Their Therapy*, Lawrence Erlbaum, 2000.

SOBER E. et WILSON D. S., *Unto Others: The Evolution and Psychology of Unselfish Behavior*, Harvard University Press, 1999.

STONE H. et STONE S., *Le dialogue intérieur, connaître et intégrer nos subpersonnalités*, Souffle d'Or, 1997.

STROUGH J. et CHENG S., « Dyad Gender and Friendship Differences in Shared Goals for Mutual Participation on a Collaborative Task », *Child Study Journal* 30, 2000.

TAKEO Doi, *Le jeu de l'indulgence : Étude de psychologie fondée sur le concept japonais d'amae*, L'Asiathèque, 1991.

TANGNEY J. P. et FISCHER K. W., *Self-Conscious Emotions: The Psychology of Shame, Guilt, Embarrassment, and Pride*, Guilford, 1995.

TESSER A., « Toward a Self-Evaluation Maintenance Model of Social Behavior », *Advances in Experimental Social Psychology*, Vol. 21, L. Berkowitz, New York, Academic Press, 1988.

THORNE B., « The Press of Personality: A Study of Conversations between Introverts and Extraverts », *Journal of Personality and Social Psychology* 53, 1987.

TIGER L., *À la recherche des plaisirs*, Payot, 2003.

VIDING E., JAMES R., BLAIR R., MOFFITT T. E. et PLOMIN R., « Evidence for Substantial Genetic Risk for Psychopathy in 7-Year-Olds », *Journal of Child Psychology and Psychiatry* 46, 2004.

WATERS E., MERRICK S., TREBOUX D., CROWELL J. et ALBERSHEIN L., « Attachment Security in Infancy and Early Adulthood: A Twenty-Year Longitudinal Study », *Child Development*, 71, 2000.

WOOD J. V., PERUNOVIC W. Q. E. et LEE J. W., « Positive Self-Statements: Power for Some, Peril for Others », *Psychological Science* 20, 7, 2009.

ZIMBARDO P., *The Lucifer Effect: Understanding How Good People Turn Evil*, Random House, 2007.

À noter : la plupart des articles cités, dont les titres ont été traduits, sont consultables sur Internet *via* les archives des revues où ils sont parus (parfois de façon payante).

Composé par *Style Informatique*